NAMORADOS IMPRESTÁVEIS

Jessie Jones

NAMORADOS IMPRESTÁVEIS

2ª EDIÇÃO

Tradução
Sibele Menegazzi

Título original: *Rubbish Boyfriends*

Capa e ilustração: Silvana Mattievich

Editoração: DFL

2009
Impresso no Brasil
Printed in Brazil

CIP-Brasil. Catalogação-na-fonte
Sindicato Nacional dos Editores de Livros, RJ.

J67n
2ª ed.

Jones, Jessie
Namorados imprestáveis / Jessie Jones; tradução Sibele Menegazzi. – 2ª ed. – Rio de Janeiro: Bertrand Brasil, 2009.
378 p.

Tradução de: Rubbish boyfriends
ISBN 978-85-286-1381-0

1. Romance inglês. I. Menegazzi, Sibele. II. Título.

09-1146

CDD – 823
CDU – 821.111-3

EDITORA BERTRAND BRASIL LTDA.
Rua Argentina, 171 – 1º andar – São Cristóvão
20921-380 – Rio de Janeiro – RJ
Tel.: (0xx21) 2585-2070 – Fax: (0xx21) 2585-2087

Atendemos pelo Reembolso Postal.

Sempre quis ter a chance de dizer: "Se tal e tal pessoa pedissem as contas no trabalho, eu iria com elas." Agora tenho duas pessoas nesses moldes: Grainne Fox, da Ed Victor, e Maxine Hitchcock, da Avon. Sintam-se avisadas, garotas. Se vocês saírem do trabalho, vou atrás de vocês.

Meus agradecimentos também a Caroline Ridding. Eu sempre soube que acabaríamos juntas. Meu muito obrigada ao Salão de Beleza Hampstead Garden, por todos os tratamentos pelos quais passei em nome da, hã, pesquisa. Amo seu trabalho, Helen.

E, finalmente, agradeço a Matt, por me explicar pacientemente, por horas a fio, tudo que eu precisava saber sobre como o motor de um carro funciozzzzzzzzzzzzzz...

Para Holly.
Que ela nunca tenha um namorado imprestável.

E para Sam.
Que ele nunca seja um.

3 cm

— Não, Dayna, *não*! — censura a parteira. — Você ainda não deve empurrar. É cedo demais. — Mas que diabos ela sabe? Parece ter uns dezenove anos. Aposto que o mais perto que ela chegou de um recém-nascido foi... Tá, ok., ela é parteira. Recém-nascidos são seu ganha-pão. Mas ficar por perto dando conselhos "úteis" não conta. É a ação de *tê-los* que realmente importa. O que, caso você ainda não tenha notado, é exatamente o que estou prestes a fazer neste momento.

Quando digo prestes, imagino que esteja sendo otimista, pois a adolescente no meio das minhas pernas me diz que, tecnicamente, com apenas três centímetros de dilatação, estou só no *começo*.

Todos nós já ouvimos as histórias de não-sei-quem que ficou em trabalho de parto por duzentas e cinqüenta e oito horas. Sempre imaginei que fossem apenas isso: *histórias*. Como quando se comparam machucados e dores. Tipo: "Seus olhos estão ardendo? Deixe eu te dizer uma coisa: meus olhos ardem tanto que nem o Stevie Wonder iria querê-los." Mas agora estou começando a desconfiar que, na verdade, as histórias são atenuadas para o consumo público. Tenho a terrível sensação de que a verdade seja muito, mas muito, pior.

É uma da manhã. Estou nesta sala de parto há três horas. A parteira mirim me diz que pode ser que demore um pouco mais. Quanto, exatamente? Ela não diz *exatamente* quanto, diz? Ela nem sequer me dá um *aproximadamente,* como, por exemplo, no dia seguinte. Portanto, já se passaram três horas, e a contagem continua.

— Tente relaxar, Dayna — tranqüiliza a parteira mirim. — Você parece um pouco estressada.

— *Huhhmmmmmm* — é minha resposta a isso. É claro que estou estressada. Estou agonizando e mal comecei. Logo ela vai sugerir que acendamos alguns dos incensos idiotas que Emily achou que seriam adequados.

— Já sei, por que não acendemos um incenso? — pergunta Emily.

— Tenho três palavras pra você. A primeira delas é *vá* — digo a ela através dos dentes trincados.

Ela me sorri do melhor jeito possível. Emily é uma virgem de parto e, portanto, ainda precisa descobrir a verdadeira definição de dor. — Agüente firme, Dayna — ela me encoraja. — Você está indo muito bem.

— Aaaaaaahhhh! — eu grito.

Emily olha para mim e, então, para a parteira mirim, com pânico nos olhos. — Ela não pode tomar um pouco mais de metadona? — choraminga.

— Não são as malditas contrações, Emily. É minha mão. Solte-a, pelo amor de Deus. — Tento arrancar minha mão, mas ela não solta. Faz duas horas que ela está apertando minha mão carinhosamente. Tão carinhosamente quanto uma morsa esmagadora de ossos, quero dizer. Até agora, a transferência de dor tem sido uma distração excelente, mas, à medida que seu pânico foi aumentando, o aperto se intensificou.

— Chama-se *petidina* — corrige a parteira mirim —, e não, ela já recebeu a dosagem máxima.

— Olha, eu mudei de idéia quanto à epidural — digo a ela. — Quero uma agora. Definitivamente. Não posso enfrentar mais sete centímetros disto. É insuportável.

A parteira mirim franze a testa. — Não estou certa de que essa ainda seja uma opção — diz ela. — O anestesista tem sete mulheres à sua espera e todas elas marcaram com antecedência. — Ela faz uma pausa para me olhar com aquela cara de não-diga-que-não-avisei. — Se você se lembra, nós lhe oferecemos uma. — Ela olha de relance para a mesa perto da parede, que range sob o peso das velas e incensos e CDs de canto de baleia que Emily descarregou ali quando chegamos. — Você disse, e eu acho que suas palavras exatas foram: "Ah, não, nós não vamos querer nenhuma intervenção, obrigada. Nós vamos fazer tudo de forma natural."

Que parteira espertinha, boa de memória e sem contrações é esta. Pode ser que aquelas palavras fossem exatas, mas eu não as disse. Foi a Emily. E, agora que penso a respeito, de onde foi que a minha suposta melhor amiga tirou aquele *nós*? Como se *nós* estivéssemos fazendo alguma coisa por aqui. Não a vejo passando por contrações paralisantes só para dilatar o colo do útero um mísero milímetro a mais. Neste instante, eu poderia enfiar aqueles palitos de incenso no rabo dela, acompanhados por um par daquelas velas perfumadas de baunilha (acesas). Então, enquanto ouvisse seus gritos de agonia, eu saberia que *nós* realmente estávamos juntas naquilo.

É totalmente por culpa de Emily que estou aqui esta noite. A ida até a exibição de fogos de artifício no jardim botânico foi mesmo uma excelente idéia. — Sei que você está nervosa com relação ao parto, Dayna — ela disse. — Você precisa de coisas que a distraiam. — *Rá!* Cinco minutos de zunidos ensurdecedores, ESTOUROS!!! e *fiiiiiiiiuuuuuummmmmms* foram suficientes para disparar o trabalho de parto. Só que com duas semanas de antecedência.

E sem meu companheiro de parto *adequado*, isto é, o pai deste bebê.

Eu disse bebê? Desculpe, quis dizer melancia superdesenvolvida. Uma caixa inteira delas. Porque, certamente, dar à luz um bebezinho minúsculo não deveria doer tanto.

Mas talvez Emily tenha me feito um enorme favor. Se esta *coisa* tivesse mais duas semanas para crescer dentro de mim, quanto mais poderia ter doído? E pelo menos ela está aqui, ainda que seja com uma sacola de tralhas hippies, além da outra sacola: a de comida. (Nem queira saber.) Ela poderia ainda estar a milhares de quilômetros de distância, em Tóquio, que foi onde passou a maior parte da minha gravidez. Ela está aprendendo japonês. Fala fluentemente "Quanto custa esta bolsa Dolce & Gabbana?" e "Tem em marrom?", assim como várias outras frases essenciais.

Ela voltou há três semanas e, desde então, passamos o tempo imaginando como este momento seria maravilhoso. Tenho a terrível sensação de que talvez tenhamos avaliado mal as coisas. A sacola de comida, para início de conversa. Assim como a parafernália hippie, foi idéia de Emily. Barra de cereais, chocolate, granola e uma variedade de frutas para "manter alto o nível de energia" e "impedir que o tédio se instale". Vai por mim, não é tédio o que estou sentindo. E ainda, há a terceira sacola, cheia de artigos de higiene, maquiagem e cremes, assim como duas mudas de roupa. De novo, idéia de Emily. Aonde ela pensou que estávamos indo? Passar duas semanas em Barbados de férias? Em oposição a duzentas e cinqüenta e oito horas (ok., três, até agora) no inferno.

Mas não posso culpar Emily. A única boba aqui sou eu. Após nove meses (menos duas semanas) de preparo para isto, eu deveria estar mais informada.

Fecho os olhos e aperto os punhos quando outra onda excruciante de dor me engole. *Je-suuuuuuuuuus*, que dor. Não acredito que só dilatei três centímetros. — Vai piorar muito ainda? — choramingo, quando a agonia finalmente diminui.

Silêncio. A parteira mirim nos deixou a sós por um momento e tudo que Emily pode fazer é um inútil dar de ombros. — Poderia ser pior — ela diz. — Você poderia estar passando por isto sozinha.

— Eu *estou* sozinha.

— Estou aqui — ela retruca, magoada.

— Eu sei, mas *ele* não está, né?

— Eu sei, eu sei — ela me tranqüiliza. Ela vem pegar minha mão de novo, mas eu a tiro rapidamente. — Olhe pelo lado positivo: se eu não estivesse hospedada na sua casa desde que voltei, você não teria se organizado tanto. Lembre-se de que foi idéia minha arrumar as sacolas ontem à noite. Foi um bom trabalho, não foi?

E, para demonstrar sua inteligência, ela enfia a mão na sacola de comida, tira umas barrinhas de cereais e me oferece uma. Balanço a cabeça em negação. Quem consegue pensar em comida numa hora dessas? Já me sinto inchada o suficiente. Engordei dezenove quilos... Me diz uma coisa: quanto disso é o bebê? Eles não pesam *tanto* assim. Ou pesam?

— Depois de tudo pelo que passamos, é incrível, não é? — ela diz.

Lá vem ela com *nós* de novo, mas eu deixo passar.

— O que é incrível? — pergunto.

— Bem, que eu esteja me casando e você esteja tendo um bebê. Sempre pensei que Max e eu seríamos pais antes.

Max é o cara que a levou para o Japão. Ele foi pra lá ganhar seu primeiro milhão. Ela foi atrás para gastá-lo. Não, não, não é nada disso. É amor verdadeiro... Mas ela anda gastando como se fosse a Paris Hilton.

— Me desculpe por isso — eu digo, parecendo um pouquinho mais sarcástica do que pretendia. — Você deveria ter me dito que era uma corrida. Eu teria te dado alguma vantagem.

Ela ri, mas eu me pergunto se realmente está irritada. Somos amigas desde sempre e ela sempre fez tudo antes de mim. Aprendeu a nadar antes de mim. Depilou as sobrancelhas antes de mim. Começou a fumar primeiro. Parou primeiro. E ela já havia entrado e saído de relacionamentos seriíssimos, do tipo até-que-a-morte-nos-separe, sete ou oito vezes antes que eu tivesse tido meu primeiro namorado de verdade.

Mas agora, no entanto, eu gostaria de nunca tê-la seguido *naquele* caminho em particular. Se eu tivesse me atrasado um pouco mais no quesito namorado de verdade... até que tivesse uns cinqüenta anos, vamos dizer... eu não estaria aqui agora a ponto de enfrentar outra maldita contraaaaaaaaaaaaaaaaahhhhhhhhh!

Nº 1

Simon. O número um; cronologicamente falando, pelo menos. Meu primeiro namorado de verdade, meu primeiro amor verdadeiro. Claro, eu tivera alguns casinhos antes dele, mas eles nunca haviam durado muito. Eu nunca tinha tido um daqueles relacionamentos do tipo: "Nossa, você acredita que já faz um ano/mês/semana?!"

Mas, dessa vez, era amor com A maiúsculo. Ele certamente era alguém com quem eu comemoraria um aniversário (de qualquer que fosse o período), alguém com quem eu poderia viajar de férias, alguém com quem eu, definitivamente, iria transar. Era o destino, entende? Me diga: qual é a probabilidade de que os únicos dois virgens de dezessete anos em Londres gostassem um do outro e ficassem juntos? Tinha que ser assim, claramente. Bem, isso foi o que eu disse a mim mesma, na época.

Eu me segurei por algum tempo, mas não muito. Concluí que a virgindade, ao contrário do meu pôster autografado de edição limitada do *NSYNC, não era algo que se devesse conservar para a posteridade.

Nossa primeira vez: uma experiência linda, profundamente espiritual; perfumada por mil velas e enfeitada por um milhão de pétalas de rosas...

Não, não, não. Deixe-me começar de novo. Nossa primeira vez: imprestável, basicamente.

Era 1997. Ele ainda morava na casa dos pais. Eles não estavam em casa e nós mandamos ver, com uma sensação de urgência — estava mais para pânico, na verdade —, porque não sabíamos quanto tempo teríamos antes que eles voltassem. Não precisávamos ter nos preocupado. Aquilo a que eu vinha me aferrando há dezessete anos e onze meses se foi em trinta segundos. Aos trinta e um segundos, percebi que Simon rolou para o lado e, de forma não tão discreta, ergueu o punho para o ar.

Eu? Fiquei estupefata.

Estupefata como quem pensa: *É isso?*

A maioria das minhas amigas, incluindo Emily, já vinham fazendo aquilo há alguns anos. "É incrível", ela tinha me dito, logo depois de ter feito. "Parece um martelo no seu estômago e você tem essas sensações elétricas subindo pela sua espinha, até a cabeça." Deduzi que a primeira vez de cada pessoa fosse diferente. Pelo menos, era o que eu *esperava* — se era para haver martelos e sensações esquisitas na espinha, eu também queria.

Decidi ficar quieta e fingir estar tão plena das alegrias do sexo quanto ele, para não parecer excluída. Que é o que imagino que você faça quando é jovem e completamente idiota. E, quando se é tão jovem e idiota quanto eu era naquela época, imagino que não se perceba nenhum dos sinais de alerta, não é mesmo?

Emily e eu havíamos deixado a escola depois de obter o certificado do ensino médio e decidimos tirar o que geralmente se chama de ano livre. Eu sei que, para a maior parte dos jovens, isso significa embarcar numa viagem inesquecível para a América do Sul antes de entrar na faculdade de Coisas Importantes. Para Emily e para mim, foi realmente um ano livre, literalmente, isto é, o intervalo entre duas coisas sem nada no meio, como quando se avisa a alguém: "Cuidado com o vão!"

Seja como for, ignorei o aviso e caí de cabeça nele. E, enquanto estava lá embaixo, conheci Simon.

Naquela época, eu via um cara por quem me interessava e, simplesmente, sabia que tinha que conquistá-lo. Então, depois de persegui-lo, às vezes durante meses, e de finalmente fazer com que ele me convidasse para sair, a coisa ficava por isso mesmo. Totalmente brochante. A emoção, ao que parece, estava sempre na caçada.

Com Simon foi diferente. Cabelo escuro e penetrantes olhos azuis, ele tinha aquela aparência de Garanhão Italiano, mas sem toda a oleosidade. Ele era bonito, sim, mas havia algo mais nele além disso. Eu soube assim que consegui fazê-lo me pagar um drinque usando uma técnica brilhantemente sutil e psicologicamente engenhosa de conversa: pedi que ele me pagasse um drinque. Alguns encontros depois, eu estava apaixonada.

Por baixo de toda aquela macheza, ele era um doce. Na verdade, se eu não tivesse pedido a ele que me pagasse um drinque, provavelmente nunca teríamos ficado juntos, porque ele era tímido demais com relação às garotas. Isso só o fez parecer ainda mais encantador. Ele era carinhoso e amável, e estava sempre me dando presentinhos. Coisinhas, porque ele não era exatamente rico, mas, ei, uma garota nunca tem bichos de pelúcia demais, não é? *Montes* de bichos de pelúcia. Quando nos separamos, várias fábricas de bichos de pelúcia na China foram à falência.

Depois de um mês de namoro, ele se superou. No meu aniversário de dezoito anos, ele me deu o bicho de pelúcia equivalente ao diamante de Liz Taylor: um gigantesco urso cor-de-rosa. Costumava ficar nos pés da minha cama, iluminando o quarto inteiro como um pôr-do-sol de cartão-postal. Era muito grande, muito cor-de-rosa e muito, muito...

Deus do céu, aquele urso me dava náuseas. É que eu não era uma garota chegada a ursinhos cor-de-rosa, mas contar-lhe a verdade teria destruído suas ilusões de quem eu era, então fiquei quieta. E tentei não olhar com tanta ansiedade para aquele novo Nokia slim que eu vinha cobiçando toda vez que passava em frente a uma loja da Carphone Warehouse.

À parte os bichos de pelúcia, Simon cumpria com todos os requisitos. Ele era lindo, era gentil, era engraçado e — neste requisito, ele ganhava muitos pontos extras — *tinha carro*. Para uma adolescente que costumava congelar na fila do ônibus da noite, ou que tinha que implorar para o pai dar o dinheiro do táxi, namorado-com-carro pode adquirir uma importância desproporcional. O tilintar de um molho de chaves de carro pode transformar o cara mais nerd e mais vesgo em um Johnny Depp.

O carro de Simon era um monte de ferrugem quando seu chefe o deu a ele. Não foi um ato de bondade. Um cliente o havia largado na oficina em que ele trabalhava e o chefe era mão-de-vaca demais para chamar o guincho que levaria o carro para o ferro-velho. Simon se pôs a trabalhar no carro como se fosse Dick Van Dyke. Ok, o carro não voou como o Calhambeque Mágico, mas a transformação foi bastante parecida.

Durante as primeiras semanas do nosso relacionamento, eu praticamente *morei* no carro de Simon. Como estava desempregada e, portanto, sem um tostão, eu era a única desocupada de Londres com motorista particular. Ele me levava para todo lado: lojas, dentista, cafés, clubes...

Mas, por quanto tempo se pode vadiar pela vida, sem pensar duas vezes no futuro? Aquilo parecia muito legal para mim, mas meu pai disse que tinha que terminar. Só havia espaço para uma pessoa sem carreira, sem formação e pobre na nossa casa, e essa pessoa era ele.

Enquanto eu vacilava, cogitando se minha qualificação obtida nos exames de GCSE* seria suficiente para entrar na faculdade de medicina, Emily, minha companheira preguiçosa e desempregada, tomou uma decisão. Decidiu ir para a faculdade de cosmetologia. Isso foi um choque, porque ela sempre fora meio hippie, sabe, do tipo que curte frutas orgânicas e que usa aquelas pulseiras feitas de fios coloridos trançados. O natural era sempre melhor, na sua opinião, e um curso de cosmetologia parecia algo um tanto quanto vaidoso vindo dela.

Pensando bem, eu não deveria ter ficado tão surpresa. Seu vegetarianismo também não funcionava em tempo integral. Ela fazia uma pausa todo domingo de manhã, quando sua mãe nos preparava san-

---

*General Certificate of Secondary Education, que certifica a obtenção de competências gerais dos estudantes de nível médio na Inglaterra. (N.T.)

duíches de bacon para aliviar a ressaca. E, quando ela dizia que gostaria que os palestinos e os israelenses parassem de brigar, era apenas porque queria ir para o Acampamento Judaico de Verão com nossa amiga Elise sem medo de ser bombardeada. Não que ela não tivesse princípios; a questão é que ela só tinha dezoito anos.

— Não tem nada de errado no fato de as mulheres irem de vez em quando ao salão para melhorar a si mesmas, Dayna — ela me disse, na primeira vez em que o assunto surgiu. — Beleza significa emancipação.

Claro! Que burra eu sou.

— Daremos continuidade ao trabalho de todas aquelas mulheres que arriscaram a vida lutando pela igualdade sexual — ela explicou.

— Como quem? — perguntei.

— Isso não vem ao caso. Só porque não nos lembramos de seus nomes não quer dizer que elas não tenham estado entre as pessoas mais importantes na história da humanidade. Veja o homem que inventou a roda, por exemplo. Alguém se lembra do nome *dele*?

Inspirada por suas palavras, considerei amplamente minhas opções e concluí que não tinha nenhuma. Isso basicamente decidiu as coisas por mim: eu iria com ela aprender a depilar sobrancelhas e, assim como o homem que inventou a roda, transformaria o mundo num lugar melhor.

O ano livre havia, oficialmente, terminado.

O dia em que comecei a estudar na Faculdade de Cosmetologia de Holstein, no coração do fervilhante e moderno bairro de West End, em Londres, foi o dia mais feliz da vida do meu pai, porque ele também ganhou quinhentas libras numa aposta de vinte para um no time de Doncaster. Assim deduziu que as coisas estivessem realmente melhorando. Ele não sabia da missa a metade.

Enquanto Emily e eu estávamos nos matriculando na faculdade, Simon também estava mudando sua vida. Ele abandonou o plano de se tornar o Maior Mecânico de Carros do Mundo e conseguiu emprego num hotel cinco estrelas, o qual, por não querer ser processada por seus representantes legais, deverá ser doravante mencionado como O Hotel. Você sabe qual é. É aquele com um toldo enorme na frente e uma entrada de cascalho circular para os carros. Ok, só os trilhardários podiam se hospedar ali, mas a gente não se amargurava por isso. Consolávamo-nos com o fato de que, pelo menos, podíamos conhecer intimamente a entrada de cascalho circular. Só isso já era incrível. Era do *cascalho*!

Simon era garçom de serviço de quarto. As gorjetas eram incríveis e mais do que compensavam pelo fato de ele não estar aprendendo um ofício, e também porque quaisquer chances que ele tivesse de uma carreira descrita com as palavras Melhor e Mundo estavam agora mortas e enterradas. Mas que importa, quando se está ganhando mais de sessenta libras por dia só em gorjetas? Esse era seu posicionamento e eu o apoiava totalmente.

Ele aprendia rápido. E não apenas como levar um completo café-da-manhã inglês da cozinha ao sétimo andar antes que a torrada esfriasse. Os árabes e os americanos davam as gorjetas mais generosas, aparentemente, e Simon os farejava como um cão de caça. Ele subornava quem quer que estivesse recebendo os pedidos em seu turno e se certificava de atender os quartos certos e de evitar os inúteis: ele dizia que os alemães eram pão-duros, o que é só mais uma coisa da qual podemos acusá-los, suponho.

Enquanto isso, Emily ainda estava em seu processo de emancipação. A faculdade de cosmetologia era apenas o primeiro passo. O segundo era conseguir morar sozinha, mas, como ela não poderia de forma alguma arcar com o aluguel sozinha, significava morar *comigo*. Mal ela tinha dito as seguintes palavras: "Dayna, acho que deveríamos procurar um apartamento", e um apartamento caiu no nosso colo. Nossa amiga Elise morava nele com o namorado, mas eles decidiram se mudar para o sul (do rio, quer dizer, embora Tulse Hill bem pudesse ser a América do Sul, pelo tanto que a vimos depois que ela se mudou).

— Como diabos vamos pagar o aluguel?

— Você se preocupa demais, Dayna. Nós daremos um jeito.

Assim era a Emily. Ela agia segundo o princípio do nós-daremos-um-jeitinho e, de alguma forma, as coisas sempre davam certo. Em grande parte, desconfio, porque era o princípio do *nós*, e não do *eu-vou-dar-um-jeitinho*. Ela nunca entrava em nada sozinha e sempre arrastava alguém — isto é, euzinha — junto.

Meu pai, que ainda estava rico devido a suas bem-sucedidas apostas, cedeu à minha chantagem emocional e contribuiu com o depósito inicial. (É incrível como, aos dezoito anos, eu ainda usava a coisa do *não pedi para nascer*; e o que era mais incrível: isso ainda funcionava.) O apartamento era nosso. Era maravilhoso. Dois quartos claros e espaçosos e um enorme jardim virado para o sul. Tá, nós estávamos no térreo e não tínhamos acesso ao jardim, mas contávamos com uma vista divina da janela da cozinha.

Por ter vivido com meu pai durante todos os minutos dos meus dezoito anos, oito meses e duas semanas de vida no planeta Terra, no dia em que finalmente saí de casa, ele ficou obviamente emocionado, embora, em grande parte, isso se devesse ao fato de ter ganhado duas mil libras numa aposta combinada de cinco jogos de futebol.

Meu namorado perfeito (eu ainda ignorava a inexistência das marteladas no estômago e da eletricidade subindo pela espinha) se ofereceu para gastar parte de suas gorjetas no aluguel de uma caminhonete para a mudança, o que foi muito gentil. Tínhamos tão pouca coisa que eu não achava que iríamos precisar de uma caminhonete. Então, eu me lembrei do gigantesco urso de pelúcia cor-de-rosa e cedi. Ele ocupou quase a parte de trás inteira da caminhonete; o restante dos bens materiais meus e de Emily coube no espaço entre as pernas do urso.

— Você ouve umas músicas bem ruins. — Simon riu, descarregando minha caixa de CDs do Boyzone e dos Backstreet Boys no chão da sala do meu novo lar. — Então, isso é tudo. Preciso devolver a caminhonete. Mas, antes de ir, tenho que te dar uma coisa — ele me disse, timidamente.

— *O quê?* — perguntei, emocionada. E nervosa. Quer dizer, lembre-se de que estamos falando de Simon. Podia bem ser outro bicho de pelúcia gigantesco.

Ele enfiou a mão no bolso do jeans, tirou um maço enorme de notas — trezentas libras, em notas de vinte enroladas — e o enfiou na minha mão.

— *Simon!* — ofeguei. — Não posso aceitar isso. Não vou me aproveitar de você.

Simon sempre havia pago por praticamente tudo, mas era só porque eu não podia pagar. As coisas iriam mudar. Agora eu era uma mulher independente e iria me virar sozinha.

— É claro que você não vai se aproveitar de mim — disse Simon. — É só algo para emergências. Olha, eu sei que a vida não tem sido... hã, fácil — ele estava resmungando. — Crescer sem mãe e tudo mais... Mas, hã... Eu só quero que você, sabe... eu, bem... eu estou aqui e tudo mais.

Ok, as falas não eram exatamente como as de Russell Crowe se dirigindo às tropas no começo de *Gladiador*. No entanto, eram as palavras mais especiais que eu já ouvira. Eu sabia que ele era grande e forte, e agora estava provando que também se importava comigo. E se importava *de verdade*; eu podia sentir em seus dedos quando eles apertaram os meus ao me entregar o dinheiro. Piegas, mas verdadeiro: naquele momento, eu praticamente saí do sério.

E então foi a vez de ele sair. Ele me beijou e se mandou, para devolver a caminhonete.

Voltou trinta segundos depois.

— Você esqueceu uma coisa — ele disse.

— O quê? — perguntei.

— O Sr. Rosa. — Ele deu um passo para o lado, revelando o urso no chão, atrás dele.

— Legal — sorri. *Droga*, pensei.

Eu tinha a esperança de que o Sr. Rosa — assim batizado por Simon por causa do personagem franzino em *Cães de Aluguel* — ficasse esquecido na traseira da caminhonete. Mas então, é claro, me condenei por ser uma pessoa tão absurdamente má. Como eu podia pensar aquilo depois de ele ter me mostrado que era possivelmente o homem mais gentil e mais sensível do mundo?

Falei sério com relação a me virar sozinha. De jeito nenhum eu iria depender das esmolas de Simon. Eu era uma mulher independente. Emily também. Nós estávamos juntas naquilo. Independentemente juntas.

Emily havia começado a sair com Max naquela época. Ele trabalhava no centro comercial e financeiro de Londres, conhecido como "City". Fazia alguma coisa relacionada a seguros. Eu não tinha certeza do que ele fazia exatamente, nem a Emily, mas ele ganhava mais em um minuto do que Simon em um dia inteiro de gorjetas. Então, Emily podia facilmente flanar pela faculdade, deixando que seu namorado pagasse todas as contas; porém, ela tinha princípios aos quais se aferrar.

— Sim, *precisamos* arrumar um emprego — ela concordou, quando mencionei a idéia a ela.

Encontramos empregos no Fasta Pasta!, o restaurante italiano na High Street, onde fomos contratadas como garçonetes de meio-período. O pagamento não era lá grandes coisas, mas estávamos determinadas a fazer tudo dar certo sem a ajuda de ninguém, o que, hã, era amplamente facilitado pelo fato de termos namorados com dinheiro.

Mas o importante mesmo é a *intenção*, não é? Nós trabalhávamos como escravas naquele restaurante e não podíamos fazer nada porque nosso salário mal dava para o aluguel. Pelo menos nosso coração estava no lugar certo — os cirurgiões ficariam agradecidos se, algum dia, tivessem que nos abrir para fazer uma cirurgia.

Portanto, lá estava eu: trabalhando como um burro de carga, servindo massa; indo à faculdade, da qual, para minha surpresa, estava começando a gostar, e me encontrando com Simon nos poucos minutos livres que tínhamos. A vida era ótima.

Não exatamente.

Só que eu ainda não sabia.

Meu pai comemorou como um louco o dia em que passei com louvor nos meus exames finais, principalmente porque ele voltou para casa com quatro mil e quinhentas libras, por ter apostado em quatro vencedores na corrida de cavalos de Kempton.

Já falei que Simon era um cara grande? Um metro e noventa e dois, para ser exata. Isso não tem importância, a não ser pelo fato de que, por sua altura formidável, ele era regularmente chamado para trabalhar como leão-de-chácara. Nos sábados que Simon tinha livres do Hotel, trabalhava numa boate barra-pesada em Stockwell chamada The Garage. Com Simon trabalhando na entrada, Emily e eu costumávamos entrar de graça. Embora o lugar tivesse má reputação por causa das brigas semanais envolvendo facadas, não era assim tão ruim. A música era alta e os freqüentadores eram legais.

Na verdade, com aqueles grandalhões na porta, eu me perguntava como é que os malucos com faca sempre pareciam conseguir entrar. Simon me disse que era uma política deliberada por parte dos leões-de-chácara: "Deixe entrar os malucos com faca, e os *verdadeiros* malucos armados com revólver não virão." Eu não tinha tanta certeza disso. Concluí que os leões-de-chácara estavam tão ocupados decidindo quais eram as garotas na fila suficientemente seminuas para entrar que não notavam os psicopatas armados entrando com tudo. Mas devo admitir que, durante todo o tempo que fui lá, não vi um único revólver. Então talvez o plano astuto deles estivesse funcionando.

Como eu tinha meu próprio apartamento e Simon ainda morava com os pais, ele costumava dormir muito lá em casa. Isso significava que transávamos muito. E, obviamente, a prática leva à perfeição, não leva?

Não no nosso caso. Estávamos praticando bastante, isso sim, mas, na disputa entre qualidade e quantidade, a quantidade ganhava disparado. Duas vezes ao dia, seis dias na semana, para ser exata. Mas, enquanto eu ainda estava seriamente pouco impressionada, Simon estava fazendo a festa e eu começava a ficar preocupada. Que diabos havia de *errado* comigo?

Eu não tinha nenhuma experiência anterior da qual pudesse me valer, mas a rotina simplesmente parecia *errada*. Beijo, preliminares, tico-tico-no-fubá, sorriso de satisfação. Do Simon, quer dizer, não meu. Será que era só aquilo mesmo?

Tentei conversar com Emily sobre o caso. Hesitantemente, toquei no assunto numa noite em que assistíamos *Ally McBeal*.

— Você acha que *algum* dia a gente vai se cansar de sexo? — perguntei, colocando a ênfase cuidadosamente no lugar certo.

— Meu Deus, não! Por que deveríamos?

Dei de ombros num gesto planejado para não comunicar absolutamente nada.

— Bem, talvez um dia — ela disse, depois de pensar por um instante. — Você sabe, quando formos velhas, tipo uns quarenta anos, mais ou menos. Talvez então fique um pouco, sei lá, *chato*.

Mudei de assunto, então. Emily havia acabado de reafirmar o que eu já sabia: todo mundo estava transando o tempo todo e adorando cada minuto. Eu é que era uma aberração.

Até meu pai estava sexualmente feliz... *Blaaarrrggghh!* Não que eu quisesse me aprofundar no assunto, mas não havia como escapar. Ao longo dos anos, meu pai teve várias namoradas. E por que não? Eu estava feliz por ele, estava mesmo.

Depois que minha mãe morreu, passou muito tempo até que ele voltasse a se socializar. A morte dela abalou a nós dois, mas em momentos bem distintos. Eu só tinha quatro anos quando ela se transformou num anjo. (Foi o que me disseram na época, e é isso que ela é, tá?) O verdadeiro luto, que me atingiu feito um trem, veio alguns anos mais tarde. Lembro de estar na casa da Emily e vê-la com sua mãe, simplesmente agindo como mãe e filha; conversando, rindo, implicando. Ao observá-las, senti o peso de chumbo da tristeza me comprimindo. Só podia pensar no que eu jamais, jamais, teria.

Por algum tempo depois disso, todo lugar aonde eu ia, só podia ver mães e filhas — como se elas nunca fossem a lugar algum separadas — e mergulhei numa depressão feita de ressentimento por elas e pena por mim mesma. E, como eu era uma típica adolescente cheia de hormônios e egoísta, nem cheguei a pensar em como as coisas deviam ter sido difíceis para o meu pai, depois que a minha mãe morrera.

E as coisas tinham mesmo sido bem difíceis. Ele tivera que se forçar a sair do luto e voltar ao trabalho, porque tinha uma filha de quatro anos para criar. Não deve ter sido nada fácil. E, justamente quando ele estava começando a se adaptar, lá estava eu, transformando-me num monstro adolescente.

Com o tempo, tanto a acne quanto a minha cabeça melhoraram. Não se superam esses sentimentos assim, sem mais nem menos, mas aprende-se a lidar com eles. E, depois de ter feito meu pai passar pelo inferno, decidi que não iria me ressentir pelo fato de ele estar se divertindo, fosse com mulheres ou com jogo.

— Um ano inteiro, Dayna — arrulhou Simon. — Você acredita?

Balancei a cabeça e sorri, enquanto ele acariciava minha mão por cima da mesa. Não, eu não acreditava. Nunca o escutara falando com vozinha de criança antes. E também não acreditava que estávamos saindo há um ano.

Fomos comemorar nosso aniversário de namoro no autêntico estilo adolescente: cinema seguido por jantar. Tínhamos ido assistir ao *Mundo das Spice Girls* — escolha minha, e Simon não reclamou nem uma só vez. Isso não é especial pra caramba? Depois, sentados naquele restaurante italiano, eu estava na modalidade completamente apaixonada. Era um daqueles lugares onde tudo vem afogado em molho e você tem que se desviar dos moedores de pimenta de noventa centímetros de altura. Eu não me importei nem um pouco que o molho da minha vitela estivesse um pouco grudento. Mesmo que fosse cola de verdade, eu não teria me importado, porque tinha Simon.

Sejamos justos, o sexo não chegava a incendiar a cama ou mesmo a esquentá-la um pouquinho, mas sexo não era tudo. Talvez eu estivesse amadurecendo, ficando mais calma. Ou talvez Simon apenas fosse muito, mas muito especial. Sentada de frente para ele, com uma taça e meia de Frascati barato na cabeça, decidi que Simon era, sem dúvida, surrealmente especial.

— Eu me sinto incrivelmente sortudo — ele disse.

Eu também, pensei. — Por quê? — perguntei.

— Por sua causa — ele resmungou. Simon não costumava ser sentimental e, nas raras ocasiões em que era, resmungava.

— Por minha causa, *por quê*? — insisti, desesperada para ouvi-lo dizer alguma coisa realmente bonita sobre mim.

— Você sabe — ele disse, os resmungos se intensificando.

— Não sei, não — insisti.

— Você sabe... É que... *Você* sabe...

Balancei a cabeça.

— É que... Eu amo...

— *Parmigiano, signorina?*

Levantei os olhos para o garçom, que segurava o ralador de queijo sobre meu prato. O momento fora destruído. Mas tudo bem. Estava tudo bem. Porque era claro que Simon havia resmungado "eu amo" e era óbvio que ele iria, *definitivamente*, completar a frase com a palavra "você".

Querendo dizer euzinha, Dayna Harris.

E, enquanto o garçom salpicava queijo fedido na minha cola, digo, na minha comida, ofereci a Simon o sorriso mais caloroso que podia, porque eu também o amava.

Uma hora depois, eu estava sentada em seu carro, bêbada de amor e Frascati barato. Então, Simon se virou para o banco de trás e eu também. O que vi ali me fez dar um pulo: uma coisa grande, no formato de um corpo, coberto por uma manta.

— Que diabo é isto? — perguntei, espantada.

— É para você — ele disse, com um sorriso tímido. — Seu presente de aniversário de namoro.

Ele estendeu a mão sobre o banco e arrancou a manta de cima do maior e mais azul urso de pelúcia do mundo.

Ai, meu Deus. Outro não. — *Ahhhh...* — foi só o que eu pude dizer.

— É a Srta. Azul — ele anunciou. — O Sr. Rosa parecia solitário, então achei que ela poderia concordar em se tornar a *Sra.* Rosa, ou coisa parecida.

E, durante um minúsculo e louquíssimo instante, achei que aquilo fosse um pedido de casamento.

— Eu a comprei na Argos, então imagino que isso faça dela uma noiva de catálogo — ele brincou e começou a rir enlouquecidamente. Aquilo foi inteligente da parte dele, pois, além de ser uma boa piada, também garantia que eu não ficasse com a idéia equivocada de que ele estivesse me pedindo em casamento, ou algo igualmente estúpido.

No dia em que recebi a notícia que me transformou em uma ruína à beira do suicídio, meu pai não estava nem aí para mim, porque havia acabado de ganhar £207.631,00 numa aposta acumulada nos cavalos.

Era a manhã do sábado seguinte ao nosso aniversário de namoro. Simon tinha dormido no meu apartamento, mas havia se levantado às seis da manhã para um turno no Hotel, deixando-me sozinha com o Sr. Rosa e sua noiva. Depois que ele saiu, virei na cama e voltei a dormir, mas, meia hora depois, o telefone me despertou. Era meu pai com a notícia de que ele tinha ganhado a aposta. Ele sabia que era um pouco cedo, mas simplesmente não podia esperar nem mais um segundo. Obviamente, fiquei superfeliz por ele. Ele tinha entrado na aposta com uma libra e saído, sete corridas depois, com £207.631,00.

£207.631,00!

Deduzidos os impostos!

Incrível!

Meu pai era eletricista, mas seu segundo emprego era o de apostador. Apostar nunca foi um *problema.* Ele ganhava um pouco e, então, perdia um pouco, sempre conseguindo manter as coisas sob controle. Mas, daí, ele começou a ganhar um pouco mais, e depois, mais um pouco. Começou com as quinhentas libras que ele embolsou no dia em que comecei a faculdade e terminou com pouco mais de duzentas mil. Era a seqüência mais inacreditável de sua vida.

— Hora de comemorar! — ele me disse, animado. — Vou fazer uma festa hoje à noite no Lancaster. Esteja lá às oito.

— Ah, eu deveria ir trabalhar... — respondi. Mas que se dane! Com que freqüência seu pai ganha duzentas mil libras? — Às oito em ponto. Estarei lá — garanti a ele.

Depois de desligar o telefone, acordei Emily. Ela não ficou muito contente. Ela fora à boate The Garage na noite anterior e não voltara antes das quatro da manhã. Mas — que Deus a abençoe — ela fez o melhor que pôde para parecer tão animada quanto eu, quando a forcei a sair da cama e a arrastei até o café no outro lado da rua.

Esse era nosso lance de sábado de manhã: tomar café no café. Normalmente, devido à nossa costumeira pobreza, nos restringíamos a feijão com torrada. Naquele sábado, entretanto, ofereci-me para pagar — eu tinha um pai rico, afinal! — e pedi tudo que a gente tinha direito. Dois pratos enormes cheios de bacon, lingüiças, tomate, cogumelos, ovo frito, batatas douradas e pão na chapa; uma combinação nutritiva e balanceada de gorduras regulares, gorduras saturadas e uma saudável quantidade de gorduras-que-sobraram-de-ontem.

O que eu tinha na cabeça, comprando um prato imenso de gordura de porco para uma vegetariana? Bem, naquela época, ela já tinha se revelado carnívora há meses. Uma semana depois de nos mudarmos para o apartamento, fizemos nossa primeira compra no Asda e não pude arrancá-la do corredor das carnes. Molho de tomate e pasta de berinjela eram bons e tal, mas ela não tinha mais a mãe por perto para prepará-los; portanto, tinha que se virar com lingüiças e hambúrgueres semiprontos. Bem, uma garota precisa comer, certo?

Mas, naquele sábado, ela simplesmente ficou ali sentada e beliscou a comida sem muito entusiasmo. Atribuí esse comportamento ao cansaço e continuei papagaiando, exibindo meu conhecimento das probabilidades nas apostas, antes de, discretamente, levar a conversa para o tema do *amor verdadeiro.*

— Nunca pensei que fosse conhecer um cara com quem seria tão feliz — eu disse, sonhadora. — Sabe, feliz *de verdade.* É maravilhoso, você não acha?

—Ah, faça-me o favor — Emily gemeu.

— *O quê?* O que foi que eu falei? — perguntei, chocada e, claro, um pouquinho magoada.

— Não, nada... A noite passada foi difícil. Minha cabeça está a mil. Não estou muito bem.

— Algum problema? — perguntei, sentindo-me muito desconfortável. Emily não costumava ser ácida. — É a faculdade?

Eu sei que a faculdade de cosmetologia havia sido idéia dela e que ela praticamente tivera que me arrastar para lá no primeiro dia de aula, mas ultimamente ela vinha perdendo o interesse. Acho que estava começando a entender que, na verdade, uma carreira de exfoliação e depilação não tornaria o mundo um lugar melhor, ainda que o deixasse agradavelmente hidratado e um pouco menos peludo.

Mas ela disse: — Não, não é a faculdade.

— Dinheiro? — perguntei. — Meu pai deve me dar uma grana agora. Não me importo em dividir com você. Você pode me devolver quando ficar rica. Você sabe, quando você for para a África para proporcionar às pobres mulheres somalis a gratuita e transformadora depilação completa de cera pela qual elas sempre esperaram.

Geralmente, um pouco de provocação melhoraria o humor de Emily. Não naquela manhã, porém.

Em vez disso, ela fixou em mim um olhar sinistro.

— Dayna, escute, não sei como lhe dizer isto, mas... você precisa conversar com Simon.

— Sobre o quê?

Ela não respondeu. Só empurrou o prato de lado e pegou minha mão, apertando-a com força. (Ela sempre foi boa nisso.)

— O quê? — sussurrei, sentindo-me já assustada.

— Me sinto péssima a respeito disto, Dayna... mas, se você descobrisse que Max havia... sei lá... *feito* alguma coisa, você me contaria, não contaria?

Assenti, sentindo náuseas e temendo o pior.

Ouvi enquanto Emily abriu o jogo. Levou algum tempo, porque Simon não só havia feito alguma coisa. Ele havia feito um *monte* de coisas. Tinha feito com qualquer coisa que usasse saia, basicamente. E o que era pior: *todo mundo* sabia. Isto é, todo mundo menos eu e, até a noite anterior, Emily. Ela descobrira por acidente no — onde mais? — banheiro feminino.

Ela tinha ido ao banheiro e terminado de fazer xixi quando — merda! — percebera que não havia papel higiênico. Você não odeia quando isso acontece? Enfim, ela ponderou durante um tempão: deveria deixar secar por si só ou usar a parte de dentro da manga da camisa? Situações desesperadas requerem medidas desesperadas, certo? A coisa ficou ainda mais complicada com o surgimento de uma terceira opção: ali no chão, havia uma única folhinha de papel higiênico pisoteado. Certamente infestado de germes, mas, ainda assim, era papel higiênico.

Enquanto ela pensava, duas garotas entraram no banheiro e Emily ficou ali à toa, escutando-as tagarelar na frente do espelho. Uma delas contava à outra sobre um cara com quem ela havia transado no escritório do andar de cima da boate, na semana anterior. — Ele podia ter se metido em sérios problemas por ter abandonado a porta de entrada, mas não pôde resistir a mim! — a garota se gabou. Ela disse à amiga que estava chateadíssima de o cara não estar ali naquela noite porque ele lhe prometera um repeteco. O motivo de ele não estar trabalhando, percebi, era porque estava comemorando seu aniversário de namoro comigo e com a porra da Srta. Azul.

— Simon e Simone, hein? — a garota dissera ao sair do banheiro. — Deve ser destino!

Só havia um Simon que trabalhava na entrada.

Emily estava estupefata. Sem nem pensar, ela ergueu a calcinha — a opção secar por si só, portanto — e entrou em ação como a velhinha do seriado *Assassinato por Escrito*. Ela sabia que os leões-de-chácara iriam se proteger e não lhe contariam nada, então ela os evitou e foi direto à outra fonte. Ela conhecia o delator ideal: Spinner.

Tenho certeza de que esse não é o nome que seus pais lhe deram. Ele era o DJ fixo da Garage e sabia tudo o que acontecia por ali. E ele não conseguiria resistir a contar a Emily, porque: a) ele era maluco por ela, e b) quando ele estava trabalhando, se enchia tanto de anfetaminas que *não* podia parar de falar. Ela o puxou pelo colarinho num intervalo, comprou-lhe uma cerveja e o deixou tagarelar.

Ele lhe contou que os leões-de-chácara tinham dado início a uma competição: quem conseguiria transar com mais garotas. Mas eles a haviam cancelado depois de duas semanas, porque Simon estava muito à frente dos outros. Então, quando Spinner terminara de lhe dar um resumo gráfico das proezas do meu amado na Garage, ele contou a ela que Simon prometera dar um jeito de conseguir que ele trabalhasse no Hotel. — Ele acha que aquele lugar é, tipo, o paraíso das bucetas, cara! — Spinner a olhou de viés. — Eu acho que é tudo mentira, mas... Ei, espere um pouco, você é, tipo assim, a melhor amiga da namorada dele, não é?

— Tipo assim, sou — Emily confirmara.

— Caralho, cara! — Ele se deu conta tarde demais. O código de silêncio fora quebrado.

— Eu sinto muito, muito mesmo — me disse Emily quando terminou de contar.

Eu não conseguia falar. Só olhei fixamente para minha comida, que estava, então, gelada.

— O que você vai fazer? — perguntou Emily.

Simon negou tudo, a princípio. Ele veio ao apartamento naquela tarde depois que terminou seu turno. Caí sobre ele como uma interrogadora da polícia secreta de um dos países sobre os quais Emily sempre me dizia que eu não deveria comprar laranjas ou algo parecido e, por fim, ele desmoronou.

Fiquei decepcionada pela facilidade com que ele cedeu, na verdade. Mais de um metro e noventa de altura, corpulento como um jogador de rúgbi e tão molóide, encolhendo-se no sofá e procurando uma almofada atrás da qual se esconder. Eu não podia acreditar no poder que tinha sobre ele... Embora, neste momento, reconheço, eu estava gritando bastante alto. E estava batendo nele... repetidamente e com força, no mesmo ponto do braço. É provável que ainda hoje esse seja um ponto frágil nele.

Quando me acalmei o suficiente para deixá-lo dizer uma palavra, a confissão simplesmente jorrou. Como se ele estivesse aliviado por tirar aquilo do peito.

Ele perdera a conta de com quantas garotas havia transado na The Garage. E também havia o Hotel. A primeira vez que acontecera havia sido com uma francesa. Quarto 214. Simon tinha ganhado no palitinho aquele quarto porque sabia que um hóspede regular do Texas, que dava boas gorjetas, havia chegado no dia anterior. Simon disse que ficou acabado quando entrou lá e não encontrou nenhum texano, apenas uma mulher estirada na cama. Mas ele era um profissional e ocultou sua decepção. Retirou o domo de prata que cobria o desjejum inglês completo da hóspede ao mesmo tempo em que ela retirava o lençol para revelar uma francesa completa.

— Sem brincadeira, eu juro, foi exatamente assim que aconteceu — ele implorou que eu acreditasse. Ele também esperava que eu acreditasse que ela, então, saíra da cama, atravessara o quarto e que o havia literalmente estuprado.

Que espécie de idiota ele pensava que eu era? Fiquei pê da vida, obviamente, mas, enquanto socava seu braço, perguntei a mim mesma: por que me sentia tão ultrajada? Pela possibilidade de que ele não estivesse me contando a verdade sobre *como* tudo havia acontecido ou pelo fato de que havia acontecido e ponto final? E, se realmente tivesse sido daquela maneira, por que ele simplesmente não dissera "não"?

Simon me disse que nenhum dos outros garçons de serviço de quarto acreditava que aquilo havia acontecido, mas que, ainda assim, na manhã seguinte houve praticamente um quebra-pau para decidir quem atenderia o 214. Seu melhor amigo Antoine ganhou, e recebeu um boquete como gorjeta. A reputação de Simon estava segura. "Quer dizer, eu estava correndo o sério risco de parecer um mentiroso", foi como ele colocou. Depois da francesinha, parece que as porteiras se abriram. Havia mulheres libanesas, brasileiras, italianas, alemãs...

Para terminar, ele me contou que tinha até recebido uma proposta de Kirsty, a americana do apartamento em frente ao meu. Ele a havia dispensado porque concluíra que era pouco ético "cagar na porta da sua própria namorada".

Inacreditável, não?

E eu que pensei que Kirsty fosse lésbica! Incrível o que esse visual de boy-band pode fazer com uma garota, pensei.

Mas, daí, comecei a me dar conta de que talvez fosse tudo culpa minha. Talvez ele se sentisse compelido a sair e transar com o máximo de mulheres possível, no máximo de lugares diferentes possível porque eu era tão desinteressante na cama.

Olha só. Eu estava me culpando.

Finalmente, voltei a afundar-me no sofá e me senti paralisada pelo choque.

Ele vinha fazendo sexo sem sentimento com um zilhão de mulheres diferentes num monte de lugares aleatórios; e *esta*, por mais bizarra que possa parecer, era sua justificativa; que teria sido *muitíssimo* pior se ele estivesse me traindo com apenas uma garota, porque isso significaria que ele se importava com ela. Mas não, os números eram tão grandes que ele havia *perdido a conta.* E, por isso, estava tudo bem.

Porque eu ainda era A Única.

Quer saber? Ele quase me enrolou com essa.

— Não significou nada, Dayna — ele disse, sentindo a minha fraqueza. — Por favor, você tem que acreditar no que eu disse no restaurante ontem à noite. Quando eu disse que... amo você.

— Mas você não disse isso, disse? Você só disse: "Eu *amo*." Eu amo *o quê*, Simon? Porque não pode ser a mim, não é mesmo?

— *É* você. Eu *amo* você, Dayna. — Ele olhou para mim com desespero, querendo que eu acreditasse nele. — Nenhuma delas significou nada — ele implorou. — Foi apenas sexo... Simplesmente aconteceu.

Eu o amava. Queria perdoá-lo. Mas quando ele disse: "Simplesmente aconteceu", aquilo me subiu à cabeça. Sinto muito, mas nada *simplesmente acontece.* As coisas acontecem porque as fazemos acontecer ou permitimos que aconteçam. Nós sempre, *sempre,* podemos tornar um outro caminho.

Naquele instante, eu soube que ele não era mais meu namorado. O amor era para os fracassados.

Então, por que parecia ser o fim do mundo?

A propósito, decidi não ir ao rega-bofe do meu pai no Lancaster naquela noite. Por conta do dia que eu tivera, achei que tinha uma desculpa bastante razoável. Mas vou te dizer uma coisa: aquela decisão voltou para me assombrar com juros e correção monetária.

Simon e eu, assim como a não tão famosa banda Boyzone, nos separamos, mas a vida tinha que continuar. E, ao menos, havia a faculdade.

Eu absolutamente amava a faculdade, o que, quando percebi, foi um *tremendo* choque. No colégio, só o que eu queria fazer era me divertir tanto quanto fosse possível antes de terminar. E realmente achava que era o que todos faziam, até que todo mundo foi estudar direito ou astronáutica ou dominar o mundo ou sei-lá-o-quê.

Eu só tinha ido à faculdade para fazer companhia a Emily e matar um pouco de tempo; então, quando me vi gostando daquilo, ninguém ficou mais surpreso que eu mesma.

A Faculdade de Cosmetologia de Holstein ficava na Wigmore Street, a apenas minutos de distância do Paraíso na Terra (também conhecido como a grande loja de departamento Selfridges). Era uma faculdade particular, o que significava que era paga. Por sorte, as contas coincidiram com o começo da fase de vitórias do meu pai. Ele preencheu o cheque sem ter um ataque cardíaco, racionalizando que, já que fora ele a insistir que eu fizesse alguma coisa da vida, não poderia reclamar quando lhe pedi que pagasse.

Emily e eu estávamos convencidas de que éramos as únicas pessoas "normais" no curso. Todas as demais garotas — não havia um único rapaz — caíam em uma das duas categorias: as Patricinhas de Essex e as Princesas de Hampstead. As garotas judias estavam ali porque a mamãe delas achava que seria o máximo sua princesinha ter o próprio salão. As garotas de Essex estavam ali porque simplesmente amavam fazer as unhas e, além disso, com o crescimento (literalmente) das extensões de cabelo, seria uma loucura perder a oportunidade.

Algumas eram esteticistas natas. Mas havia uma que estava muito acima de todas as outras... Eu! Sem brincadeira, eu era brilhante — há uma primeira vez para tudo, supus — e eu estava adorando aquilo.

Eu sei o que você está pensando: tipo assim, *dã*, é só um diploma em cosmetologia, não um título acadêmico em literatura inglesa ou um doutorado em Coisas Realmente Complicadas em Cambridge. Então, deixe-me fazer-lhe algumas perguntinhas:

O que o sistema de ácido láctico do corpo utiliza na ausência de oxigênio?

A epífise consiste em que tipo de tecido?

Qual é a função da aorta?

Se você respondeu glicogênio, medula óssea vermelha e transportar sangue oxigenado que sai do coração, pode dar a si mesmo os parabéns. Você deve ser médico. Ou esteticista, talvez.

Eu sempre senti um pouco de nojo do corpo humano e não podia entender qualquer pessoa que não sentisse. Até hoje, na verdade, não compreendo como um cirurgião consegue abrir uma pessoa sem vomitar ("*Bisturi... Fórceps... Balde para vômito*"). Mas, a partir do momento em que comecei a aprender sobre ele, fiquei fascinada.

Minha transformação em uma total cê-dê-efe coincidiu com a de Emily em uma total desistente. Minha crescente fascinação com o corpo humano se igualava à progressiva falta de interesse dela. Ela se desligou das aulas e encontrou uma distração no trabalho de detetive. Depois de decifrar o caso de Simon, o viciado em sexo, ela decidiu investigar algumas das louras oriundas de Billericay, cuja aparência ela considerava (em suas próprias palavras) *um tanto quanto suspeita.*

— Está vendo aquela garota? — ela sussurrou para mim num dia em que estávamos comendo sanduíches na lanchonete da faculdade. — Unhas falsas, peitos falsos e maçãs do rosto falsas.

— Que garota? — perguntei, esforçando-me para ver.

— Comendo a salada Waldorf, de cabelo cor-de-rosa. Que também é falso, por sinal.

— Excelente trabalho, detetive! Como é que você consegue descobrir essas coisas?

—Ah, vá se danar! Eu só estava comentando. — Ela sorveu altivamente sua Coca Diet por um instante, e então acrescentou: — Enfim, acho que vou para o Japão.

— Por quê? É lá que estão todas as *verdadeiras* falsas? — perguntei, ainda em clima de brincadeira.

— Rá, rá, muito engraçado. Não, eu vou porque o Max me convidou.

— *Japão!* — Engasguei, subitamente levando-a a sério. — Mas isso é... no outro lado do mundo — eu disse a ela, claramente demonstrando meus brilhantes conhecimentos de geografia. — Por quanto tempo?

— Só seis meses.

— Seis *meses*! — Ofeguei. Ela estava tentando fazer com que não parecesse nada, mas eu sabia que era uma eternidade.

Enquanto fui entrando em choque, ela me contou que Max impressionara tanto seus chefes, fazendo seja lá o que ele fazia, que eles queriam que ele fosse para o escritório deles em Tóquio e mostrasse aos japoneses como é que se fazia seja lá o que ele fazia — pois era óbvio que eles sabiam tão pouco quanto Emily e eu.

E ele queria levar Emily junto.

— E a faculdade? — perguntei, embora soubesse que era uma pergunta idiota. — Você não pode abandonar agora.

— Ah, tenha dó, Dayna, eu detesto esse papo de entra-pelo-ventrículo-esquerdo-sai-pelo-ventrículo-direito...

— É isso mesmo, Emily! — gritei. — *Entra* pelo ventrículo esquerdo e *sai* pelo direito. Eu *sabia* que você era capaz de decorar.

— Isso não vem ao caso. Você sabe que eu detesto a faculdade.

— Você disse que adorava tratamentos faciais, desses que melecam a cara.

— Sim, mas eu estava falando de coisas nojentas, então.

Fiquei me perguntando a que ela estava se referindo. Levou séculos para cair a ficha e, desde então, nunca mais consegui esquecer essa imagem. Não admira que ela tivesse uma pele tão boa. E eu que achava que fossem os cremes da Clarins.

Fiquei arrasada. Eu havia ficado chateada quando a Geri deixou suas comadres Spice Girls, mas isso era um milhão de vezes pior. — Por favor, não vá — implorei. — Quem vai me ajudar a pagar o aluguel?

Esse era um curso inútil a se tomar. Não seria difícil encontrar outra companheira de apartamento e, de qualquer forma, eu podia demorar o quanto quisesse e me dar ao luxo de ser exigente, porque meu pai me dera cinqüenta mil libras de seus prêmios.

— Você ficará bem — ela disse. — Além disso, logo vai se formar e começar a ganhar milhões.

— Exatamente. *Nós duas* vamos nos formar logo. Desistir no meio do caminho é um completo e absoluto desperdício.

— Olha, Dayna, a gente não pode vagar pela vida. Devemos agarrar as oportunidades como e quando elas nos aparecem.

Aquilo parecia exatamente algo que Max diria, mas o que eu sabia da vida?

— Como é que você vai discursar contra o capitalismo global em japonês? — argumentei. — O que aconteceu com sua vontade de se opor aos opressores?

— A única pessoa se opondo a alguém por aqui é você. Agora cale a boca e me deixe fazer uns cálculos. Max está ganhando muito mais agora e quer saber de quanto eu preciso para a minha bagagem nova. Ele disse que não se permitem malas surradas na primeira classe. Acho que vou comprar um jogo da LV.

Louis Vuitton, hein? Finalmente entendi o lado dela, e era indiscutível. Tive que admitir a derrota.

Eu me sentia patética. Ali estava ela, a ponto de embarcar numa perigosa aventura a uma terra desconhecida (tá, alguns meses numa cidade ostensiva, levando uma vida de expatriada rica, mas você entendeu), e ali estava eu, choramingando por perder uma companheira de apartamento. *Era* patético, mas eu estava com muita pena de mim mesma...

Sem melhor amiga, sem namorado...

De repente, senti saudade de Simon.

Como ela podia fazer isso comigo? Fazer com que eu sentisse falta de um filho-da-puta como Simon?

— Você vai mesmo, não vai?

Ela assentiu.

— É uma oportunidade única para o Max... E para mim.

— Mas eu nunca vou conseguir passar nos exames sem uma companheira de estudos.

— É claro que vai. Você é, de longe, a garota mais inteligente daqui.

Que é exatamente o que se supõe que as melhores amigas digam, suponho.

Simon não havia desaparecido completamente da minha vida. Eu não o via desde o dia em que nos separamos, mas ele me telefonava de vez em quando para saber como eu estava. Não disse a ele que estava sentada em casa, chorando e chafurdando na música do *Titanic*, da Celine Dion, porque eu não estava. Bem, talvez uma ou duas vezes, mas então eu meio que me toquei e dei início a um ódio normal e saudável — que é o que se faz — e que não ajudou em nada.

Sim, eu odiava o Simon. Mas o ódio passa, certo? Não que eu fosse superficial nem nada, mas eu *estava* perdendo minha melhor amiga e deduzi que deveria aproveitar todos os amigos que pudesse encontrar.

Portanto, logo depois que Emily me disse que ia para o Japão, eu deixei Simon chocadíssimo ao me mostrar amigável quando ele telefonou. Quando ele percebeu que meu bem-querer era real e não um sarcasmo engenhoso, ele perguntou: — E aí, quer tomar um drinque qualquer hora dessas?

— Sim, vamos fazer isso — gorjeei alegremente.

— *Excelente* — ele disse, incapaz de esconder a surpresa. — Alguma noite da semana que vem?

— Que tal amanhã? — eu disse, provavelmente um pouco precipitada demais.

Emily apareceu justamente quando desliguei o telefone. Ela levantou uma sobrancelha para mim. — Por favor, não me diga que você vai sair com ele!

— E o que você tem a ver com isso? — retruquei. — Você não tem malas a fazer, *Madame Butterfly*?

A última vez em que vira Simon, eu estava socando seu braço para que ele confessasse, mas ali estávamos nós, tomando um drinque e agindo como se nada tivesse acontecido. Emily fora totalmente contra. Ela me disse que sentar num pub com Simon, falar sobre qualquer outra coisa que não o fato de ele ser um grandessíssimo filho-da-puta era "reafirmar nossos papéis de vítima e opressor" e "dar a ele aprovação tácita por seu comportamento", e "blablablá...".

O que ela sabia sobre a vida?, pensei, ao entornar minha terceira vodca com Red Bull e sentir que ficava mais do que apenas um *pouco* tonta. Por que Simon e eu não poderíamos ser amigos? Ele ainda era um cara legal. E daí que ele havia transado um monte de vezes com um monte de mulheres que não eram eu? Eu o castigara terminando tudo. Além disso, não era *ele* quem estava me traindo ao voar para o outro lado do mundo, era?

Durante aquele drinque, toda nossa história trágica deixou de importar simplesmente porque eu estava me divertindo. E ficando um pouco alegrinha.

— Não trabalho mais no hotel — ele anunciou, de repente.

Ah, remorso demais por causa de todas as mulheres que ele comeu pelas minhas costas, presumi.

— Os desgraçados mudaram as regras sobre gorjetas. Eles fizeram a gente colocar tudo num pote comum e tínhamos que pagar imposto sobre aquilo, então eu pensei: ah, que se dane!

Ah, entendi.

— Estou me concentrando em aprender artes marciais agora — ele prosseguiu. — Tenho que fazer isso. The Garage mudou muito. Agora são só gangues. Ficamos no meio de brigas por território quase todos os fins de semana. Simplesmente seguimos o fluxo e rezamos para que não aconteça nada muito grave.

— Nossa, Simon, isso é terrível.

— É mesmo. — Mas seu sorriso me dizia que ele estava adorando cada minuto.

— Você não tem medo que te matem ou algo assim?

Eu estava preocupada de verdade com ele. Imaginei o telefone tocando no meio da noite. Sabe, um daqueles telefonemas do tipo: "Venha rápido, seu ex foi esfaqueado e está usando o último suspiro para chamar por você." Eu me imaginei ajoelhada ao lado dele na calçada...

Poças de sangue ao redor de seu corpo, a ambulância que não chega, porque os gângsteres transformaram a área numa zona proibida.

"Ninguém aqui tem treinamento médico?", grita um espectador desesperado.

Bem, eu sei que a cera deve sempre ser espalhada contra *o sentido dos pêlos, mas, ao olhar para o sangue jorrando da ferida em seu peito, entro em pânico porque sei que essa informação não poderá salvá-lo. Então, tudo volta à minha mente! Entra pelo ventrículo esquerdo, sai pelo direito! Enfio a mão no buraco aberto em seu peito e, com os dedos da minha mão de unhas francesinhas, pinço a aorta rompida que bombeia sangue recém-oxigenado para FORA do coração...*

— Que nada, não tenho medo — ele respondeu, interrompendo minha fantasia. — Tenho meu tae kwondo, meu wing chun e meu jiu-jitsu brasileiro para me ajudar. Sem falar que sou faixa-preta em olhares assassinos. Saca só.

Ele faz sua cara de não-se-meta-comigo e eu caio na gargalhada. Não porque ele não pareça assustador — é impossível ser tão grande e *não* parecer assustador com aquela cara. Mas eu estava me lembrando da facilidade com que ele havia cedido no meu sofá, depois que eu lhe dei alguns socos de menininha no braço.

— Não é suficientemente assustador para você? — ele perguntou. — Tudo bem, experimente isso.

Ele me agarrou com uma chave-de-braço e, literalmente, me derrubou no chão em um único movimento fluido. E então parou, o que foi bom, porque alguns olhares arrogantes estavam vindo na nossa direção — era um daqueles "gastro-pubs" da moda que pareciam brotar por toda parte naquela época. Não era em absoluto um dos nossos lugares costumeiros.

— Está vendo isso? — ele indagou, agitando o indicador de sua mão livre na frente do meu nariz e tentando fazer uma voz ameaçadora *à la* Bruce Lee. — Este dedo pode *matar* um homem.

Ri novamente, mas dessa vez foi de nervoso. Meu corpo estava muito próximo ao dele e, por uma fração de segundo, rolou Um Clima. Um desses momentos em que os olhos se encontram e você se sente agradavelmente vulnerável e...

Felizmente, eu me forcei a sair dele antes que algo idiota acontecesse. Bobagem romântica ridícula.

— E aí, quais as novidades? — Simon perguntou, voltando à nossa mesa com mais drinques.

Contei a ele sobre meu pai ter ganhado a aposta e sobre o dinheiro que ele me dera. — Estou guardando para o depósito... você sabe, para um apartamento, quando eu começar a trabalhar — expliquei.

— Muito sensato da sua parte.

Estaria ele me chamando de chata?

— Mas pode ser que eu use uma parte para comprar um carro — acrescentei, apressadamente.

Comprar um carro não havia passado pela minha cabeça até então, mas, agora que passara, parecia realmente uma ótima idéia.

— Posso lhe dar uma mãozinha se você quiser. Vou às concessionárias com você, garantir que não a enganem.

— O que faz você pensar que eu serei enganada? — perguntei, indignada. — Ah, claro, eu tinha me esquecido. As mulheres não sabem comprar carros, sabem? Elas ficam ocupadas demais conferindo se a cor combina com seus sapatos para olhar o motor.

— Eu não quis dizer isso. Só que eu trabalhava como mecânico, né?

— Tudo bem, Simon. Eu me viro.

Eu era uma mulher solteira agora. Nada de Simon e nada de Emily para segurar minha mão. Eu teria que aprender a me virar sozinha.

— E então... você está saindo com alguém? — ele perguntou casualmente.

— Estou, sim, na verdade — respondi.

— Ah, e quem é ele, então?

Sim, Dayna, quem é ele?

— ... Ele se chama, hã, Chris.

A verdade é que meio que havia um Chris. Nós tínhamos nos conhecido na biblioteca perto do meu apartamento. É, na biblioteca. Um lugar assustador do qual eu já ouvira muito falar, mas que nunca me atrevera a visitar. Eu havia imaginado que estaria cheia de homens barbudos estudiosos, debruçados sobre enormes livros clássicos, lutando para encontrar o sentido da vida. Mas um dos nossos monitores nos passara um artigo acadêmico como trabalho, e o novo CD do Oasis do meu vizinho de cima estava me levando à beira da insanidade — ele tocava as músicas como se seu apartamento fosse o Estádio de Wembley. Foi assim que acabei na biblioteca.

Chris parecia vagamente estudioso, mas ele não tinha barba e não estava suando em cima de um livro grosso com palavras em latim na capa. Na verdade, ele estava folheando um jornal. Havia uma cadeira vazia a seu lado e, como ele não parecia muito intimidador, eu a tomei. Depois de algum tempo, ele me perguntou as horas e acabamos papeando. Então, quando ele estava indo embora, pediu meu telefone. Aquilo acontecera há uma semana e ele ainda não havia telefonado. Não que eu estivesse ansiosa. Ele parecera bastante legal, mas, creia-me, eu não estava desesperada por outro namorado. E veja você, ele estava se mostrando bastante útil aquela noite.

— E é sério? — Simon perguntou.

— Por enquanto, vai bem. E você? — perguntei, mudando rapidamente de assunto. — Está saindo com alguém?

— Você conhece Melanie Robinson?

Assenti. *Todo mundo* conhecia Melanie Robinson; ela era, praticamente, a segunda maior piranha no norte de Londres.

— Não é ela — ele continuou. — É a irmã dela.

E a irmã dela era a maior.

— *Joanne* Robinson...? — ofeguei. — Legal.

— O que você quer dizer com *legal*?

— Só... *legal.* Você sabe, sair com uma garota que irá traí-lo tanto quanto você irá traí-la. O casal perfeito.

— Qual é o seu problema? — ele perguntou, genuinamente espantado. — Nós não somos mais namorados. Nós dois já seguimos adiante. Sinto muito sobre tudo o que, hã, aconteceu, mas será que não poderíamos simplesmente esquecer? Você sabe, ser amigos.

Eu sabia exatamente qual era o problema. Ele acertara em cheio: *nós não éramos mais namorados.* Só foram necessários três drinques e meio para que retornassem todos os sentimentos de raiva e dor que eu sentira no dia em que havíamos terminado. Emily estava certa: era loucura me encontrar com ele.

— Desculpe, Simon — eu disse —, mas acho que nos relacionarmos como amigos será difícil. Nós não terminamos exatamente numa boa, né?

— Acho que não — ele disse, olhando para o chão. Ele parecia devastado. E eu também me sentia assim.

Ficamos em silêncio por algum tempo, bebendo nossos drinques. Então, olhei meu relógio. — É melhor eu ir — eu disse.

— Te dou uma carona até em casa.

— Tudo bem. Eu preciso mesmo de um pouco de ar fresco.

Naquele momento, eu preferiria entrar num ônibus cheio de psicopatas bêbados a entrar num carro com aquele gostosão... digo, desgraçado.

— *Sasuga ibuningu motte* Simon? — Emily perguntou quando voltei ao apartamento.

— Você o quê?

— Eu disse *sasuga ibuningu motte* Simon?

Nem me dei ao trabalho de perguntar "*O quê?*" de novo. Simplesmente olhei para ela.

— É japonês. Quer dizer: "Você teve uma noite agradável com Simon?"... eu acho. Meu dicionário de frases é bem confuso.

— A noite foi boa, obrigada — respondi, tentando parecer blasé. — O que você andou fazendo? — perguntei, embora a resposta fosse óbvia.

Suas coisas estavam por toda parte. Ela só viajaria em dez dias, mas, um dia depois de me contar que estava indo embora, ela tinha saído da faculdade e havia passado todo tempo desde então fazendo compras, arrumando as malas e redirecionando suas coisas para Tóquio. O corredor estava cheio de caixas e o apartamento já começava a parecer vazio. Apesar de ter chegado com quase nada, ela parecia haver acumulado uma tonelada de tralhas durante o tempo em que havíamos vivido ali.

— *Ketsubou kouhii?* — ela perguntou, fechando com fita adesiva mais uma caixa que voltaria para a casa de seus pais.

— Em inglês, por favor, Yoko.

— Quer dizer: "Quer um café?"

— Então, quero.

Segui-a até a cozinha e a observei colocar a chaleira para ferver. Então decidi fazer mais uma tentativa de chantagem emocional.

— Ainda não consigo acreditar que você está indo — eu disse. — Você não conhece ninguém lá. Não vai se sentir solitária?

— Que nada! Terei você do outro lado do telefone, não é mesmo? Além disso, todo mundo vai para o Japão atualmente. Brad e Jen, Michael e Catherine... É a nova América. Todo mundo quer uma lasquinha.

— Estou feliz com a velha América, obrigada. Pelo menos aqui se fala inglês. Mais ou menos.

— Escute o que estou dizendo. O Japão não é terceiro mundo. Tóquio é uma das cidades mais dinâmicas do planeta.

— Eu sei tudo isso, Emily, é claro que você seria louca de não ir. É só que... eu vou sentir muita saudade de você.

— Meu Deus, você acha que eu também não vou morrer de saudade de você?

Ela se atirou sobre mim e nos abraçamos apertado.

— O que é que eu vou fazer sem você...? Neste apartamento... para o qual você me fez mudar, inclusive — argumentei, depois de um instante.

— É, eu sei, mas é uma graça de apartamento. E qual é sua alternativa? Voltar para casa e discutir com seu pai?

Estremeci.

— A propósito, ele telefonou agora há pouco — ela acrescentou. — Eu disse a ele que estou indo para o Japão e que ele deveria ficar de olho em você enquanto eu estiver fora. Ele só bufou e disse: "Ela tem o meu telefone." É melhor você dar uma ligada pra ele. Acho que está se sentindo abandonado.

Estremeci de novo, dessa vez por culpa. Eu estivera ocupada demais nas últimas semanas. É melhor fazer uma visita a ele, pensei, jogar um pouco de charme, dizer a ele que o amo. Embora eu detestasse admitir, sem Simon e sem Emily na minha vida, eu iria precisar dele mais do que nunca.

4 cm

— Você está indo muito bem, Dayna — me diz a parteira mirim, com a voz abafada pelas minhas coxas. Não acredito que esteja pensando nisto agora, mas gostaria *muito* de ter depilado minha virilha. Sou uma esteticista profissional, minha gente. Que exemplo é este que estou dando?

— O oxigênio com óxido nitroso está ajudando? — ela pergunta.

— Ajuda um pouco — respondo, me segurando para não dizer: "Tanto quanto um band-aid num corte de machado." Bem, ela só está fazendo o trabalho dela.

A cabeça da parteira mirim se levanta de repente — agora posso vê-la por cima do meu barrigão —, porque a porta foi aberta com um estrondo. Emily entra correndo, esbaforida.

— Ei, eu estava te procurando — ela grita alegremente para a parteira mirim. — Como ela está indo?

— Emily, a *porta*! — grito, lutando para puxar a camisola para baixo e cobrir minha, hã, modéstia. É uma luta, porque qualquer movimento fica difícil quando sua barriga é do tamanho do Millennium Dome.

— Pensei que as mulheres em trabalho de parto não ligassem para esse tipo de coisa — diz Emily, fechando a porta atrás de si com um empurrão. Ela tem um sorriso no rosto. Parece de certa forma mais... relaxada. Quando ela se aproxima, percebo por quê. Posso sentir o cheiro. Cigarro. Ela havia parado de fumar quando começou a sair com Max — ele não aprova —, mas três horas aqui dentro comigo foram obviamente suficientes para fazê-la voltar à nicotina. Isso explica por que ela praticamente saiu correndo do quarto quando sugeri que fosse tomar um pouco de ar.

A parteira mirim anota alguma coisa no meu prontuário e olha para Emily. — Dayna está indo muito bem. Ela parece estar lidando muito melhor com a dor agora.

Fulaninha dona da verdade. Para ensinar-lhe uma lição, penso em soltar um uivo prolongado — só por diversão. Mas não faço isso. Afinal, tenho que preservar minha energia. De fato, esta noite está se revelando bastante longa.

— A propósito, você está com quase quatro centímetros — a parteira mirim me informa com um sorriso. — É um progresso e tanto.

Isso é o que você chama de progresso? *Quase* um *centímetro* em uma *hora*? Agora eu quero chorar de verdade.

A parteira mirim ameaça sair. — Volto para te ver daqui a pouco.

— *Espere* — gaguejo. — Você não tem idéia de quanto tempo mais isso vai levar? — Se pareço desesperada, é porque estou mesmo. A dor está insuportável e o fato de eu, no momento, não estar mais próxima do final do que há uma hora está me matando.

— Como eu disse antes, não temos como saber — me diz a parteira mirim, de alguma forma conseguindo parecer saber muito e nada ao mesmo tempo. Então, ela me lança um olhar compassivo. — Talvez tenhamos que considerar romper sua bolsa em algum momento. Isso pode acelerar um pouco as coisas. Mas é melhor deixar que a natureza siga seu próprio curso, por enquanto. Tente relaxar. — E então, ela se lança porta afora.

Que a natureza idiota siga seu próprio curso idiota. Diga-me uma coisa: depois de centenas de anos de avanços médicos, por que diabos ainda contamos com a natureza? Ninguém diria: "Oh, aquele homem está tendo um ataque cardíaco, mas é melhor deixar que a natureza siga seu próprio curso", diria?

— Você telefonou para ele? — pergunto ansiosamente a Emily.

— Sim, ainda não há sinal. Ou está desligado. Continua caindo no correio de voz.

— Quantas mensagens você deixou?

— Hã, acho que essa foi a non...

Ela pára no meio da palavra porque outra contração se aproxima. Elas vêm a cada cinco minutos agora. Saio da cama e começo a andar pelo quarto. Percebi que me sinto um pouco melhor em pé do que deitada. Agarro a lateral da cama, tentando transferir a dor para a armação. Mas nem tentem fazer isso em casa, amigas. Não funciona.

Meu corpo desmorona quando a agonia diminui. Cinco minutos para me preparar para a próxima. Volto a me sentar na beirada da cama ao lado de Emily. Ela treme involuntariamente e abraça com força o próprio corpo.

— Acabo de perceber — ela diz. — Você vai ter um bebê!

— Muito bem, Emily — digo a ela. — Agora você já pode participar do programa *Mastermind*. Área de domínio: de onde vêm os bebês.

— Não precisa ser sarcástica. Você sabe o que quero dizer. Um *bebê*, Dayna. — Ela fecha os olhos e se abraça ainda mais apertado. Seu suspiro e seu sorriso me inundam.

E eu sei a que ela está se referindo. É isso.

Este é, provavelmente, o momento pelo qual venho esperando durante toda a minha vida.

— Eu gostaria que a minha mãe... Você sabe, eu só queria...

Não consigo completar a frase, mas nem preciso. Emily coloca seus braços em volta de mim e me abraça com força. — Pare com isso — ela diz, seus olhos cheios de lágrimas. — Não pense que ela não está com você, porque ela *está*. Ela sempre esteve e está aqui agora mesmo. Até eu consigo sentir. Você não consegue?

Emily está falando um monte de bobagem, porque a única coisa que posso sentir é o começo de outra contração. Deslizo da cama, agarro a armação de metal frio e aperto com força. Jesus, não passaram cinco minutos, passaram?

Pela cara de Emily, ela está — finalmente! — sentindo minha dor.

— Coitadinha — ela diz. — Posso fazer alguma coisa?

— Pode! — grito para ela entre os dentes trincados. — Desligue esta merda de canto de baleia e abra a janela. Este incenso está me deixando enjoada.

Quase Nº 2

Alguns dias depois de meu drinque com Simon, aceitei o conselho de Emily e me vi parada à porta da agradável casinha do meu pai em Kentish Town. Eu não tivera a intenção de abandoná-lo. Com as provas finais se aproximando, eu estava metida até as orelhas em estudos. Além disso, estava trabalhando em tempo integral no Fasta Pasta!, o que não me deixava muito tempo livre.

Tá, essa é uma desculpa esfarrapada. Meu pai tinha todo o direito de estar magoado por eu não ter ido à sua festa. E eu poderia tê-lo compensado por isso, dando-lhe muita atenção e sendo afetuosa. O fato de não o ter feito era culpa de Simon. Meu pai achava Simon o máximo: os dois eram parecidos em vários aspectos. "Ele é um cara excelente, Dayna", meu pai dissera depois de conhecê-lo. "Siga meu conselho e segure bem esse aí." Bem, revelou-se que Simon não era esse diamante que pensávamos — não era sequer uma zircônia —, mas eu não tinha coragem de contar a meu pai porque sabia que ele ficaria quase tão magoado quanto eu.

Mas agora eu consertaria as coisas com ele. Ao ouvir a fechadura se abrindo, entrei na modalidade *filha-carinhosa.*

— Olá — arrulhou a aparição loura e felpuda que abriu a porta. — Posso ajudar?

"Mas nem em um milhão de anos", pensei, inspecionando-a de cima a baixo. — Meu pai está?

Ela ajustou seu gigantesco robe branco felpudo ao corpo. O que ela estava fazendo com um daqueles na casa do meu pai às três da tarde de um sábado? Mais especificamente, o que ela estava fazendo na casa do meu pai e ponto?

— Você deve ser Dayna — ela disse com animação. — Entre, querida. Seu pai está acabando de sair do banho. — Ela me conduziu para dentro, sorrindo de orelha a orelha, e gritou lá para cima: — Michael! Desça, *rápido*. Você nunca vai adivinhar quem está aqui!

Que diabos estava acontecendo? Eu não conseguia falar, o que não era problema, pois ela não esperava que eu o fizesse. Simplesmente lançou um jato desenfreado de sei-lá-o-quê que rolava na sua cabeça.

— Eu deveria saber que era você no segundo em que abri a porta. Seu pai tem fotos suas por todos os lados. Ele sente muito orgulho de você, sabe? Uma menina tão inteligente. Eu adoro ir ao salão. Tratamentos faciais, massagens, manicures... sou meio viciada em tratamentos de estética. Quando você poderia me fazer uma massagem indiana? *Adoro* essas massagens na cabeça. E a sua amiga, vai para o Japão, hein? Que experiência incrível! Eu adoro viajar. *Michael...*

Segui-a até a sala de estar. Enquanto ela tagarelava sem parar, olhei para uma foto nossa — minha mãe, meu pai e eu — que ficava sobre a TV, buscando amparo em nós três sentados na praia de Southend, tomando sorvete.

Eu precisava ser amparada porque estava começando a me sentir uma estranha na casa do meu próprio pai — que também fora minha casa até bem pouco tempo atrás. As coisas dela estavam por toda parte: sacolas de compra, revistas femininas, uma taça de vinho suja de batom.

Me senti enjoada.

E confusa, pois não entendia por que diabos estava me sentindo mal.

Eu estava acostumada ao fato de o meu pai ter vida amorosa. Embora ele nunca tivesse feito alarde de suas namoradas, também não havia fingido que elas não existiam. Ele falava sobre elas, geralmente, para que pudéssemos rir do fato de ele ter que reaprender as regras do namoro e para comentar como elas haviam mudado desde que ele tinha a minha idade. Eu nunca me importara em conhecer qualquer uma delas, porque ele parecia ter uma namorada diferente a cada mês. Era um homem bonitão e, obviamente, não precisava fazer muito esforço. (Está vendo? Igualzinho ao Simon.) Ele só estava se divertindo e, se estivesse feliz, eu também estaria.

Então por que essa mulher nova me incomodava? Eu não sabia... Mas alguma coisa estava acontecendo. Alguma coisa diferente. Algo cheirava mal e não era apenas a vela de aromaterapia sobre a mesa de centro.

A loura fofa ainda tagarelava quando meu pai apareceu. Ele estava vestindo um robe idêntico ao dela e seu cabelo estava molhado do banho.

— Olá, estranha — ele me cumprimentou, curvando-se para me beijar no rosto.

Forcei um sorriso, tentando não pensar em por que ele precisava de um banho às três da tarde. — Oi, pai... Que robes legais — observei. — "Dele" e "dela"?

Ele riu. — Idéia da Mitzy. Vejo que vocês duas já se apresentaram. — Ele se sentou no sofá, colocando o braço ao redor da loura fofa... Mitzy. *Jesus*!

— Mitzy é diminutivo de quê? — perguntei.

— Mitten — ela riu. — Meu nome é *Suzie* Mitten. E é um prazer enorme conhecê-la.

Ficamos quietas por um momento, olhando sem jeito uma para a outra, enquanto maus pensamentos a respeito do nome dela passavam por minha cabeça.

— A que devemos essa honra, então? — disse meu pai, afinal. Ele se virou para Mitzy e acrescentou: — Dayna tem estado ocupada demais com sua vida luxuosa para visitar o velho pai. — Ele esboçava um sorriso no rosto ao dizer isso, mas dava pra ver que era tão falso quanto o meu.

— Bem, ela está ocupada trabalhando, não é? E não se esqueça da faculdade — Mitzy o lembrou. — Seus exames estão chegando, meu bem, não é mesmo?

Será que havia *alguma coisa* que ela não soubesse a meu respeito? E qual era o jogo dela, tentando aliviar a tensão entre meu pai e mim? Ela não podia simplesmente entrar na nossa vida com seu nome idiota e suas velas idiotas e *promover a paz.*

— É bom mesmo que ela passe nesses malditos exames — resmungou meu pai. — Essa faculdade me custou uma fortuna.

— Vou passar, não se preocupe — resmunguei em resposta.

Enquanto encarávamos um ao outro, Mitzy quebrou o silêncio.

— Vou colocar água para ferver. Dar uma chance para vocês colocarem o papo em dia.

— Então, quais as novidades? — meu pai perguntou, quando ela saiu da sala.

Dei de ombros como uma adolescente mal-humorada de quatorze anos. — Nada importante — murmurei. — Você sabe, o de sempre.

— Não, eu não sei, Dayna. Nunca vejo você, não é? Quer dizer, você não pôde sequer aparecer por dez minutos na minha festa, para me dar os parabéns.

Pronto, ele tinha dito. A coisa que, obviamente, o estivera incomodando por semanas fora revelada.

— Eu sinto muito por isso — murmurei, tentando acalmar o ambiente. — Mas aquele foi um dia horrível e...

— Você sabe o quão magoado eu fiquei que a minha filha, minha única família, não estivesse lá para comemorar comigo? Ah, mas você está feliz em receber meu dinheiro, não está? Simon sabe como você é egoísta?

— Simon e eu terminamos — retruquei. — Foi por isso que não fui à sua festa, ok?

Ele me olhou, espantado. — Terminaram? — ele bufou. — O que foi que você fez?

— Muito obrigada por isso, pai. Que bom saber que você está do meu lado!

— Eu *estou* do seu lado. Do que é que você está falando?

— Bem, você simplesmente supôs que fui eu. Não pode ser que *ele* tenha feito algo errado?

— Como o quê? Ele é um cara ótimo. Ele beija o chão que você pisa.

Bufei. Não pude agüentar mais. — Olha, não vou falar sobre isso agora... Não enquanto estamos com *visita* — eu disse.

Agora foi a vez de ele amolecer. — Na verdade, venho mesmo querendo que vocês duas se conheçam. Ela é fantástica, você não acha?

Não, na verdade, eu não achava. Além de todo o resto, quantos anos ela tinha? Eu dei a ela dez anos menos que os quarenta e oito do meu pai. No mínimo.

— Um pouco jovem para você, não? — eu disse, de maneira bem cruel, mas nem ligando. — Quantos anos ela tem?

— Não seja tão grosseira, Dayna. O que você acharia se as pessoas perguntassem a sua idade?

— Não tenho nem vinte anos! Por que caralho deveria me importar se alguém me perguntasse...

— Ei, não se atreva a usar esse tipo de linguajar aqui — ele retrucou.

— Oh, caralho! — um grito veio da cozinha. E então: — Desculpem. Podem me ignorar, eu só derrubei o leite.

Meu pai me olhou. Eu estava sorrindo. — *O quê?* — ele perguntou, na defensiva.

— *Nada* — respondi, na defensiva.

— Está tudo bem? — a meiga (e boca-suja) Mitzy miou ao reaparecer com uma bandeja apinhada de xícaras, pires (onde estavam as canecas que sempre usávamos? Meu pai trabalhava na construção civil e, portanto, tinha aversão inata a xícaras e pires refinados) e um enorme prato de biscoitos de chocolate (*biscoitos*? Meu pai nunca comprava biscoitos. Alguém vinha certamente demarcando seu território por ali).

— Aqui está, Dayna — ela disse, servindo o chá. — Com leite e um torrão de açúcar, certo?

Deus do céu, ela havia mesmo feito o dever de casa. Obviamente, meu pai repassara minha ficha completa, como a CIA faz quando está instruindo seus agentes a respeito de um suspeito: *Nome: Dayna Harris. Profissão: estudante de cosmetologia. Habilidades especiais: massagens, técnica sueca. Compartilha apartamento com amiga. Tendência a mudanças súbitas de humor. Chá: com leite e um torrão de açúcar.*

— Obrigada — eu disse, tomando o pires de sua mão e derramando metade do chá nele.

— Vocês dois colocaram o papo em dia, então, Michael?

— *Michael?* — eu disse. Aquilo vinha me incomodando desde que eu pusera os pés em casa.

— A Mitzy detesta Mike. É oficial: agora sou Michael — ele explicou, enquanto sorria para sua namorad*inha* feito um adolescente apaixonado. — A propósito, meu anjo, minha filha quer saber quantos anos você tem.

Ela explodiu numa gargalhada. — Tenho muitos anos! — ela disse, obviamente não achava isso. — Se você quer mesmo saber, tenho quarenta e sete. Quarenta e oito no mês que vem, na verdade.

Pode não ter sido o primeiro choque daquela tarde, mas, mesmo assim, me deixou perplexa. Tinha que dar o braço a torcer, ela era bonita e conservada. Olhei-a de novo com um olhar profissional, procurando qualquer sinal de cicatriz ao redor das orelhas. Ela não percebeu meu escrutínio. Estava ocupada demais olhando para meu pai... demoradamente. E ele olhava de volta... ansiosamente.

Eu me senti enjoada. Definitivamente, precisava fazer com que os dois parassem de agir daquele jeito. Sorvi meu chá fazendo um barulho nojento, só para lembrá-los de que não estavam na última fila do cinema. Funcionou, tirando os dois daquele contato visual apaixonado.

— Na verdade, Dayna, é bom que você esteja aqui — disse meu pai. — Há algo que queremos lhe dizer. O aniversário de Mitzy é no mês que vem... — ele disse, conseguindo parecer sem jeito, nervoso e animado ao mesmo tempo. — Vamos fazer uma pequena comemoração... Só que não será apenas uma festa de aniversário... Será também uma festa de noivado.

Eles estavam de mãos dadas agora, parecendo a ponto de explodir de tanta emoção. Retribuí o olhar deles, minha boca aberta no formato de um ovo.

— Esperamos que você fique tão feliz com isso quanto nós — Mitzy soltou.

Nunca, pensei, *nem em um zilhão de anos.*

Nunca mais seremos companheiras de apartamento. Nunca mais tomaremos o café-da-manhã gorduroso na esquina, de ressaca, nas manhãs de sábado. Nunca mais discutiremos folículos pilosos infeccionados nem entra-pelo-esquerdo-e-sai-pelo-direito. Nem falaremos mal das princesas judias mimadas ao mesmo tempo em que sonhávamos ser elas.

Está tudo terminado entre nós.

Era isso que eu dizia a mim mesma enquanto observava Emily e Max fazerem o check-in no aeroporto de Heathrow. (Não demoraram muito — eles estavam na *primeira classe*, não é mesmo?)

Tá, ela só iria por seis meses, mas eu sabia que nunca mais seria a mesma coisa. O quê? Então você acha que ela ia viajar até o outro lado do mundo, ter a vida de uma expatriada mimada com seu verdadeiro amor e, então, voltaria a morar comigo para que pudéssemos retomar de onde havíamos parado? Sem chance.

Mas eu estava feliz por ela. Só um idiota não veria como ela estava feliz e animada. E só uma bruxa completa não teria ficado emocionada por ela. E, por pior que eu tivesse me comportado na casa do meu pai, eu não era uma bruxa completa.

Minhas lágrimas, quando nos abraçamos no portão de embarque, eram de felicidade. Tá bom, e talvez um pouco de autopiedade também.

— Se o avião cair e você morrer, farei de tudo para que a sua memória seja preservada — eu disse, no meio do abraço.

— Como é que você pretende fazer isso? — ela perguntou. Parecia genuinamente curiosa.

Eu não sabia; não havia pensado tão à frente. Só queria incluir na conversa uma piada sobre ela sofrer um acidente e morrer na viagem de ida. Não que eu estivesse tentando fazê-la ter dúvidas de último minuto, nem nada tão infantil assim; eu só não queria que ela fosse.

— Plantarei uma árvore no nosso jardim — eu disse, solenemente.

— Não temos jardim.

— Terei um, quando for uma princesa judia mimada.

Max, que, a propósito, era judeu, não achou graça. — Vamos, Emily, nós vamos perder o vôo. Adeus, Dayna! Venha nos visitar, viu? Você sabe onde fica o Rio, certo?

— Vá se danar, Max — eu disse. — Me ligue no *segundo* em que você chegar... Mas calcule a diferença de fuso horário primeiro e espere até que eu esteja acordada.

Emily se desgrudou de mim e partiu com Max na direção do portão de embarque.

Mas, no último instante — antes que fosse tarde demais —, ela se virou e voltou correndo até mim. Meu coração deu um pulo! Ela iria ficar!

— Tem uma coisa que quero falar antes de ir — ela disse, sem fôlego.

Ah.

— Eu sei que não falamos muito sobre isto... quer dizer, é um assunto delicado e tudo... mas eu acho que você deveria dar uma chance a essa Mitzy.

— Por quê? — perguntei, meu estômago se revirando à simples menção de seu nome.

— Pelo bem do seu pai. Deve ser duro vê-lo levar a sério um relacionamento, mas... Não o afaste de você. E nunca se sabe, pode ser que ela seja legal.

Humm, pensei. — Vou tentar — eu disse.

Olhei de relance para Max, parado no portão, indicando seu relógio — meu Deus, qualquer pessoa teria pensado que ele tinha que tomar um avião. Dei em Emily um abraço final e sufocante e a empurrei para longe.

E então choramos, acenamos uma para outra e pulamos para continuar nos vendo enquanto ela passava pelo detector de metais, pela verificação de bagagem e, finalmente, desaparecia no saguão de embarque. Fim. Emily havia partido.

Eu ainda estava chorando enquanto seguia as placas até o estacionamento. Tentei me animar um pouco lembrando-me do meu prêmio de consolação. Eu tinha um carro.

Eu o havia comprado há alguns dias. Pagara oitocentas e cinqüenta libras, no The Wheel Thing, um estacionamento fuleiro em Archway. Era um Hyundai Elantra — azul-claro, não que a cor fosse importante. Tá, não era exatamente um Mercedes, mas eu o adorava e ele nos levou ao aeroporto perfeitamente bem. Para a grande surpresa de Max. Ele quisera usar o serviço gratuito de limusine incluído na primeira classe, mas eu havia insistido em levar Emily na sua jornada final em solo britânico.

Ao sair do terminal três, enfiei a mão no bolso para pegar as chaves do carro... e então percebi que o outro molho de chaves, que *deveria* estar ali, não estava. As chaves do nosso apartamento. *Meu* apartamento agora. Eu voltei atrás no tempo para quando tínhamos saído de lá, algumas horas antes. Lembrei de haver lutado para espremer a última mala LV de Emily, que mais parecia um caixão, no porta-malas do carro, e de vê-la sair rapidamente pela porta da frente com uma linda bolsinha de mão LV. — Você deu duas voltas na fechadura? — perguntei. Por quê? Nós nunca trancávamos nosso apartamento com duas voltas. Mas agora eu iria morar sozinha, — era hora de ser mais conscienciosa em termos de segurança. Mandei-a de volta com as minhas chaves...

E, é claro, a pomba-lesa havia ficado com elas. Mas eu não podia culpá-la. Ela só estava seguindo ordens.

Fiquei parada no lado de fora do terminal e tentei pensar no que fazer. Meu pai poderia arrombar a porta para mim, mas não nos falávamos desde que eu estivera lá. Eu não podia pedir a ele... era cedo demais para rastejar. Decidi que iria para casa e daria um jeito quando chegasse lá.

Um jato passou reverberando acima da minha cabeça e, como poderia ser o da Emily, e ela poderia estar olhando pela janela usando os binóculos superpoderosos que ela poderia ter comprado no duty-free, formei com a boca as seguintes palavras: "Você ficou com as minhas chaves, sua pomba-lesa." Veja bem, mesmo que tudo tivesse acontecido desse jeito, o que eu esperava que ela fizesse? Que abaixasse a janela e as jogasse para mim?

Cheguei ao meu carro, entrei e girei a chave na ignição.

Nada.

Girei novamente.

Ainda nada.

Então, repeti o movimento mais umas dez ou vinte vezes e descobri que, se você girar a chave na ignição com bastante força, bastante mesmo, o carro não vai pegar, mas a chave vai entortar.

Então bati a cabeça no volante. Repetidamente. O que também não fez o carro pegar.

Meu carro novinho, com menos de quarenta mil quilômetros rodados, de um único e cuidadoso dono, estava morto.

Eu não tinha como ir para casa. E, ainda que chegasse lá, não tinha como entrar.

Eu estava fodida.

E furiosa. Principalmente comigo mesma. Eu havia examinado o carro adequadamente antes de comprá-lo? Que nada! Pareceu estar bem limpinho e brilhante no pátio da loja, o motor havia pegado na primeira vez em que o vendedor virou a chave e não tinha saído fumaça negra do escapamento, portanto eu havia assinado o cheque. E, ao sair de lá dirigindo, eu me parabenizara por ter conseguido negociar um desconto de cinqüenta libras.

Idiota, idiota, *idiota!* Gritei para mim mesma. Então, disse: acalme-se e *pense.* Mas não consegui pensar em nada que não envolvesse ir rastejando até o meu pai.

Então pensei um pouco mais ainda, enquanto as sombras se alongavam à medida que o sol se punha.

Você conhece alguém que poderia ajudar, sussurrou uma vozinha na minha cabeça.

Mandei-a se calar e observei o estacionamento ficar cada vez mais escuro e os fantasmas aparecerem. Fantasmas reais e invisíveis, não aqueles que você fingia ser quando era pequeno, colocando um lençol sobre a cabeça e dizendo *Buuuuuu!*

Existe alguém que poderia ajudá-la com o carro e também a entrar em casa, atiçou a vozinha. Dessa vez, eu a ouvi. Fazia sentido. Eu conhecia mesmo alguém que tinha tanto habilidades mecânicas quanto um molho extra de chaves do meu apartamento, pois ele não as havia devolvido quando eu o largara. Não havia mais nada a fazer. Respirei fundo, engoli o orgulho e peguei meu celular.

— É o alternador, não é? — perguntei para a bunda de Simon. Não é o que você está pensando. Eu não podia dizer na cara dele porque ela estava escondida sob o capô do meu carro.

— Você o quê? — ele gritou.

— O al-ter-na-dor. Sempre é o alternador, não é?

— Não, o alternador está bom. Ótimo, na verdade. O melhor que vi nos últimos tempos...

— Isso é bom — concluí, alegremente.

Ele emergiu de sob o capô. — ... é o resto do carro que está fodido.

— Ah... Existe alguma coisa que você possa fazer?

Ele balançou a cabeça. — Falha elétrica total. E a junta do cabeçote está a ponto de explodir, o cabeçote mesmo parece arruinado e não há mais quase nada de freio...

Eu estava murchando.

— ... e há uma deformação enorme no eixo dianteiro. Você não sente o volante estranho?

— Pensei que fosse meu jeito de dirigir. Por favor, Simon, deve haver alguma coisa que você possa fazer. Comprei-o há apenas quatro dias.

— Sinto muito, Dayna. — Ele olhou para o relógio de pulso. — Hora da morte: sete e quarenta e cinco. Vamos, eu lhe dou uma carona até em casa.

E, para seu eterno crédito, ele não riu uma única vez, nem falou "eu te avisei". Embora tenha dado uma olhada na carroceria do carro e dito: "Linda cor... combina com seus sapatos", com um aceno de cabeça indicando meus tênis azul-claros. Mas eu não podia reclamar, porque havia pedido pra ser zoada.

E também não podia reclamar porque, quando telefonei, ele veio até Heathrow exatamente em meia hora, provando, na minha cabeça, que era um amigo de verdade.

Ao voltarmos para Londres, decidi que seria louca em deixar que aquilo desaparecesse. Era óbvio que ele queria que continuássemos amigos e a única coisa que poderia impedir isso era minha bagagem emocional. Eu teria que fazer o melhor possível e deixá-la para trás.

Ele estacionou em frente ao meu prédio e me devolveu as chaves extras.

— Obrigada — eu disse. — Sério, obrigada por tudo que você fez hoje. Eu estaria completamente fodida se não fosse por você.

Ele me deu um sorriso. — Esqueça. Você sabe que eu sempre vou estar aqui pra você.

Olhei para ele e me senti tomada por uma dívida total e absoluta e, por alguma razão estranha, eu me peguei pensando em como teriam sido nossos filhos, se chegássemos a ter algum. Eu sabia que, por ele ter vindo ao meu resgate, o mínimo que eu podia fazer era convidá-lo para entrar para um café, um refrigerante ou um rala-e-rola.

— Então... você sabe... você quer subir... para um caf...

Parei, não por ter ouvido a voz fantasmagórica de Emily gritando comigo, mas porque meu celular tocou. Apertei o botão para atender e ouvi a voz do outro lado da linha. Então, cobri com a mão o bocal e sussurrei:

— Desculpe, Simon, é meu namorado.

Ainda 4 cm

É maravilhoso esse lance de dar à luz. Alegria pura. Realmente, estou me divertindo como nunca. A dor passou, sacou? Não estou sentindo nada! Não da cintura para baixo, pelo menos. Meia hora atrás, um homem muito simpático de cabelo escorrido e agulha mágica me levou ao paraíso e, desde então, tenho estado lá. Isso é exatamente como deveria ser o trabalho de parto: nada de dor e só alegria.

Incenso hippie e canto de baleia? Sei. Vá dizer isso às mulheres de axila peluda, porque eu já fui iluminada por um maravilhoso homem de cabelo escorrido e drogas. Como ele é um cara incrível, brilhante e claramente excepcional em seu trabalho, conseguiu dar conta das sete mulheres que haviam *marcado* a epidural com antecedência e teve tempo de me encaixar antes que seu turno terminasse.

— Emily, você está me ouvindo? — Dou-lhe um cutucão. — Eu disse que é *incrível*.

Ela se endireita na cadeira e força os olhos a se abrirem. — O que é incrível? — ela resmunga.

— *Isto!* Não sentir mais nada.

— Sim, excelente, não sinto mais nada — ela recita.

— Não você, sua idiota. *Eu.*

Vejo suas pálpebras caírem e a deixo dormir. Bem, são três da manhã. É o que todo mundo deveria estar fazendo a esta hora da madrugada. Eu não durmo direito há meses, então já estou acostumada. Ouvi dizer que é a forma de a natureza me preparar para a maternidade. Natureza idiota. Emily, não tendo sido obrigada a ir aumentando de tamanho durante nove meses de gravidez, ainda é uma adolescente quando se trata de dormir, raramente acorda antes das dez na maioria dos dias, e do meio-dia nos fins de semana.

Eu estou acabada, mas, obviamente, não posso sucumbir. Tenho que ficar de olho na máquina que está conectada à minha barriga. Há uma pequena tela e, a cada intervalo de cinco minutos, a linha ondulada enlouquece — o único sinal de que estou tendo uma contração.

A parteira mirim entra rapidamente. — Vamos dar uma olhada, ver como você está progredindo — ela diz. Então se abaixa e perco-a de vista por trás do Millennium Dome. Meu Deus, o que ela está fazendo lá embaixo? Ela poderia estar aprontando qualquer coisa, não? Bem, eu não consigo vê-la e não posso sentir nada. Mas ela ressurge rápido o suficiente e está com um grande sorriso no rosto. Eu devo estar quase lá!

— Muito bem — ela diz, triunfante. — Mais um centímetro. Você agora está com quatro.

— *Quatro?* — eu quase grito. — Mas eu estava com quatro uma hora atrás!

Ela olha meu prontuário. — Ah, é, estava mesmo. Desculpe, estou confundindo você com a senhora do quarto ao lado. Ela chegou há apenas dez minutos. E vai ter o bebê logo, eu acho...

Fico *tão* contente por ela.

— ... É melhor eu ir lá ver como ela está, na verdade. Volto num instante.

E sai como um sopro porta afora.

Deixando-me profundamente desanimada. Não só meu corpo parou de sentir, como também parou de *fazer* qualquer coisa. Vou ficar aqui por dias, não vou? Semanas, provavelmente meses, sem qualquer sinal de um bebê. Espio a sacola de comida de Emily, que, de repente, não parece ter sido tão má idéia. Talvez algumas passas ou uma banana possam me animar um pouco...

Mas não consigo mexer as pernas. Anestesista idiota de cabelo escorrido com sua agulha mágica idiota. Supostamente, deveria ser uma epidural móvel — do tipo que deixa você andar, descer até as lojas etc. —, mas eu me sinto tão móvel quanto o celular que está dentro da bolsa de Emily. Que aliás agora está tocando.

— Emily, seu celular. *Emily*, acorde! — grito.

Ela acorda num pulo. — O quê...? Ah sim... celular... Espere um pouco, espere um pouco. — Ela revira a bolsa, derrubando a maior parte de seu conteúdo antes de chegar ao celular, no instante em que pára de tocar. — Não entre em pânico — ela diz. — Não é um telefonema. É uma mensagem de texto.

Até que enfim! Notícias do mundo exterior.

— De quem é? É para mim? É dele? — balbucio freneticamente.

Ela esfrega os olhos, luta com os botões e se esforça para enxergar a minúscula tela.

— Rápido — apresso-a.

— Dá um tempo, Dayna. São três da manhã. — Mas então ela sorri. — Ah, que graça! Ele diz: "preso aroporto aviao atrsado chgo asim qe pudr ne avsa..." — Ela pára e olha para mim. — Acho que ele quer dizer: "*me* avisa" — explica.

— Sim, sim, isso eu entendi. — Reviro os olhos. — Continue, termine a mensagem.

Droga de situação idiota de paralisia-abaixo-da-cintura. Se eu pudesse, chutaria a mim mesma. Tolamente, eu vinha imaginando que, de alguma forma, ele acharia um jeito de se teletransportar para casa num piscar de olhos, e eu teria meu companheiro de parto adequado e tudo seria maravilhoso...

Mas é lógico que isso não vai acontecer. Parece que vou ter que fazer isso sem ele.

— Ah, Dayna, não fique triste — Emily diz, totalmente desperta, notando minhas lágrimas, que se aproximam. — Você ainda tem a *mim*.

Eu me sinto tão mal que a deixo dar novamente um de seus apertões de quebrar ossos na minha mão. — Eu sei. Me desculpe. Eu fico muito grata a você por estar aqui. Me ignore. Só estou com pena de mim mesma.

— Bem, não fique. Você não tem por que se sentir mal. Lembre-se do que você disse. Você vai ter este bebê por *você*. Não está fazendo isso por mais ninguém e não precisa de um homem. *Foi o que você disse.* Lembra?

— Sim — respondo, depois de um instante. E realmente quis dizer aquilo. Um homem — marido, namorado, sei-lá-o-quê — nunca fez parte do plano. Tudo que eu queria era um bebê, e agora, finalmente, está acontecendo (bem, no ritmo atual, vai levar uma semana). Nada mais importa.

Penso no meu pai. Ele conseguiu, não foi? Todos esses anos que se passaram, ele me criou sozinho e deu certo — bem, não fiquei *muito* neurótica. E ele é *homem*, minha gente. Se ele conseguiu...

A morte da minha mãe deixou um buraco enorme na minha vida. Do tamanho de um... bem, não faço idéia, mas, a cada ano que se passava, aquele sentimento de algo faltando aumentava cada vez mais, e foi só há pouco tempo que percebi exatamente o que eu deveria fazer. Ou será que eu soubera a vida toda? Seja como for, nove meses atrás (menos duas semanas), coloquei o plano em prática, e agora está acontecendo. Pode ser que eu não tenha mãe (nem parteira. Onde diabos ela se meteu?), mas vou ter um bebê.

E não preciso *mesmo* de um homem.

Nº 2

— Não tenho visto você na biblioteca ultimamente — disse Chris, no outro lado da linha.

— Não, tenho estado ocupada — respondi. — Muito, muito ocupada.

— Certo, bem, eu estava pensando se você gostaria de sair para comer alguma coisa, qualquer hora dessas, isto é, se você já não estiver mais ocupada.

— Seria superlegal — deixei escapar, dando um olhar de esguelha para Simon. Ele estava esfregando uma mancha no pára-brisa, fingindo não estar interessado. Ou talvez *não estivesse* mesmo interessado.

— Ótimo... Você vai fazer alguma coisa na quarta-feira?

— Não, quarta está bem.

— Ok... Você conhece o restaurante Govinda's? Fica ao lado da Soho Square...

É claro que eu conhecia. Era impossível não vê-lo, com os Hare Krishna malucos de roupas cor de laranja que entupiam a calçada da frente.

— ... é um restaurante vegetariano. Tudo bem para você?

— Mais do que bem — menti. — Adoro restaurantes vegetarianos.

Deus, ele era vegetariano? Será que era um de verdade ou fingido, como Emily? Senti o pânico brotar... Eu gosto tanto de carne.

Simon estava olhando para mim pelo canto do olho, então forcei um sorriso e acrescentei: — Além disso, quem come carne hoje em dia? — Tentei esconder a embalagem de salgadinho de salame que estava saindo para fora da minha bolsa. Não que Chris pudesse ver, obviamente, mas Simon podia.

— Excelente. Às oito horas. Te encontro lá.

— No Govinda's, claro, te vejo lá — concordei alegremente.

— Então seu namorado é amante de lentilhas, hein? — Simon zombou, com um sorriso falso, quando guardei meu celular.

Ele *estava* escutando. Olhei para ele, procurando sinais repentinos de ciúme, mas ele estava imperturbável, como de costume.

— Ah, o papo de vegetariano... é uma piada particular — eu disse misteriosamente. — De qualquer forma, obrigada de novo por ter vindo me ajudar hoje. Você salvou minha vida.

— Sempre às ordens. Você sabe que eu sempre estou pronto para ajudá-la.

Não o convidei para um café, por fim. Isso já não parecia mais apropriado.

Quando desci do carro, Simon disse: — Me ligue qualquer hora dessas. — Então, ele jogou a embalagem de salame em mim. — E não suje meu carro, viu?

Chris acenou quando entrei no restaurante e me lançou um sorrisinho charmoso quando me sentei.

— Você já esteve aqui antes? — ele perguntou.

— Algumas vezes — menti, tentando não respirar. Eu estava animadíssima em vê-lo novamente, mas o fedor de repolho que enchia o ar estava me deixando levemente enjoada.

— Adoro o repolho ao curry daqui — ele disse. Ele não era o único. Eles deviam ter um tonel daquilo na cozinha, a julgar pelo cheiro. Ele me entregou um cardápio e perguntou: — O que você normalmente pede?

— O... hã...

O cardápio estava escrito em alguma língua que eu nunca tinha visto antes. Não reconheci nenhum dos pratos e não havia explicações úteis em itálico para os falsários como eu.

— ... hum... hã, o repolho ao curry é sempre bom — eu disse, por fim.

Como é que é? Eu odiava repolho, ao curry ou não. Por que simplesmente não confessei e lhe disse que fazia mais o tipo filé com fritas? Porque ninguém faz isso, não é mesmo? Porque, aos dezenove anos, você quer parecer mundana, sábia e à vontade em qualquer situação. Tá, é mais o caso de gostar de alguém e querer que ele goste de você também, então você finge que gosta *exatamente* das mesmas coisas que ele.

"Você gosta de nadar pelado no Mar do Norte? Ei, eu também! Sempre vou pra lá em janeiro!"

"Ah, você gosta de fazer malabarismos com facas? Com os olhos vendados? Lógico, só assim é legal!"

Esse tipo de coisa. Foi por isso que quase acabei engasgada com repolho ao curry. Forcei para dentro cada bocadinho daquele negócio porque, sim, eu estava interessada nele.

— Notei que você cortou o cabelo desde que o vi na biblioteca — puxei uma amenidade entre um (odioso) bocado e outro.

— Ah, é, foi sim— ele respondeu, tocando, com vergonha, a cabeça. — Eu ia deixar crescer, mas comecei a parecer o Leo Sayer... meu cabelo é um pouco crespo, sabe? Enfim, concluí que, se eu viesse com o cabelo daquele jeito, este seria nosso primeiro e último encontro; então, pedi para o meu colega raspar tudo.

Sorri com aquilo. Ele havia deixado escapar que considerava a possibilidade de que pudéssemos ter um *relacionamento.* À parte a comida horrível, as coisas pareciam estar indo bem.

Passamos o resto da noite nos conhecendo. Na verdade, eu fiz tantas perguntas que ele deve ter se sentido num interrogatório.

Durante nossa entrevista, digo, encontro, descobri que Chris e eu não poderíamos ser mais diferentes se ele tivesse acabado de chegar de Marte. Para início de conversa, ao contrário de mim (que estudei no colégio secundário local), ele começara seus estudos numa escola excelente em Dorset e agora estava na universidade, aqui em Londres.

De fato, todo aquele estudo que ele tivera — e que ainda estava tendo — foi grande parte da razão pela qual passei a refeição inteira fazendo-lhe perguntas. Não queria lhe dar a chance de descobrir sobre minhas ridículas pontuações nos GCSE.

Acho que nunca havia conhecido alguém que tivesse estudado em colégio interno e, infelizmente, imaginava que todos se encaixavam no estereótipo. Você sabe: garotos ricos e metidos que votavam no partido conservador Tory, caçavam raposas e levavam numa boa o fato de serem açoitados periodicamente. Chris não poderia estar mais longe daquilo nem se *realmente* tivesse vindo de Marte. Ele era a pessoa mais gentil que eu já conhecera. Era passional a respeito dos direitos humanos e se importava com a pobreza e com a paz mundial. O único tema mundial com que qualquer outro cara que eu conhecesse se importava era aquele que acontecia a cada quatro anos e que a Inglaterra, *definitivamente*, iria ganhar pela primeira vez desde 1966.

O engraçado era que, quanto mais diferente ele se revelava, mais eu gostava dele. Ele era inteligente e profundo e, sim, era sensível. Na minha limitada experiência, só havia um tipo de homem: Simon, basicamente. E Chris não tinha *nada* a ver com Simon.

Que diferença!

E, enquanto eu forçava o último pedacinho de repolho e dava uma demonstração exagerada de apreciação, lambendo os lábios, decidi que, definitivamente, teria que vê-lo mais vezes.

Ficamos parados na frente do restaurante, prontos para tomar rumos diferentes. Eu tomaria o metrô para voltar para casa e Chris, o ônibus.

— Eu me diverti de verdade esta noite — ele me disse, e me perguntei se ele teria mesmo. O que ele via em mim? Assim como ele não era meu tipo habitual, eu dificilmente poderia ser o dele.

— Eu também — respondi. — Muito. Mal posso esperar para experimentar aquele outro restaurante sobre o qual você me falou — acrescentei, lembrando-o sutilmente do que ele havia dito antes, o que, na minha opinião, era um acordo contratual obrigatório de se encontrar comigo novamente.

— Eu te ligo daqui a alguns dias e combinamos — ele disse e, por dentro, eu estava resplandecente. — Bem... boa noite... acho.

— É... acho que... boa noite.

Ele inclinou a cabeça para frente desajeitadamente, dirigindo os lábios para o meu rosto, mas eu me virei levemente para que sua boca atingisse a minha. Ele se demorou ali um instante; só o suficiente para contar como um beijo *de verdade*. Foi um instante glorioso.

— Só tem uma coisa — eu disse, antes de ele se virar para ir embora. Eu tinha que deixar uma coisa clara desde o início. Não queria cometer o mesmo erro fatal que cometera com Simon.

— O que é? — ele perguntou.

— Só para você saber, eu *odeio* bichinhos de pelúcia.

No dia seguinte, recebi um extrato bancário. O balanço na minha conta era de £46.321,00, o que, para uma estudante/garçonete de meio período, de dezenove anos, era muito bom. Mas que, por outro lado, não era nada bom. Meu pai me dera cinqüenta mil libras, de seus prêmios, em dinheiro. Eu não podia acreditar que, nas poucas semanas desde então, houvesse gastado mais de três mil.

No que eu havia gastado? Não tinha um imenso guarda-roupa novo cheio de roupas de marca, nem passara noites bebendo champanhe Cristal e cheirando coca em clubes noturnos exclusivos. Nem nada daquilo que supostamente os jovens endinheirados fazem em seu tempo livre. O dinheiro havia sido gasto por morar em Londres, suponho. Aluguel, contas, passagens de metrô e um carro que agora jazia morto num ferro-velho.

Olhei para o extrato, pensando que, em questão de semanas, eu havia gastado quase dez por cento da minha herança, pois, sejamos sinceros, aquele dinheiro era exatamente isso. Meu pai não deixaria mais um centavo quando morresse. Com seu amor pela vida social e uma meretriz novinha em folha para ajudá-lo a gastar seu suado dinheirinho, ele estava num caminho sem volta.

E ele, provavelmente, gastaria os últimos tostões que tinha em sua festa de noivado. Se havia uma coisa capaz, de forma garantida, de desviar meu pensamento da minha herança, que diminuía a cada dia, era a idéia daquela festa, que estava horrivelmente próxima.

Apesar de não estar tão próxima quanto eu havia pensado. Eles a adiaram, e tudo por minha causa. A data original — o aniversário de Mitzy — coincidiu com meu primeiro exame.

— Sinto muito mesmo, pai — eu disse ao telefone —, mas vou estar até o pescoço com os estudos. Mas vocês vão em frente, viu?

— Sem você? De jeito nenhum, meu bem. Você é a convidada de honra. Que tal a quarta-feira seguinte?

— Outro exame — menti. Agora eu via uma saída.

— Está bem, quando seus exames terminam?

— No fim de junho. — Quis acrescentar "de 2020", mas não achei que ele fosse acreditar.

— Então será quando faremos a festa. Podemos brindar à sua formatura, aproveitando o ensejo.

Droga, droga, *droga*!

Toda vez que eu pensava em meu pai e Mitzy, ficava furiosa. Por quê? Será que era porque Mitzy estava tomando o lugar da minha mãe na vida do meu pai? Ele deixara passar quinze anos antes de se relacionar a sério com outra pessoa, portanto eu não podia acusá-lo de pressa indecente. Era mais provável que eu estivesse irritada porque ela poderia estar tomando o *meu* lugar na vida dele. Será que toda aquela raiva se resumia a um ciúme patético? Eu não queria acreditar nisso, obviamente, então, coloquei a culpa nela. Eu simplesmente não confiava nela.

Além disso, a mulher tinha um nome idiota.

Tá, eu não estava tão cega a ponto de não aceitar que ela tivesse (alguns) atributos. Tinha ótima aparência, para sua idade, era alegre, sociável e carinhosa... Então, por que eu não gostava dela? Talvez *fosse* só porque ela se chamava Mitzy. Tenha dó, esse nome é *muito* idiota.

Eles tinham alugado o salão de cima do Duke of Lancaster, o pub muquifento que meu pai freqüentava. Não fiquei impressionada.

Meu pai não era o tipo de pessoa que fazia as coisas pela metade. Se você pedisse a ele um sorvete, ele lhe compraria o caminhão da fábrica. No meu décimo segundo aniversário, ele me levou à Disneylândia de Paris. No décimo terceiro — eu era oficialmente uma *adolescente* —, ele me deu meu primeiro celular. Aos dezessete, para acompanhar minha carteira de habilitação provisória, ele me deu meu primeiro Porsche... Mentira, mas você captou a essência da coisa. Ele nunca teve muito dinheiro, mas fazia das tripas coração para garantir que eu não ficasse sem. Eu sei o que ele estava fazendo. Não havia nada que ele pudesse fazer com relação ao fato de eu não ter mãe, mas podia certificar-se de que eu tivesse todo o resto. E sua generosidade não terminou quando saí de casa. Lembra as mensalidades da minha faculdade? Os cinqüenta mil de seus prêmios?

Meu pai era o homem mais generoso que eu conhecia, e o fato de ele estar organizando um evento modesto no Lancaster confirmava o pior para mim. Claramente, muito obviamente e sem qualquer sombra de dúvida, a loura fofa havia consumido todo o dinheiro dele em questão de semanas. Fiquei surpresa, francamente, que, apesar de tê-lo espremido até a última gota, ela ainda estivesse disposta a seguir adiante com o blefe do noivado. Porque era exatamente isso: claramente, muito obviamente e sem qualquer sombra de dúvida.

Enquanto eu estava no salão superior do mísero Lancaster, esperando que os convidados chegassem, decidi abrir o jogo com ele. Momento perfeito, né? Mas este é o problema dos julgamentos precipitados. Ao chegar a um veredicto, você não quer perder nem um segundo em anunciá-lo.

Esperei até que Mitzy tivesse saído do salão para retocar a maquiagem, e o peguei de jeito.

— Pai, o que foi que você fez com todo o dinheiro que ganhou? — sibilei.

Ele riu na minha cara.

— Você sabe mesmo escolher os momentos certos, não? Relaxe. Isto aqui é uma festa. Você já tomou alguma coisa?

Ele se *recusava* a aceitar a realidade. Será que ela havia feito uma lavagem cerebral nele, além de tirar-lhe todo o dinheiro?

— Não mude de assunto — eu disse. — Isto aqui não é exatamente o Ritz. Se você ainda tem dinheiro, por que está fazendo a festa aqui?

— Este é o pub que seu pai frequenta, Dayna — disse uma voz loura atrás de mim. Estava claro que ela não se atrevia a nos deixar sozinhos por um minuto sequer e havia voltado rapidamente do banheiro. — *E* foi onde nos conhecemos. Pareceu adequado fazer nossa noite especial aqui, não é, Michael?

Encarei meu pai, ignorando deliberadamente a figura loura que agora estava a seu lado. Creia-me, não era fácil. Ela usava um modelito prata que lançava centelhas de luz a cada rebolado e que devia ter custado pelo menos mil libras da fortuna do meu pai. Mas eu tinha que admitir: ela estava estonteante. Se Liz Hurley houvesse aparecido na mesma estréia usando — horror dos horrores — o mesmo vestido, ela teria sido relegada à página dez, pois as fotos de Mitzy teriam ocupado as páginas de um a nove.

— Dayna, escute — ela disse gentilmente. — Seu pai e eu estamos apaixonados. Não precisamos gastar rios de dinheiro numa festa para mostrar isso. Além do mais, nós queremos economizar nosso dinheiro para mais tarde.

O que significa esse "nosso"?, pensei. *Você quer dizer que quer guardar o dinheiro* dele *para mais tarde, sua Ivana Trump interesseira.* O que foi mesmo que a Ivana disse durante o divórcio do século? "Não fiquei com raiva, fiquei com *tudo.*" Estava claro que Mitzy tinha prestado atenção e a única diferença era que ela não iria esperar pelo divórcio; ficaria com tudo *agora mesmo.*

— Por quê? O que você quer fazer com ele *mais tarde*? — perguntei.

— Bem, vamos nos divertir um pouco, para início de conversa. Nenhum de nós tem feito muito isso ultimamente, não é, Michael?

Meu pai não respondeu. Ele só passou o braço ao redor dela e me encarou. Eu queria dizer a ele que os velhos não deveriam se *divertir.* Deveriam envelhecer com elegância, mantendo viva a memória da mãe de sua filha, passando todo o tempo com a dita filha sem mãe. Eu o encarei de volta até que ele não pudesse mais suportar e fosse para o bar.

Eu não tive a última palavra, mas pelo menos tivera o último olhar. Senti uma vaga sensação de vitória até perceber que ele me deixara sozinha com Mitzy.

— Dayna, sinto muito mesmo — ela disse, sua sombra de olhos disputando com as luzes da discoteca. — Acho que não começamos muito bem. Deveríamos ter conversado direito, você e eu. Você sabe que eu nunca vou tentar ser sua mãe.

Até parece!

— Deixe minha mãe fora disso — retruquei.

Agora ela estava confusa. — Olha... me desculpe... estou fazendo tudo errado, não estou? — ela disse. — Eu entendo se você estiver se sentindo um pouco... confusa no momento. Mas agora que todos os seus exames terminaram... podemos nos reunir e conversar adequadamente... Logo, está bem?

O *logo* seria cedo demais, decidi. De qualquer forma, não iríamos conversar ali porque as pessoas estavam começando a chegar. Bill e Brenda foram os primeiros. Bill era o melhor amigo do meu pai. Eles eram personagens extravagantes e só precisavam entrar num lugar para dar início a uma festa. Sua chegada abafou a tensão sob uma avalanche de risos, abraços e masculinos tapas nas costas. Fiquei muda, como uma peça sobressalente, sentindo-me culpada por ter chegado com minha cara de "O que você quer dizer com Diana morreu?". Decidi que teria que seguir o exemplo de Brenda e sorrir.

— Você não está linda? — ela berrou, olhando-me de cima a baixo. Ela usava um vestido que fazia uma tentativa corajosa, mas falida, de superar em brilho o de Mitzy. Em contraste, eu me vestira conforme me sentia, ou seja, de preto velório. Tenho certeza de que "linda" era a última coisa que eu estava.

— Obrigada — murmurei, lembrando-me, de repente, de que pelo menos minha bolsa não era preta. Segurei-a de encontro ao corpo como se fosse uma espécie de farol luminoso de cor; prova de que eu estava tão animada com a festa quanto eles. A bolsa era de camurça marrom. Marrom-escuro, de fato. Não acho que alguém tenha notado.

— Está sozinha, Dayna? — Brenda perguntou. — Sem namorado?

— Ele está trabalhando hoje — disse a ela, sinceramente.

— Nossa, ele não pode tirar uma noite de folga para comemorar o noivado do pai da namorada? Esse namorado não vale muito, não é mesmo? — brincou Bill.

— Não está *trabalhando* trabalhando. Está estudando para um exame, na verdade — corrigi, provavelmente um pouco na defensiva demais.

— Está brincando! — Brenda gritou. — Não acredito que Simon esteja com o nariz enfiado num livro! O que ele está estudando? O calendário?

— Ela não está mais com Simon — disse meu pai.

Bill e Brenda olharam para mim com cara de "coitadinha dela". Meu pai não era o único que adorava Simon.

— Ele se chama Chris — eu disse, desafiadora.

— Chris — ecoou Brenda, pronunciando esse nome quase com tristeza. — É um nome bonito.

— Ei, não viemos aqui para interrogar Dayna sobre sua vida amorosa. — Mitzy riu. — Vamos, Michael, por que você não pega drinques para todos?

Michael fez o que lhe foi mandado e conduziu seus convidados até o bar. Então, o DJ me poupou de meu constrangimento colocando seu primeiro disco. Acho que era "Last Night a DJ Saved My Life", mas pode ser que seja só minha memória me enganando.

A festa havia começado.

Tentei me divertir, de verdade tentei, mas não conseguia me livrar dos meus demônios. Agora era oficial. Nunca mais seríamos só meu pai e eu. O mais engraçado era que eu passara a maior parte da minha vida fantasiando sobre como seria ter mãe, mas nunca sonhei que ele fosse realmente se casar com alguém. Ele havia passado os últimos quinze anos tentando esquecer a minha mãe e, finalmente, parece que havia conseguido.

Mas eu não queria que ele a tivesse esquecido.

Não me lembro muito da minha mãe. A imagem que eu tinha na cabeça era um amálgama. Um pouquinho de lembranças verdadeiras mescladas às poucas fotografias que tínhamos e às coisas que meu pai me contara sobre ela. As lacunas enormes eram preenchidas por uma combinação fantasiosa de June Whitfield e da mãe da Britney Spears.

Não me contaram quão doente ela estava, obviamente. Eu tinha apenas três anos na primeira vez em que ela fora diagnosticada. E, quando morreu, me disseram que ela estava me olhando do céu. E o céu era um lugar maravilhoso cheio de anjos e que não era tão ruim assim e que, um dia, eu voaria e me encontraria com ela em sua nuvem, onde me sentaria e ficaria abraçada com ela por toda a eternidade, o que compensaria pelo tempo insignificante que tivéramos juntas na Terra...

Por que os adultos contam essas bobagens às crianças? Porque é a única coisa que eles *podem* fazer. Porque a única e pavorosa certeza na vida é que a morte espera por todos nós — não tão pacientemente, no caso da minha mãe. E, quando ela chega, é decisiva. Não há vida após a morte, nem anjos, nem nada de flutuar em nuvens, nem nada de nada. Então você doura a história um pouco e, então, um pouco mais e, quando percebe, pintou a morte muito fofa e mágica; nem um pouco sombria e assustadora e tão triste que seu coração partido leva anos para se curar e, quando finalmente se cura, fica parecendo algo mal remendado.

Ao longo dos anos, meu pai se matou para me dar amor suficiente por dois. Eu era, literalmente, tudo para ele. Mimada, pode-se dizer. Mas quem iria lhe dizer que ele estava cometendo um erro, ao me dar tudo o que eu queria para que, dessa forma, eu não percebesse que não possuía a única coisa da qual realmente precisava?

Em retrospectiva, vejo que eu era o exemplo vivo da garota mimada. E era assim que estava me comportando na festa, embora não percebesse isso, na época.

Meu pai conseguiu estender a festa até uma da manhã, mas não fiquei até o fim. Fui embora pouco antes da meia-noite. Disse a ele que tinha me divertido muito. O que mais eu poderia dizer?

— Espero que você tenha se divertido, de verdade — ele disse. — Sabe, talvez a gente precise conversar sobre algumas coisas... Sobre isso tudo. Foi um pouco repentino, não foi?

— Não se preocupe com isso, pai — eu disse ao abraçá-lo.

Parece que, assim que arrumamos um namorado e começamos a lhe dizer que o amamos, paramos de dizer o mesmo para as outras pessoas que nos importam. Não podia me lembrar de quando fora a última vez que o dissera para meu pai e, naquele momento, eu queria muito dizer. Mas, justamente quando estava a ponto de fazê-lo, Mitzy o arrastou para a pista de dança. Acho que a música era "You Make Me Sick", da Pink, mas pode ser só minha memória me enganando.

Depois da festa, eu me senti tão mal pela forma como havia me comportado que fiquei convencida de que não passaria nos meus exames — seria uma espécie de castigo divino. Eu não precisava ter me preocupado. Passei com distinção; a nota mais alta do ano todo. Mal podia esperar para telefonar para Emily e lhe contar. "Dayna, estou felicíssima", ela disse, sonolenta. "Mas você sabe que aqui são quatro da manhã?" Ah, sim, ela ficou muito contente por mim.

Chris também ficou feliz por mim. Meus exames haviam impedido que nos conhecêssemos adequadamente. Ele entendia, é claro, por estar também em meio a estudos importantes. Tínhamos nos contentado com alguns drinques rápidos entre meus surtos de revisão frenética. Durante semanas, eu me tornara uma reclusa social, mas me trancar em casa e estudar como louca era a coisa certa a fazer. Estaria tentando provar alguma coisa a meu namorado gênio? De jeito nenhum. Eu havia me apaixonado pela minha faculdade muito antes de ele aparecer. Mas que eu o deixei impressionado, isso é verdade.

— Eu sou uma idiota. Fico pensando que, se houvesse me esforçado tanto assim no colégio, poderia estar fazendo qualquer coisa agora — eu disse a ele em um de nossos drinques rápidos. Imediatamente, senti que ficava vermelha. Ele estava fazendo bacharelado em Estudos do Mundo Antigo (sim, juro) na University College London. Sinceramente, será que ele iria se impressionar com meu diploma em cosmetologia? Mas eu não deveria ter me preocupado. Chris se *importava comigo*, lembra?

— Nunca desperdice oxigênio com arrependimento, Dayna — ele disse. — Você está mudando sua vida *neste instante*. Isso é só o que importa. Você é uma garota incrível, sabia?

Aquilo teria parecido condescendente vindo de qualquer outra pessoa que cursasse Estudos do Mundo Antigo (eu me dizia o tempo todo que precisava descobrir do que se tratava aquilo), mas, vindo dele, bem, fazia com que eu me sentisse bastante feliz. Prometi a mim mesma que, se tivesse filhos algum dia, diria a eles como era importante se matar de estudar na escola. Meu pai havia sido inútil. Seu único conselho sempre fora: "Seja feliz." Tolo. O que é que ele sabia? Olhe para ele, amancebando-se com a primeira versão bonita de Myra Hindley que lhe aparecera pela frente.

Eu estava feliz que a faculdade tivesse terminado. Ser uma reclusa não me caía bem. Mas havia feito com que eu conseguisse meu diploma — e com distinção! — e agora eu poderia sair e arrumar um emprego. E poderia passar mais tempo com Chris.

Decidi que gostava muito dele. Ele era gentil, generoso e, definitivamente, o cara mais inteligente que eu já havia conhecido.

Agora, ser inteligente é ótimo, mas não necessariamente afrodisíaco, não é mesmo? Quer dizer, Bamber Gascoigne é inteligente, mas você não transaria com ele, transaria? Porém, existe inteligente, e existe inteligente-*sexy*. E esse era o Chris.

— Por que você não vai lá em casa no sábado? — ele convidou. — Preparo uma refeição para a gente e podemos comemorar os resultados dos seus exames.

Pronto, ali estava. O tão esperado convite para ir à sua casa.

Uma noite maravilhosa nos conhecendo, seguida por sexo apaixonado e *caliente*? Digamos apenas que eu estava bem otimista.

Ah, estúpido e descerebrado otimismo.

A imagem na minha cabeça: luz de velas, música suave, uma refeição deliciosa (à base de vegetais) que Chris teria passado o dia todo preparando, uma ou duas taças de vinho, tudo seguido pela união de nossos corpos numa cena de amor que faria a do *Titanic* parecer tão quente e apaixonada quanto uma ducha fria.

A realidade: hã... nem um pouco parecida com isso. Nem um pouco.

Eu nunca havia estado num apartamento de estudantes e, na ida de metrô, imaginei que seria uma bagunça — quer dizer, ele morava com mais três caras, então isso seria inevitável.

Mas eu estava completamente errada. O lugar era tão... *arrumado.* A única bagunça se devia à coleção de instrumentos musicais. Na sala de estar havia várias guitarras, teclados e um set de bateria. Também estavam lá os três companheiros de apartamento de Chris.

Veja bem, eu sabia por que Chris e eu estávamos ali (ver fantasia anterior), mas o que três caras perfeitamente saudáveis e não totalmente desprovidos de atrativos estavam fazendo em casa num sábado à noite? E por que Chris não os havia enxotado para nos dar um pouco de privacidade? Cadê a noite romântica para a qual eu tinha me vestido? Ou, mais especificamente, para a qual eu havia me preparado para ser despida (você precisava ver a calcinha que eu estava usando sob o jeans). Mas ainda era cedo; talvez, a qualquer momento, eles saíssem e nos deixassem em paz.

— Então, de quem são todas essas coisas? — perguntei-lhe enquanto ele me servia uma cerveja na minúscula cozinha (mas notavelmente limpa, para um bando de estudantes).

— São da banda — ele disse com indiferença.

— Que banda? — guinchei, sentindo-me bastante chocada. Bem, é que ele não fazia o tipo. Onde estavam suas credenciais de rock'n'roll? Ele não fumava, praticamente não bebia e eu suspeitava que, se alguém lhe pedisse coca, ele daria uma corrida até a loja da esquina para comprar umas latinhas. Ele não era vaidoso como o Liam, do Oasis, ou sequer um mero exibicionista óbvio, como o Robbie Williams. Não, sinto muito, mas ele era... *bonzinho* demais.

— E quem mais está na banda? — perguntei, depois de superar minha surpresa.

— Aquela turma ali — ele disse, apontando para os três colegas que estavam na sala da frente. — Guy toca baixo, Jonny, guitarra principal e Will toca bateria. Eu toco teclado e um pouco de guitarra... E canto.

Ele *cantava*? Ele era o *líder* da banda? Te digo uma coisa: tive que fazer uma força danada para que meu queixo não caísse no chão.

— Como se chama a banda? — perguntei.

— Ainda não sabemos. Como eu disse, ainda está no começo.

Olhei para Chris — o gentil e bem-comportado Chris — e então olhei através da porta para seus colegas de banda igualmente engomadinhos. Que nome eles poderiam possivelmente adotar? Os Jovens Profundamente Simpáticos? As Bestas Delirantes (Mas Prometemos Manter o Volume Baixo)? Eu estava realmente perplexa.

Mas talvez ele me surpreendesse. Talvez, assim que ele mandasse seus colegas de apartamento/banda passar o resto da noite num pub, colocasse sua calça de couro e me mostrasse seu lado rock'n'roll irresistivelmente sedutor. Era isso que eu estava pensando — tá bom, *esperando* — quando um de seus colegas apareceu na porta da cozinha.

— Este é o Jonny — disse Chris.

— Oi, Dayna, prazer em conhecê-la — Jonny disse *gentilmente.* — Só vim avisá-los de que já vai começar.

"O que vai começar?", eu me perguntei.

— Tem esse programa na BBC2 — disse Chris, lendo minha mente. — Deve ser interessante... Se você se interessa pelo mundo clássico.

Eu estava a ponto de soltar um comentário sobre o fato de Beethoven não fazer muito meu estilo, mas meus instintos me disseram para ficar quieta e só dizer hummm...

Chris passou uma cerveja para mim e outra para Jonny, pegou uma maçã da fruteira para si mesmo e fomos para a sala de estar. Quatro rapazes estavam prestes a se acomodar em frente a um documentário sobre o mundo clássico. Num sábado à noite.

Portanto, eu me acomodei com eles. E, ao assistir aos créditos iniciais passando sobre um pano de fundo com aquele tipo de ruína que eu nunca tinha me incomodado em visitar em qualquer das minhas três viagens à Grécia, Jonny disse: — E aí, você se interessa pelos gregos antigos, Dayna, ou só está tentando agradar o Chris?

A única coisa que eu sabia a respeito de gregos antigos era que Andrea, o grego dono da loja de peixe com batatas no final da minha rua, iria fazer oitenta e sete anos na semana seguinte e seu filho estava pensando em organizar-lhe uma festa. Mais uma vez, meus instintos me disseram para ficar de bico fechado. — Hummm — eu disse.

Ele tomou aquilo como um sim.

— Eles foram um povo incrível, não? — ele continuou. — Inventaram a democracia, estabeleceram as bases do pensamento moderno e descobriram que a água da banheira transborda, se você a encher demais.

Chris, Will e Guy riram, então eu também ri. Mas baixinho, para não atrair atenção para mim mesma. Pois, francamente, qual era a graça?

— Acredite ou não, é assim que geralmente passamos nossos fins de semana — disse Chris, talvez percebendo minha confusão. — Mas não é sempre que algo na TV é útil para a faculdade. Esse programa é meio que obrigatório.

Enquanto os garotos se concentravam no documentário, concentrei-me no aparelho de videocassete sob a TV. De que servia todo aquele estudo? Por que os bobalhões não tinham simplesmente gravado o programa?

Tomei outro gole da minha cerveja e tentei arduamente parecer mais interessada do que decepcionada — eu havia acabado de perceber que qualquer coisa relacionada a contato físico entre mim e Chris era altamente improvável. Mas talvez a paixão não fosse uma característica de Chris. Ah, eu sabia que ele *podia* ser passional. Sobre a globalização, a crise da Aids na África e a exploração infantil na Índia... Mas e quanto a Dayna Harris? Eu estava começando a duvidar.

E, então, senti que meu estômago começava a roncar. Chris me convidara para jantar, mas não havia qualquer sinal de comida. Nem mesmo de cardápios de delivery. Eu estava faminta. Não havia comido nada o dia inteiro para que minha barriga estivesse plana e bonita quando chegasse o momento clímax de revelar minha nova calcinha fio-dental. E eu não me importava que fosse comida vegetariana. Havia feito minhas pesquisas e aprendido que, desde que você evite o repolho, existem, de fato, várias coisas em restaurantes vegetarianos que são saborosas e satisfazem — e que comer o cesto inteiro de pães também ajuda. Chris terminara sua maçã e, ao atirar o caroço na lixeira (nem um pouco rock'n'roll aquilo — roqueiros não usam cestos de lixo), cogitei, desanimada, se aquilo significava que ele estava satisfeito.

Ocupada como eu estava, ponderando sobre todas as coisas que qualquer garota no meu lugar ponderaria, percebi que estava perdendo a conversa que rolava a respeito do programa.

— E que tal algo relacionado aos espartanos? — perguntou Jonny.

— Você quer que todo mundo pense que somos um bando de clássicos cê-dê-efes? — retrucou Guy.

De que diabos ele estava falando? Eles *eram* um bando de clássicos cê-dê-efes.

— É um nome excelente — Jonny continuou. — Feche os olhos e imagine a cena. "Galera de Glastonbury, dê um aplauso de boas-vindas a... The Spartans!"

Ah, então eles estavam pensando em nomes para a banda. Devo admitir que fiquei aliviada. Eles podiam não se parecer em nada ao Guns'n'Roses, mas aquilo era o mais próximo que eu ouvira de uma conversa normal a noite inteira.

— Eu tenho um — Will disse, elevando a voz. — Geezer.

Jonny e Guy explodiram em risadas e eu me senti suficientemente segura para acompanhá-los.

— Desculpe, Will — disse Chris. — Péssimo nome.

— Está bem. E que tal Snow Patrol?

— *Por quê?* — perguntou Guy.

— Sei lá. — Will deu de ombros. — Soa bem.

Então, de repente, virou um vale-tudo.

— The Gags.

— Magenta.

— Ochre.

— *Yellow* Ochre.

— Incubate... mas com K.

— The Krays... mas com C.

— Porton Down.

— The Hand-me-downs.

— The Kiwi Fruits.

— The Peach Slices.

— The *Granny* Smiths.

E, finalmente: — Que tal Apple? — dito por Chris.

Que foi respondido com olhares vazios. Obviamente. Quer dizer, sinceramente. *Apple.*

— Não estamos chegando a lugar algum com isso — riu Jonny —, portanto acho que é melhor irmos embora.

— E dar um pouco de espaço a vocês dois — sorriu Guy.

Os três se levantaram, pegaram suas jaquetas e saíram. Enquanto três pares de pés desciam as escadas ruidosamente, a noite pareceu readquirir potencial.

— Está bom? — Chris perguntou nervosamente quando comi meu primeiro bocado.

Se eu fosse o Gordon Ramsay, poderia ter dito: "Não, não está bom, seu imbecil. Está uma merda. Impossível comer isso. Está uma absoluta, tremenda e inacreditável *merda.*" Mas, como o Gordon Ramsay ainda não fora inventado e, além disso, eu era apenas Dayna Harris, me contentei com: — Delicioso.

— Que bom! Eu estava um pouco preocupado em ter caramelizado demais as chalotas, mas elas ficaram boas, no final — disse Chris.

De que serviam meus novos conhecimentos a respeito de vegetarianismo? Eu não fazia idéia do que ele estava falando. Só sabia que as chalotas não tinham ficado boas de jeito nenhum. Nem, ao que parecia, qualquer outra coisa no meu prato.

Mas também, pensei, que diabos eu sabia? Talvez aquilo fosse o que se chama de gosto adquirido. Então, decidi ocultar minha aversão e mandar tudo goela abaixo o mais rapidamente possível. Seria como arrancar um curativo bem rápido: era o cão na hora, mas, depois que passava, uma alegria.

— Nossa, você come bem, hein? — Chris disse, enquanto eu devorava tudo com total desembaraço.

— Hhhhmm — respondi, a boca cheia de algo indescritivelmente viscoso que não parecia querer ser engolido.

— Terei que cozinhar para você mais vezes.

— Uuhhhuummmm — respondi, esperando por Deus que ele não tomasse aquilo como um sim.

Quando meu prato finalmente ficou vazio, recostei-me na cadeira e soltei um suspiro silencioso de alívio. Minha provação havia terminado. Deixei que o vinho subisse à cabeça e, pela primeira vez naquela noite, pude relaxar. Ainda eram dez horas. Com sorte, os colegas de Chris ficariam no pub até fechar, deixando-nos com mais tempo para *nos conhecermos melhor.*

Então, enquanto Chris levou os pratos até a cozinha, peguei minha taça de vinho, fui para o sofá e me coloquei à vontade, ajustando rapidamente minha calcinha fio-dental nova, que estava entrando na bunda. Quando ele voltou para a sala, estava comendo outra maçã.

— Você gosta mesmo de maçãs, não? — Sorri.

— Gosto. — Ele sorriu de volta. — Mas também gosto de você.

Ele se sentou ao meu lado, colocando a mão na minha coxa. — Esta noite foi bastante frustrante — ele disse baixinho.

— Eu sei — concordei, tentando não ficar ofegante, antecipando o que estava por vir.

— Eu mal podia esperar que os caras fossem embora, na verdade.

Eu podia sentir a temperatura se elevando. Eu me sentia como Ali MacGraw em *Love Story*, com Chris como meu Ryan O'Neal, e tive que fazer muita força para não chamá-lo de "Preppy". Olhei para ele e — como costumamos fazer quando atacadas pela luxúria — tentei imaginar como seriam nossos filhos.

— Os rapazes são legais, mas estavam acabando comigo hoje — ele prosseguiu, em tom de desculpa. — Toda aquela bobagem sobre nomes de banda, quando só o que realmente importa é a música.

— Não se preocupe. Eles não estão aqui agora — sussurrei.

— Eu sei e fico feliz, porque queria testar uma coisa com você.

Hã? Que diabo ele queria dizer com isso? Sei que cada um tem um jeito diferente de beijar, mas o que poderia ser tão radical sobre a técnica de Chris que ele sentia que precisava me avisar com antecedência? Mas eu não era a garota mais experiente do mundo e não queria parecer uma nerd total, então respondi: — Claro, vá em frente. — Então, me preparei. Ele olhou nos meus olhos, eu olhei nos dele e esperei que, o que quer que ele estivesse planejando, não doesse.

— Você está aqui esta noite — ele disse lentamente —, e eu escrevi uma canção para você.

— Ah, que fofo — suspirei e senti o alívio tomar conta de mim. Eu não tinha imaginado aquilo. Ele havia escrito uma *canção para mim*! Isso era inédito. Simon nunca havia escrito sequer um bilhete para mim. — Deixe-me ouvi-la, então — eu disse.

— Não, este é o verso que eu queria testar: *Você está aqui esta noite, e eu escrevi uma canção para você.*

— Você queria testar *um verso*?

— Sim.

— E foi esse?

Seu rosto murchou. — Você não gostou.

— Não... quer dizer, sim, eu *gostei.* Adorei.

Acho que, então, eu também estava me sentindo um pouco tola.

— Tudo bem. Você não tem que ser gentil. Eu meio que acho que ainda não é exatamente isso, de qualquer forma. Eu tenho estes acordes. — Ele esticou a mão atrás do sofá e pegou um violão. Ele o dedilhou, parou para afiná-lo, dedilhou um pouco mais e, então, disse: — O que você acha?

— Muito... legal — eu disse cuidadosamente. Por que ele estava perguntando para mim? Quem era eu? Uma caça-talentos da Sony Music, por acaso?

— São acordes *mágicos.* Estão na minha cabeça há dias. Mas não consigo fazer o verso encaixar. Tentei toneladas de variações, mas nenhuma delas parece estar de acordo com a métrica.

E então ele desandou. Cantando numa voz baixa e surpreendentemente expressiva. Tomei um gole de vinho, recostei-me e deixei-o continuar com aquilo.

— "Escrevi esta canção para você... Tudo que você faz... Tudo que você faz é mágico..." Merda, não, é Sting demais... Vou começar de novo. "Escrevi uma canção para você..."

E assim foi.

E mais um pouco.

E mais um pouco ainda.

Não queria interromper, então sorvi meu vinho até que a taça se esvaziasse e, então, bem, pode ser que eu tenha cochilado.

— Acorde, Dayna, vamos lá, vamos acordando — disse uma voz, penetrando no meu sonho. Forcei meus olhos a se abrirem e, conforme o mundo entrou em foco, vi Chris me espiando timidamente.

— O que aconteceu? Que horas são? — perguntei, grogue.

— Pouco mais de meia-noite.

— Ah, você terminou a canção? — perguntei, lembrando-me de repente de onde havíamos parado.

Ele sorriu. — Não seja boba. Mas acho que tenho o primeiro verso. Me desculpe por isso. Você deve achar que eu sou um completo egoísta.

Bem, esse pensamento estava mesmo passando pela minha cabeça. Que encontro! Ele complementou o documentário mais chato do mundo e a refeição mais horrível do mundo me fazendo ouvir seu exercício de composição musical.

— Eu não deveria ter feito isso. Foi imperdoável — ele prosseguiu, obviamente realizando um pouco de leitura de pensamento. — Eu estava realmente muito ansioso para passar um tempo com você hoje. Acho que bebi um pouco demais. Me empolguei.

— Você só tomou uma taça. — Isso só pareceu intensificar sua timidez, mas eu estava me sentindo machucada. Literalmente. Afinal, eu ainda estava com aquela calcinha fio-dental cortante, lembra? — Se você queria trabalhar, deveria ter me dito e eu teria ido embora quando seus colegas saíram.

— Por favor, você entendeu tudo errado — ele implorou. — É que eu sou assim, quando tenho uma idéia para uma canção. Não consigo deixá-la quieta e me mato em cima dela até terminar e... — Ele foi se calando, mas o olhar pesaroso em seu rosto me disse que ele estava sendo sincero. — Vamos marcar outro encontro agora mesmo e prometo que vou compensá-la.

— Não tenho certeza — respondi, sentindo-me derreter levemente, mas ainda confusa por sua falta de interesse em mim. Até onde eu sabia, ele poderia estar só *fingindo* que queria me ver novamente. Eu tinha meu orgulho. Se alguém iria cair fora primeiro, seria eu.

Levantei do sofá e apanhei meu casaco.

— Por favor, Dayna — ele disse, vindo atrás de mim, os braços estendidos.

Deixei-o me abraçar e, na verdade, a despeito da minha mágoa, foi gostoso e acabei cedendo. — Ok. — eu disse —, vamos tentar de novo.

— Ótimo — ele respondeu, beijando-me com suavidade. — E prometo que não haverá nenhuma letra de música à vista. Vamos, eu lhe dou uma carona até sua casa.

— Está bem, então — concordei, retribuindo seu sorriso levemente. — Uma carona seria legal. — Pelo menos eu economizaria o dinheiro do táxi. — Mas você não disse que tinha bebido demais?

— Não seja boba. Só tomei uma taça.

Tenho que admitir: eu estava levemente confusa na ida até minha casa. Não entendia. Nos encontros que tivéramos antes, ele parecera estar bastante interessado em mim. Mas naquela noite ele tinha me tratado como se eu fosse sua irmã. Ou sua letrista, sei lá.

Quando ele me telefonou, alguns dias depois, sugeriu vagamente outro encontro e eu, também vagamente, disse que talvez. Para ser honesta, eu sentia que tudo havia terminado e estava decepcionadíssima. Havia tanto que gostar em Chris, mas algo me dizia que nunca daria certo.

Na sexta-feira seguinte, tive a oportunidade perfeita para tirar aquele episódio da minha cabeça. Um grupo de garotas da faculdade ia sair para comemorar a aprovação no curso. Hannah havia organizado a noite. Ela morava em Camden e alegava conhecer o gerente de um clube de lá; portanto, conseguiria que entrássemos de graça. Para mim, parecia ótimo. Embora pudesse ser um pouco perigoso numa sexta à noite, eu gostava de Camden — e ficava apenas a algumas estações de metrô de casa.

Havia vinte e cinco alunas no curso. Mas acho que a maioria estava comemorando nas boates habituais em Essex ou Hampstead, pois apenas seis de nós aparecemos. Nos encontramos com Hannah no metrô e percorremos a pé a curta distância até o clube...

Lá tivemos que entrar numa fila, a qual se estendia ao redor do quarteirão e quase voltava até a estação de metrô.

— Pensei que você conseguiria fazer-nos entrar, Han — resmungou uma das garotas, no instante em que o céu se abriu e a chuva despencou sobre seis garotas parcamente vestidas.

— Sim, mas primeiro temos que entrar na fila — Hannah retrucou. Comecei a me perguntar *quem* é que ela conhecia no clube. O faxineiro, talvez?

Depois de uma hora de andar para frente com dolorosa lentidão e na chuva, chegamos à corda de veludo e à parede de leões-de-chácara por trás dela. Hannah se aproximou de um deles e piscou seus cílios borrados que escorriam rímel.

— Sou Hannah — ela disse —, amiga de Greg.

— Quem? — grunhiu o leão-de-chácara.

— *Greg*. O gerente do bar.

— Nunca ouvi falar, querida.

— Seja como for, o lugar está atulhado — disse outro leão-de-chácara, ligeiramente mais irritado. — Não podemos deixar mais ninguém entrar. Normas contra incêndio.

— Fale com Greg — Hannah guinchou, indignada. — Chame-o nesse seu rádio aí.

— Não tem Greg nenhum e você não vai entrar.

Hannah continuou discutindo, mas eu já estava pronta para dar a noite por encerrada. Estava congelando, meu cabelo estava um desastre e corria um riacho pelos meus pés. Estava a ponto de perguntar quem queria comemorar nossa aprovação no curso com um churrasquinho do delivery grego quando escutei a voz dele: — Dayna! — Olhei para cima e vi Simon em sua típica jaqueta preta de aviador, a palavra SEGURANÇA bordada nas costas de forma tranqüilizadora. — Você está muito... *molhada.* — Ele riu.

— Você está trabalhando aqui agora? — perguntei.

— Sim. Tive que deixar o trabalho em Stockwell. Aquilo estava se transformando no "O.K. Corral"* do Velho Oeste. Enfim, o que você está fazendo aqui?

— Você o conhece, Dayna? — Hannah entrou na conversa, subitamente vendo luz no fim de um túnel extremamente molhado.

Assenti.

— Você conhece o Greg? — ela perguntou a Simon.

— Nunca ouvi falar. Vocês estão tentando entrar, por acaso?

— Não, viemos para ficar paradas na chuva e admirar os leões-de-chácara — eu disse, meu queixo começando a bater de frio. — É claro que queremos entrar.

Sem consultar seus colegas, Simon desengatou a corda de veludo e conduziu seis garotas, muito molhadas e agradecidas, para dentro do clube. Ele já era o herói de todas elas, mas quando disse: "Digam à garota do caixa que o Simon disse que vocês não precisam pagar," ele se transformou no Super-Homem.

Fiquei para trás.

— Obrigada, Simon. Você salvou minha vida. De novo.

— Não é nada demais — ele deu de ombros. — Mas você pode me retribuir com um favor.

— Claro. O que é?

— Eu tenho que preencher uns formulários e... Bem, você sabe como eu sou com formulários.

Eu sabia bem como ele era com formulários. Não que ele fosse analfabeto, mas qualquer coisa com quadradinhos o deixava desesperado. Lembro-me de vê-lo tentando preencher um jogo de loteria uma vez. Ele só precisava marcar seis X, certo? Pode esquecer.

---

* Lugar do famoso tiroteio ocorrido em Tombstone, Arizona, no qual participou Wyatt Earp. Foi imortalizado em vários filmes de velho oeste. (N.T.)

— Mas e a Joanne? — perguntei. — Por que você não pede ajuda a ela?

— Você ao menos *conhece* a Joanne?

— Você sabe que sim. Nós estudamos juntas.

— Certo, então você deve saber que ela também não é lá essas coisas com formulários. Ela não sabe nem preencher um jogo de loteria.

Rá, pensei com orgulho. A vagaba da Joanne podia ser uma tigresa no quarto, mas não chegava a meus pés quando se tratava de preencher formulários.

Essa é a maravilha de ser jovem. A gente vê elogios nos lugares mais estranhos.

Uma vez lá dentro, as outras garotas caíram em cima de mim. Fumaça saía delas e não era só a chuva evaporando. Elas tinham entrado num verdadeiro furor por causa de Simon.

— Meu Deus, ele é *tão* lindo — babou Hannah. — Você me apresenta?

Olhei para ela e para a quantidade ínfima de roupa que estava usando — pouco mais que a lingerie, na verdade — e achei que ela provavelmente conseguiria fisgá-lo sem qualquer ajuda da minha parte. Então, eu disse: — Não adianta. Ele já tem namorada.

— E daí? — ela perguntou. — Isso nunca foi um impedimento para mim.

Todo mundo riu. Todo mundo menos eu.

Qual era o problema com certas garotas? Eu jamais correria atrás do namorado de outra, e aquela conversa estava realmente me irritando.

— Bem, ele não a trairia, disso eu sei com certeza. Ele não é desse tipo — eu disse, provavelmente com um pouco de hipocrisia demais e também bastante desonestidade.

— Não existe isso de *não ser desse tipo* — Hannah me informou. — Eles são todos desse tipo. São homens, não são? Você é tão inocente, Dayna.

Todo mundo riu novamente e, dessa vez, eu também. Bem, eu não queria que parecesse que eu não sabia aceitar uma piada, não é? Eu não era desse tipo.

Na manhã seguinte, eu estava curtindo um sono muito merecido. Estava, até que o telefone tocou. Olhei para meu despertador: sete e dez da porra da manhã.

— Bom dia — trinou uma voz alegre. Demorou um pouco para que eu percebesse que era Chris.

— Eurrgharrghh — eu disse, que soou como "Bom dia" na minha cabeça.

Ele riu. — Noite difícil, hein? É assim para algumas pessoas. Eu mesmo não terminei minha dissertação antes das quatro da manhã.

— Aahhahhh — eu disse, que foi tanto o melhor que consegui dizer quanto, de certa forma, o mais apropriado.

— Escute, eu queria muito vê-la novamente. E prometo: nada de banda desta vez. Você vai fazer alguma coisa hoje à noite? Eu poderia ir até a sua casa. Levo vinho. E posso cozinhar para você de novo, se quiser.

Aquilo me despertou.

— Não, não pode. Quer dizer, eu não poderia permitir que você tivesse tanto trabalho — balbuciei desesperadamente. — Por que não saímos?

— Ok, combinado, então — ele disse, parecendo contente. — Passo para te pegar às sete.

Quando desligamos, deixei minha cabeça afundar novamente no travesseiro, questionando se havia feito a coisa certa. Ele me pegara de surpresa, ligando no raiar do dia, ameaçando-me com sua comida e me deixando em pânico para que eu concordasse em vê-lo. Mas, ao fechar os olhos, decidi que não era assim tão ruim. Nós dois precisávamos de outra chance para verificar se aquele relacionamento tinha algum potencial antes de nos resignarmos a ser Apenas Bons Amigos. Ao adormecer novamente, eu me senti tão cheia de otimismo que estou certa de que tinha um sorriso no rosto...

Estava prestes a aceitar a coroa de Miss Mundo quando o telefone me interrompeu novamente. Dessa vez, era Simon. — Foi legal te ver ontem à noite, Dayna. Estranho você ter aparecido... mas um estranho bom. Ei, não vi quando você foi embora. Acho que eu estava num intervalo... Espere um pouco, eu não te acordei, né?

— Urghgh — respondi, o que soou na minha cabeça como: "Não, imagine. Estou acordada há horas."

— Ah! Aquela sua amiga é uma *safada.*

— Do que você está falando? — Minha cabeça ainda estava tomada pelo lindo trono no qual eu estava a ponto de me sentar e senti dificuldade para acompanhar a conversa.

— Aquela lá... com a miniblusa cor-de-rosa minúscula, sandália plataforma transparente...

De repente, peguei no tranco. — *Hannah.*

— Isso mesmo, Hannah. Ela me esperou até eu sair. Fui para a casa dela. Você pode aparecer sempre que quiser com amigas assim. Excelente. De qualquer modo, agora estou em casa. Tenho que me deitar um pouco. Estou morto. Quando posso passar aí?

A Miss Mundo havia evaporado completamente e, em seu lugar, estava a visão de Hannah e Simon transando como coelhos numa dieta à base de ostras. O que ele fazia pelas costas de Joanne não era da minha conta... Mas *fala sério.* Como ele era capaz?

— Você ainda está aí? — ele indagou. — Eu perguntei quando posso passar aí. Os formulários, lembra? Você ia me ajudar a preenchê-los.

Pensei em mandá-lo ir se danar, mas, bem, eu devia aquilo para ele, não?

— Ok — suspirei. — Venha amanhã de manhã. Dez e meia. Nem um minuto sequer antes.

Eram sete e cinqüenta e cinco quando desliguei e, a essa altura, eu já estava completamente desperta. Qual era o maldito problema com esses caras? Já era ruim o suficiente que eles nos enrolassem, será que também precisavam nos acordar de madrugada para isso? O sol mal havia se levantado, mas meu sono estava arruinado e meu humor não era dos melhores. Eu não deveria me importar com o que Simon fazia, mas era óbvio que me importava. Não muito tempo antes, eu estivera no lugar da vagaba da Joanne Robinson, igualmente sendo feita de gato e sapato por Simon. Não o mesmo sapato, é claro, pois, enquanto Joanne fazia o estilo salto 15, eu preferia os tênis confortáveis, como todas as garotas que não são piranhas. Porém, apesar de nossas diferenças, ali estava eu, deitada na cama e sentindo pena *dela.* Inacreditável!

A compaixão, no entanto, não durou muito. Foi interrompida pelo telefone — quem mais poderia ser?

Dessa vez era meu pai: — Só queria te lembrar do almoço de hoje. Não tome café-da-manhã porque a Mitzy está caprichando.

Aaarrrggghhh! Meu mau humor havia acabado de piorar.

Meu pai estava certo. Quando cheguei ao portão da frente, o aroma da comida me disse que teríamos um almoço completo de domingo, com um dia inteiro de antecedência. Ao tocar a campainha, farejei o ar. Estava *morrendo de fome.* Hora de fazer as pazes com Mitzy, então.

— Pegue uma bebida, Dayna — disse meu pai quando abriu a porta. — Estou só ajudando a Mitzy na cozinha. — Ele tinha um pano de prato jogado sobre o ombro. Eu nunca vira um daqueles *ali.*

Servi-me uma taça de vinho e me sentei, decidindo que não iria ajudar. Aquela domesticidade toda estava tendo um efeito estranho sobre mim. Meu pai não era nenhum relaxado, mas todo aquele clima de *lar doce lar* era descabido. O que estava acontecendo na mesa de jantar? A toalha de linho, os jogos americanos, as taças de vinho de cristal. O mais perto que meu pai e eu tínhamos chegado de uma toalha de mesa, na minha infância, era o papel no qual vinha embrulhado o peixe com fritas.

Escutei a voz levemente elevada de Mitzy vindo da cozinha:

— Pensei que você estivesse marcando o tempo de cozimento.

— Por que você pensaria isso? — meu pai perguntou.

— Porque ouvi claramente você dizer: "Eu faço os Yorkshires", por isso.

— Eu quis dizer que os colocaria no forno, só isso.

— E o que você acha? Que o forno sabe quando desligar?

Eu não podia dizer se ela estava realmente irritada ou apenas colocando pilha. Meio que gostei do fato de eles terem uma discussão inflamada, com ela saindo de casa com raiva para nunca mais ser vista...

— ... Olhe só para eles! — ela gritou. — Completamente arruinados. Você pode jogar tudo fora.

Eu fiquei ouvindo e, então, depois de um minuto de silêncio, meu pai entrou carregando um prato com perfeitos pudins de Yorkshire.

— Olhe só isto — ele disse, rindo. — Um milímetro mais altos, um tom mais escuros e ela diz que estão arruinados. Por que eu tive que me apaixonar por uma perfeccionista, hein?

Por que você teve que se apaixonar por qualquer pessoa, *pai?*

Mitzy o seguiu com a carne e, em minutos, a mesa estava gemendo sob o peso dos pratos. Quem ela pensava que era? A irmã mais glamorosa de Delia Smith? Era como olhar para uma série inteira de pratos-preparados-com-antecedência.

Quando começamos a comer, Mitzy pareceu nervosa.

— O molho está bom, Dayna?

— As batatas não ficaram crocantes demais, ficaram?

— ... Você gosta de pastinaca?

Ela não precisava ter se preocupado. Era uma excelente cozinheira e eu ataquei sua comida como se fosse minha primeira refeição após um longo tempo na prisão. Ou após um encontro com Chris.

Hummm, carne.

Mas eu tinha que gostar dela só porque ela sabia cozinhar? Eu me sentia confusa. Pois, enquanto eu a elogiava pelas ervilhas com menta, perguntava a mim mesmo por que ela estava usando rímel para um almoço em casa, se sua saia não estaria um pouco curta demais e por que seu cabelo era louro como o da Jessica Simpson, e não azul como o da Marge Simpson. Foi como aquela vez em que Carol Vorderman, com seus quarenta e poucos anos, foi criticada nos jornais por ter aparecido sexy demais em alguma festa de premiação, e todos a censuraram, pois ela deveria estar envelhecendo e parecendo envelhecer. Eu tinha detestado aquilo, mas ali estava: julgando Mitzy exatamente da mesma forma.

Porém, será que eu teria gostado mais dela se ela fosse uma desmazelada? Duvidei.

Afastei-me da mesa, com o estômago cheio de comida deliciosa, a cabeça cheia de maldade e totalmente inconsciente de minha própria hipocrisia.

— Mitzy está vendendo a casa dela, Dayna — anunciou meu pai, completando minha taça com o que restava na garrafa. — Ela vai se mudar para cá.

Olhei para ele, incapaz de me mexer, apenas em parte devido ao excesso de comida. Mas o que eu esperava? Eles estavam noivos. É claro que iriam morar juntos.

— Dayna, eu realmente quero que você fique feliz pelo seu pai — disse Mitzy, passando de esfuziante a séria e profunda num piscar de olhos cheios de rímel. — Porém, mais que isso, quero que você saiba que eu jamais me meterei entre vocês dois. Quero que vocês continuem tão próximos quanto sempre foram.

Naquele momento, eu me sentia a cerca de mil quilômetros de distância do meu pai, mas fiquei em silêncio. Nem morta eu iria falar alguma coisa para deixá-la à vontade. Meu pai estava obviamente lendo meu pensamento, porque tentou falar por mim: — Ela está bem, não é mesmo, menina? — ele disse, um toque de desesperança na voz. — Acho que será bom para nós dois ter Mitzy por perto... Você não acha, Dayna? — Ele desejava que eu dissesse alguma coisa, de preferência algo agradável, mas eu simplesmente não tinha palavras, nem boas nem más.

— Sempre fiquei triste por não ter tido filhos — Mitzy declarou, preenchendo o vazio. — Sempre quis ter uma família grande e tudo, mas Harry nunca quis filhos. Dizia que era velho demais. Mas não para fugir com a droga da secretária, não é mesmo?

Eu tinha escutado comentários suficientes do meu pai para montar a história dela. Harry era dez anos mais velho e a deixara por uma garota de vinte e três. Se eu sentia pena de Mitzy? Claro que não. Mal a conhecia e não conhecia Harry em absoluto, mas estava convencida de que sabia exatamente o que havia acontecido. Ele não fora seduzido por uma modelo mais jovem e mais sexy. Não, ele havia ido embora porque *vira quem Mitzy era*, na realidade. E desejei ardentemente que meu pai também visse, antes que fosse tarde demais.

— Este é meu sonho tornado realidade, sabe, Dayna? — ela continuou, tomando a mão do meu pai por cima da mesa. — Nunca pensei que fosse encontrar outra pessoa... Alguém tão maravilhoso. Só vai ser preciso um tempinho, só isso. Depois que nos casarmos, podemos...

— O quê? — Engoli em seco. *Será que ouvi o verbo casar?* Sim, sim, eles estavam noivos e noivados levam ao casamento, mas eu estava alimentando a esperança de que aquele caso fosse diferente; que eles estivessem noivos com a intenção de ficar daquele jeito para sempre.

— Bem, depois do casamento, talvez possamos fazer uma viagenzinha os três juntos. Para nos conhecermos melhor. Como uma família. O que você acha? — Ela sorriu para mim, sua vez de parecer um tanto desesperada.

O que eu achava? Pânico fervilhava dentro de mim. Que *diabos* eu achava?

— Acho que... estou passando mal — eu disse.

— Ah, não, será que foi alguma coisa que você comeu? A *carne*! Estava um pouco mal passada no meio, não estava? Eu sabia...

— Não é a comida — eu disse, levantando-me. — Acho melhor eu ir.

— Espere — gritou meu pai quando saí da sala. — Fique para um café. Vamos resolver isso.

— Não há nada que resolver, pai. Só não me sinto bem. Não se preocupe. Eu te telefono depois.

Ao sair da casa, não achei que houvesse um lugar no mundo onde eu estivesse longe o bastante daqueles dois.

Saí da casa do meu pai e segui andando. Normalmente, eu teria ido para o ponto de ônibus, mas decidi que a caminhada de três quilômetros morro acima até meu apartamento era o que eu precisava para pôr a cabeça no lugar. Certamente, era o que eu precisava para pôr o estômago no lugar. Eu estava verdadeiramente cheia. Deus, aquela mulher sabia mesmo cozinhar. Mas por que pensar nela me incomodava tanto? Eu já havia superado a idéia de que ela só estivesse atrás do dinheiro dele. Ela havia ficado razoavelmente bem depois de seu divórcio, pelo que eu podia ver. Além disso, por que uma caça-fortunas perderia tempo com meu pai, quando havia um monte de milionários de verdade à solta para serem depenados?

Portanto, não era o dinheiro. E não era o comprimento de suas saias ou a cor de seus cabelos. Eu já não podia mais enganar a mim mesma. Eu sabia o que estava acontecendo. O homem que me criara sozinho, desde meus quatro anos de idade, estava sendo roubado de mim. Tudo se resumia a um único e feio sentimento. Ciúme.

Quando voltei a meu apartamento, dei de cara com Kirsty, a americana que morava no apartamento em frente. Ela estava rodeada por um mar de sacolas de supermercado e lutava com um molho de chaves.

— Tudo bem aí? — perguntei ao pescar minha chave na bolsa.

— Bem, obrigada. — Então, ela ergueu os olhos para mim. — Cruzes, você está com uma cara péssima.

Kirsty era sempre direta. Eu achava que fosse uma característica americana, eles não eram todos diretos — ou como nós, britânicos, diríamos: grosseiros?

— Acabei de voltar caminhando de Kentish Town — expliquei. — Só subida. Estou morta.

— Não, você está com cara de *merda* mesmo. — Direta e *perspicaz.* — O que aconteceu?

— Ah, assunto de família. Você não iria querer saber. — Senti meu lábio inferior tremer.

— Experimente me contar — ela disse, finalmente destrancando sua porta e segurando-a aberta.

Kirsty tinha sido minha vizinha desde que Emily e eu nos mudáramos para lá. Ela parecia ser bastante simpática, mas eu não a conhecia além das conversas fugazes nas escadas. Eu gostava da aparência dela, no entanto. Ela usava calças largas, camisetas e cabelos curtos e eu me amarrava no som que o piercing em sua língua produzia quando ela o batia contra os dentes.

Ela estava fazendo isso, naquele momento.

— Quer uma cerveja? —... *Clique, clique, clique.*

Assenti, e a observei arrastar suas compras até a cozinha.

Eu sabia que ela havia feito faculdade de artes e que agora *criava* coisas, mas eu não fazia idéia do quê. Olhei em volta de sua sala de estar, em busca de alguma pista. Não havia nenhuma. Ela, com certeza, tinha um apartamento bem minimalista.

Ela reapareceu com duas garrafas congeladas e me entregou uma.

— Sente-se — disse com um sorriso, indicando o sofá — e me conte: o que está acontecendo?

Então, contei a ela.

— Não me parece tão ruim assim — ela disse quando terminei. — Ela está se esforçando para ser legal com você, e seu velho está feliz. Se minha mãe para ser legal tivesse conhecido outra pessoa, talvez não houvesse descarregado sua amargura em mim. Eu tinha um apelido na escola: Olhos Roxos. Eu "dava com a cara na porta" com mais freqüência do que o Ray Charles... Com seu pai e essa Mitzy, você só precisa se acostumar à idéia, só isso. Creia-me: o ciúme não durará para sempre.

Pronto. Ela me havia decifrado. Recompensei sua perspicácia sendo ríspida com ela: — Pelo menos você teve mãe, enquanto estava crescendo.

— O que aconteceu? — ela perguntou, desconcertada.

— Ah, nada importante. Ela simplesmente morreu, só isso.

Houve uma pausa longa e surpresa, e então: — Me desculpe... eu sinto muito.

Me senti mal. Ela não sabia, não é? Eu quase nunca falava com ninguém a respeito da minha mãe. Não queria ser apenas mais uma pessoa contando sua triste história a alguém que, particularmente, não dava a mínima. E, a não ser que você tivesse conhecido a minha mãe, por que se importaria?

— Putz, sinto muito mesmo, Dayna — ela repetiu. — Eu e minha boca grande.

— Não, eu é que peço desculpa — resmunguei. — Você não tinha como saber, tinha?

Bebericamos nossa cerveja num silêncio incômodo e senti um impulso desesperado para começar de novo. — Então, por que seu pai não estava por perto? — perguntei. — Ele foi embora de casa quando você era pequena ou algo parecido?

— Antes fosse — ela respondeu, com uma risada. — Não, nunca conheci meu pai. Minha mãe não queria me dizer quem ele era. Provavelmente porque ela não sabia.

— Que horrível!

— Isso não foi nada...

Pronto. Eu havia aberto as comportas e a história da vida de Kirsty jorrava. Era incrível. Incrivelmente horrível, quer dizer. Ela era como vários convidados do programa do Jerry Springer unidos em uma só pessoa. Enquanto eu escutava, de queixo caído, imaginava as legendas aparecendo sob sua imagem.

KIRSTY — A MÃE ERA UMA VAGABUNDA ALCOÓLATRA E VIOLENTA.

KIRSTY — ABUSADA POR VÁRIOS TIOS QUE NÃO ERAM TIOS DE VERDADE.

KIRSTY — GRÁVIDA AOS QUATORZE DO TIO QUE *ERA* TIO DE VERDADE.

Eu sei o que ela estava fazendo: o velho truque do sempre-tem-alguém-pior-que-você. Mas, se eu digo a você que estou com enxaqueca e você me conta que perdeu o dedo na lâmina do liquidificador e o empacotou com gelo para correr até o hospital, onde o costuraram de volta à sua mão numa cirurgia de dez horas, pode ser uma ótima história; mas, quando você tiver terminado de me contar, minha cabeça ainda estará doendo, certo?

— Mas olhe para mim agora — ela concluiu. — Tenho vinte e nove anos e estou bem. Claro que tenho cicatrizes, mas todo mundo tem. Deveríamos ter orgulho delas, não vergonha. E se você dá a elas tempo suficiente, elas param de doer. Nem mesmo coçam.

Tempo. Kirsty tinha razão naquele aspecto e eu sabia. Eu estava tão triste quanto havia me sentido naquela tarde, mas sabia que me sentiria melhor com o tempo.

Falando sobre o tempo, olhei para meu relógio e dei um pulo porque não havia percebido que estava lá há tanto. Não é verdade mesmo que o tempo voa quando se está trocando desgraças com alguém? Chris iria me apanhar em meia hora e eu ainda tinha que me trocar.

— Obrigada pela bebida, Kirsty. Foi muito bom conversar com você. É melhor eu ir agora — eu disse, levantando-me.

— Um encontro ardente?

— Bem, um encontro. Ainda será confirmado quão ardente.

Havia algo que eu tinha que lhe perguntar antes de ir. Estava me incomodando um pouco desde que Simon o havia mencionado, meses atrás.

— Kirsty, posso lhe perguntar uma coisa? O que você acha de Simon?

— Seu ex? Sem ofensa, mas ele é um imbecil típico. Por que você pergunta?

— Não, não... É só que... Olha, não é nada importante.

— Me *conte*. Agora fiquei curiosa.

Ela tinha um olhar zombeteiro no rosto e eu me senti enrubescer.

— Fiquei com a impressão de que você... meio que... gostava dele — eu disse com hesitação.

Ela atirou a cabeça para trás e explodiu em risos.

— Ele é um cara bonitão e tudo, mas é *muita* testosterona para o meu gosto. Você não sabe?

— Sei o quê?

— Que eu gosto de meninas.

É claro, eu sempre soubera aquilo.

— E então, o que você quer ver? — Chris perguntou quando estávamos na frente do cinema. — Tem o *Noiva em Fuga*, mas tenho certeza de que você não iria querer assistir a esse monte de bobagens.

— Não seja bobo. — Eu ri. É claro que não. Já havia assistido duas vezes com as garotas da faculdade. — Que tal *Toy Story 2*? — sugeri.

Ele riu. — Nem me fale, é ridículo, não? Hollywood entrou na loucura das continuações. Eles fazem qualquer coisa, desde que possam colocar um número ao final do título.

— Tudo bem, mas você não respondeu à minha pergunta. Que tal *Toy Story 2*?

— Poderíamos ver *Quero Ser John Malkovich* — ele disse, ainda me ignorando. — Supõe-se que seja bom, no aspecto blá como blá, embora ainda blablablá.

Eu havia me desligado. Não, eu não queria assistir a *Quero Ser John Malkovich*. Não que eu fosse superficial, imatura ou nada do estilo, mas queria ver algo que tivesse explosões barulhentas e cenas de amor melosas, de preferência com um elenco classe A. Quem diabos era John Malkovich e por que alguém desejaria ser ele?

— Ei, e que tal o *De Caso com o Acaso*? Parece que é brilhante — entusiasmei-me e, imediatamente, soube que havia feito a melhor escolha da noite. Claro, era uma comédia romântica e provavelmente não era o tipo de filme que ele escolheria normalmente, mas, da forma como coloquei meus braços ao redor dele, pressionei meu corpo contra o seu e perguntei: — O que você acha? — toda ofegante, ele só poderia concordar que era uma *excelente* escolha.

— Mas *Quero Ser John Malkovich* recebeu algumas críticas ótimas e...

— Por favor? — perguntei novamente, pressionando-me contra ele ainda mais, dessa vez.

— Está bem — ele respondeu, apenas um pouco relutante. — Eu vi a Paltrow em *Seven*. Bom filme. Se você gosta desse tipo de coisa.

Beleza. Havíamos concordado num filme. Isso era um bom sinal. Talvez as coisas que nos separavam não significassem o fim do nosso relacionamento, afinal. Tá, em termos do ponto em que estávamos, estou usando a palavra *relacionamento* com certa liberalidade, mas o Próximo Passo era iminente. Eu estava certa disso e havia me vestido adequadamente. De novo. Sob a calça larga, estava a calcinha mais linda que eu já vira. Eu a comprara naquela manhã e tinha certeza de que iria se transformar na minha calcinha da sorte.

— Foi brilhante — Chris exclamou ao sairmos do cinema.

— Foi? — perguntei, estreitando os olhos.

— O sotaque dela estava incrível, você não acha?

— Bem, sim, acho que sim — cedi, apenas ligeiramente de má vontade. Para dizer a verdade, achei que o sotaque britânico de Gwyneth Paltrow tinha sido mesmo fantástico, mas ele estava sendo tão efusivo que eu *tinha* que diminuir um pouco a intensidade. Bem, nenhuma garota gosta de se sentir superada por outra mulher, ainda que seja por uma atriz classe A com quem, provavelmente, seu namorado jamais se encontrará.

— Acho que ela é realmente subestimada. Tão cheia de classe. E muito bonita também. — Ele me deu uma cotovelada brincalhona, sentindo minha irritação.

— Pessoalmente, não vejo nada nela. Na verdade, acho-a um pouco sem sal — eu disse, o mais casualmente possível. — Eu te disse que queria ver *Quero Ser John Malkovich.*

Foi bom ter começado a chover naquele ponto porque ele estava rindo tanto de mim que senti vontade de chutá-lo. Em vez disso, corremos em busca de abrigo. E o encontramos num pub não muito longe do cinema. Sentei em uma mesa vazia no canto, enquanto Chris lutava para chamar a atenção do barman. Ele era bonzinho demais para esse tipo de coisa. Um verdadeiro futuro rock star teria subido no balcão e jogado cinzeiros nos empregados do bar até conseguir fazer seu pedido.

— O que é isto que você está tomando? — perguntei quando ele finalmente colocou uma cerveja na minha frente e tomou um gole de um copo com algo que parecia sidra sem gás.

— Só um suco de maçã — ele disse.

Humm, pensei, aposto que essa também é a birita predileta do Keith Richards. Mas não falei nada, porque ele estava escorregando para junto de mim no banco e tinha um brilho nos olhos que sugeria que a noite ainda não havia terminado.

Olhamos sonhadoramente um para o outro, por um instante. Não sei o que ele estava pensando, mas senti como se tudo fosse possível e que tudo seria maravilhoso. Para ser sincera, eu havia sido um pouquinho desonesta na minha avaliação da pobre Gwinny. O fato era que tínhamos ido assistir a nosso primeiro filme e *ambos* havíamos gostado. Eu queria explorar outras possíveis áreas de interesse mútuo e acho que ele também queria porque, então, ele me perguntou: — E aí, de que tipo de música você gosta?

Entrei em pânico. O que você diz a um homem que é, obviamente, sério com relação à música? Provavelmente não diria que eu, em geral, achava os discos chatos e preferia as coletâneas. "Minha banda favorita, Chris? Ah, eu diria que é *As Melhores Músicas de Todos os Tempos.*" No final, evitei a questão e disse: — Ah, todo tipo de coisa — o que não era completamente mentira, porque a maioria dos meus CDs de coletâneas realmente continha todo tipo de coisa. — E você?

— Ah, todo tipo de coisa...

Ele também? Eu me perguntei se ele teria *As Melhores...* do 15 ao 29.

— ... Tom Waits, Neil Young, Nirvana. Tudo começa com os Beatles, no entanto, não é?

"É?", pensei. — Humm — murmurei. Então me lembrei de algo que tinha ouvido enquanto assistia, sem prestar muita atenção, a um documentário sobre música e disse: — Você não acha estranho que o homem que compôs uma obra de gênio como "Hey Jude" também tenha escrito "Mull of Kintyre"? — recostei-me, satisfeita comigo mesma por ter me saído com um comentário tão profundo e original.

— Isso é o que todos dizem — ele disse, varrendo a petulância do meu rosto em um instante. — Particularmente, acho que "Mull of Kintyre" não é tão ruim assim. Estruturalmente, tem muita integridade, e a ponte inverte a melodia primária de forma muito inteligente...

Eu não tinha como argumentar contra aquilo. (Obviamente.)

Ele passou a me contar a história inteira dos Beatles e a fazer uma análise detalhada do relacionamento de McCartney com Lennon. Extremamente detalhada.

Ok, eu não estava prestando muita atenção durante aquela porção da conversa em particular, mas me diverti profundamente naquela noite. Pode ser que em determinadas áreas estivéssemos em pólos completamente opostos, mas isso não nos impedia de rirmos muito no restante do tempo.

— Quer outra bebida? — ele perguntou, virando seu suco de maçã bem ao estilo rock star.

— Que tal um café? — respondi. — No meu apartamento.

Na manhã seguinte, a última coisa que eu esperava sentir era *apaixonada*, mas ali estava.

Sim, eu estava, definitivamente, *apaixonada*.

Chris era apaixonante.

A vida era apaixonante.

Tudo o que eu queria era passar o dia me deliciando com meu novo sentimento de paixonite, mas, então, olhei para o relógio: dez e quinze. Simon deveria chegar a qualquer minuto. Formulários a preencher.

Droga. Eu poderia muito bem passar sem essa. Que garota precisa preencher formulários quando está ocupada se lembrando da melhor noite de sua vida?

Simon estava uma hora atrasado. Não havia nada de estranho nisso, entretanto. Ele podia ser grande e malvado o suficiente para derrotar uma gangue armada sem nada além de um movimento hábil de seu dedinho, mas era incapaz de chegar a qualquer lugar na hora, o que é uma habilidade muito mais útil na vida, se você me perguntar.

Kirsty estava saindo de seu apartamento quando eu abri a porta para ele. — E aí, Kirst? — ele gorjeou.

Ela respondeu com um entortar da boca e um clique irritado do piercing de língua antes de descer correndo a escada.

— Ela é *doida* por mim. — Ele sorriu com afetação, atirando-se no sofá e colocando as pernas compridas diretamente sobre uma pilha de revistas de beleza em cima da mesa de centro.

— Ei, tire seus sapatos imundos daí — retruquei.

Eu não iria deixá-lo se sentir à vontade. Tinha trabalho a fazer. As revistas esperavam por minha atenção. Eu não estava interessada nas modelos das capas, mas nos anúncios de empregos no final. Eu tinha que dar início a uma carreira. Havia começado a busca antes de sair da faculdade. Nossos professores nos haviam encorajado a começar com os telefonemas antes dos exames finais. É uma boa experiência, nos disseram. Bem, eles tinham razão. Até agora, eu tivera excelentes experiências com gente desligando o telefone na minha cara.

— Certo, faça um chá para a gente e, daí, colocaremos este vídeo — disse Simon, tirando uma fita de videocassete do bolso de sua jaqueta e acariciando-a carinhosamente.

— O que é?

— Espere e verá — ele disse, com um sorriso irritantemente enigmático.

Preparei o chá e, enquanto levava as canecas para a sala e sentava-me, Simon colocou o vídeo. Começava com um homem, um cara grande e musculoso cujo rosto estava brilhando de suor e que tinha uma expressão feroz de determinação. Então apareceu uma legenda: 99,99% NEM PRECISAM SE INSCREVER.

— Se inscrever para quê? — perguntei.

ROYAL MARINES, respondeu uma nova legenda.

— Os Royal Marines?

Simon assentiu, com um enorme sorriso de menino iluminando o rosto.

— Você quer se juntar aos *Marines*?

— *Psssiu!* Assista a isto. É incrível.

Então, assisti. Trinta minutos de homens se atirando de penhascos, em fiordes congelantes e de dentro de helicópteros, entremeados com explosões de bombas, tiros de metralhadora e uma cena de um soldado entregando uma boneca de pano a uma criança refugiada de rosto sujo (só para mostrar que a força militar de elite britânica mantinha contato com seu lado mais protetor).

Virei-me para olhar para Simon e o vi sob uma nova luz. Na verdade, eu o vi totalmente vestido para combate, o rosto untado com pintura de camuflagem. A única vez em que o vira com o rosto sujo fora quando ele trabalhava como mecânico, e "É o alternador, querida" não faz com que uma garota trema nas bases tanto quanto "A senhora está a salvo agora. Já garantimos a segurança do perímetro". Ah, sim, ele ficava bem de uniforme.

— Você está falando sério, Simon?

Ele assentiu. Então, fez seu discurso. Como sempre havia sido o sonho de sua vida usar a Boina Verde (novidade para mim), como os Marines eram a primeira unidade a fazer isso, a única unidade a fazer aquilo, e a melhor unidade do mundo quando se tratava de conseguir aquilo outro. Não me pergunte exatamente o quê. Eu havia me desligado.

Simon não percebeu, no entanto. Falou e falou até que, enfim, ficou sem fatos incríveis sobre os Marines e pegou seus formulários. Eu os analisei. Não podia ver por que ele precisava da minha ajuda. Eram bastante simples e, portanto, eu os preenchi para ele. Com minha melhor caligrafia.

— Obrigado, Dayna — ele disse quando terminei. — Você é fantástica.

— De nada. Só espero que eles não mandem os formulários para um perito em caligrafia analisar; caso contrário vão te classificar como uma morena simpática com uma queda por tênis cor-de-rosa e cappuccino extra-espumante.

Ele pareceu preocupado. Não havia pensado naquilo.

— Olha, tenho certeza de que não farão isso. Como vai a Joanne?

— Quem? Ah, sim, *Joanne*. É, vai bem. Viajou para um programa de boa forma durante o fim de semana. Foi bem conveniente. Vou me encontrar de novo com sua amiga hoje à noite. Qual é mesmo o nome dela?

— *Hannah*.

— Isso. Pelo amor de Deus, não deixe escapar para Joanne, se você a vir. Ela me mata se descobrir. — Ele piscou para mim como se eu fosse um de seus amigos.

Absurdo! Ali estava ele, traindo sua namorada com uma das minhas amigas e esperando que eu, a ex-namorada traidíssima, me unisse à conspiração. *Incrível!*

Enquanto eu soltava fumaça pelas orelhas, ele perguntou: — Como vão as coisas com aquele cara com quem você está saindo?

— Chris? Excelente, obrigada. Maravilhoso. *Perfeito*. — Eu estava aumentando um pouco, mas depois da noite anterior me sentia realmente feliz com as coisas.

Simon não mostrou interesse algum por meu estado de felicidade. Ele se levantou para ir embora e perguntou: — A propósito, você ainda quer ser uma não-sei-quê de beleza quando crescer?

— Uma *terapeuta* de beleza — informei-o de maneira esnobe. — Sim. Por quê?

— Só estava pensando — ele disse, abrindo a porta. — A não-sei-quê de beleza principal do hotel está procurando alguém. Eu disse a ela que você ligaria. O nome dela é Georgina. Mas ela precisa de alguém que possa começar imediatamente e eu não sei se você já está comprometida.

Bem, vejamos. Eu fizera cerca de cinqüenta telefonemas para cinqüenta salões e tinha ouvido cerca de cinqüenta vezes, ainda que educadamente, para ir me danar. Não havia dinheiro algum entrando e as contas se acumulavam. Se estou comprometida? O que você acha?

Reprimi a vontade de sair pulando e, em vez disso, tão casualmente quanto consegui, disse que telefonaria para ela quando tivesse um tempinho. Ninguém quer parecer desesperado. Principalmente se estiver.

— Como você sabe que ela está procurando alguém? — perguntei. — Você não voltou a trabalhar lá, voltou?

— Meu Deus, não, não seja tola. Não, eu e Georgina, nós, bem, você sabe... — Ele levantou uma sobrancelha e sorriu com afetação.

Quando ele foi embora, perguntei-me se realmente queria um emprego no local onde Simon havia trepado mais que macaco em zoológico. E será que eu realmente queria trabalhar para uma mulher com quem ele havia, *bem, você sabe*?

Quer dizer, uma garota tem que preservar sua dignidade, certo?

Depois de nossa ida ao cinema, não vi Chris por um bom tempo. Ele era um cara legal e decente e aceitei todas as suas desculpas: que ele estava atolado nos exames, que a banda estava ensaiando todo o tempo, que ele tinha um zilhão de idéias para músicas que precisava gravar, blablablá.

Além disso, eu tinha minha própria vida com que me preocupar. A procura por emprego ia pessimamente e eu estava ficando louca. Eu ficava adiando telefonar para a amiga de Simon, mas, devido à pilha de envelopes marrons de contas a pagar sobre o balcão da cozinha, não podia realmente adiar mais. Ninguém mais parecia interessar-se pelos recém-formados. Não, todos procuravam por gente com, pelo menos, dois anos de experiência. Bem, diga-me, se você não dá emprego aos recém-formados, como é que eles vão conseguir dois anos de experiência?

Mas primeiro eu tinha que, de alguma forma, conseguir um encontro com Chris. Após duas semanas sem vê-lo, a paranóia entrava em ação e eu estava me convencendo de que ele havia perdido o interesse. Estaria se encontrando com outra pessoa? Nosso relacionamento estaria acabado? Eu logo iria descobrir. Finalmente o convenci a vir a meu apartamento para jantar, o que significava que eu tinha um monte de coisas a fazer.

Começando com uma ida às livrarias em busca de um livro de receitas vegetarianas.

Havia velas suficientes para iluminar uma catedral. Eu as havia colocado em grupos tremeluzentes espalhados por toda a sala de estar. Eu também me vestira para a ocasião. Aquilo era estranho — nunca havia me vestido bem para ficar em casa. Sobre a minha calcinha da (excessiva) sorte, eu usava uma coisinha fina que era basicamente de alcinhas e, possivelmente, um número menor que o necessário, mas ele jamais perceberia isso, à quente luz das velas. Além disso, eu não planejava mantê-la por muito tempo no corpo.

— Cortaram a eletricidade? Meio escuro aqui, não? — ele disse quando entrou. E acendeu a luz, destruindo instantaneamente horas de planejamento. Homens — mesmo os supostamente sensíveis como Chris — simplesmente não *entendem* as velas, não é?

Ele tirou a jaqueta e, imediatamente, desabotoou três botões da camisa. — Jesus, está calor aqui — ele disse. — Está bem agradável lá fora. Por que o aquecimento está ligado?

O que posso dizer? Sou sensível ao frio e o vestido que estava usando não era substancial o bastante para aquecer um camundongo. Homens — mesmo os supostamente sensíveis etc. — simplesmente não *entendem* o fato de ligarmos o aquecimento a despeito do clima, não é?

Puxei-o de encontro a mim para um beijo, mas, após um selinho nos lábios, ele se afastou. — Tem alguma coisa para beber? — ele perguntou. — Eu aceitaria um suco ou algo assim.

Meu coração afundou. Então ele *tinha* se desinteressado. Será que eu deveria simplesmente admitir a derrota e deixá-lo me descartar? Seria aquela a verdadeira razão para ter vindo? Tentei continuar otimista. Talvez ele só estivesse preocupado com o trabalho e precisasse relaxar. Talvez estivesse simplesmente com calor e precisasse de uma bebida.

— Suco de maçã? — perguntei de forma inteligente.

— Perfeito — ele respondeu.

— Também cozinhei — eu disse, indo para a cozinha.

— Que ótimo! Estou morrendo de fome. Esgotado também. Talvez um pouco de combustível me desperte.

Voltei para a sala com seu suco e decidi fazer um pouco de investigação sutil com relação a se ele ainda gostava de mim.

— A nós — eu disse, levantando minha cerveja.

— A nós — ele respondeu, sorrindo, batendo o copo contra minha garrafa.

Excelente!

Maravilhoso!

Ele não brindaria a *nós* se fosse terminar tudo, não é mesmo? Não, claro que não. Eu *estava* certa. Nós *éramos* bons juntos e aquela noite seria o primeiro passo de uma longa seqüência de passos que daríamos juntos.

E eu começaria preparando-lhe a melhor refeição na história da comida vegetariana. Tinha estudado meu livro de receitas a semana inteira e havia me animado um pouco. Não sabia absolutamente nada sobre a culinária vegetariana. Aliás, eu não sabia nada sobre culinária, ponto final. Tudo que conseguira entender era que mesmo os livros de receitas com as palavras *Para Iniciantes* ainda pareciam experiências científicas para mim.

Tinha decidido que só havia uma solução: um restaurante que entregasse em domicílio. Escolhi o Taste of Nawab não porque houvesse muitas refeições deliciosas lá — eu nunca havia experimentado nenhuma —, mas porque dizia "recomendado para vegetarianos" no cardápio que eu havia encontrado sobre o capacho da minha porta. Eu havia cronometrado para que a comida chegasse meia hora antes que Chris. Excelente. Tudo que eu tinha a fazer era esvaziar as embalagens em pratos e aquecer tudo no microondas. Muito engenhoso.

O que poderia dar errado?

Praticamente tudo, como aconteceu, começando com o microondas, que escolheu aquela noite para morrer. Eu disse a mim mesma para não entrar em pânico, disse para Chris relaxar um pouco, que não demoraria muito, blá, blá, e liguei o forno. Então, esvaziei as embalagens em pratos e coloquei tudo no forno. Enfiei as embalagens vazias numa sacola, disse a Chris para relaxar, que não demoraria etc. etc., e desci correndo a escada para esconder a prova do crime na lixeira.

O desastre número dois aconteceu quando voltei a subir e percebi que havia me trancado para fora do apartamento. Sem problema. Era só bater à porta e Chris abriria para mim. Lógico que não foi assim tão simples. O vizinho de cima, James, estava ouvindo música — acho que já mencionei que ele gostava de volume alto. Por mais forte que eu batesse à porta da frente, Chris jamais iria escutar. Corri escada acima e bati à porta de James, mas, naturalmente, ele também não me ouviu. Então, voltei correndo e bati à porta de Kirsty. Não sei exatamente por que, mas, ei, era uma porta à qual eu ainda não havia batido. Poderia ter dado a solução. Mas ela não estava. Ou também não podia me ouvir.

Só havia uma coisa a fazer. Ficar parada na escada e deixar o pânico me dominar. Porque, naquele ponto, eu me lembrei de que havia ligado o forno na temperatura máxima. Então, se eu não entrasse rápido, minha perfeita refeição vegetariana caseira viraria carvão. E um segundo pensamento, muito pior, me ocorrera. Eu havia levado a sacolinha do Taste of Nawab lá para fora junto com as embalagens vazias ou a havia deixado sobre o balcão da cozinha?

Ai meu Deus! Eu me senti como um ladrão que acabou de passar horas limpando suas impressões digitais e então se deu conta de que deixou o passaporte no capacho da porta da frente. Tentei ficar calma, mas só o que se passava por minha cabeça era *aaarrrgghhh.*

Então, tive a idéia brilhante de correr novamente lá para baixo e sair para a rua, de onde joguei pedrinhas de cascalho na minha janela. Ainda nenhuma resposta. Então vasculhei as latas de lixo e peguei umas latas amassadas de Coca-Cola para atirar na janela. Foi então que a viatura da polícia parou.

Quando o policial saiu do carro, olhou para mim como se eu fosse desequilibrada a ponto de representar perigo. Admito que me encontrava numa situação crítica. Meu cabelo estava eletrizado, o rímel havia escorrido por meu rosto em listras suadas e meu vestido tão sexy estava manchado pelo conteúdo das latas de lixo.

— Meu namorado está lá em cima — expliquei. — Eu me tranquei para fora.

— Você tentou tocar a campainha? — ele perguntou.

— Tentei tudo — eu disse, sentindo as lágrimas encherem meus olhos.

— Vamos tentar telefonar para ele. — Ele enfiou a mão no bolso e tirou seu celular. — Qual é o número?

Idéia não tão brilhante. Chris não atendeu. Não era seu apartamento, por que ele atenderia?

Um segundo policial saiu da viatura e lançou um olhar a seu companheiro — *Tenha dó,* dizia o olhar, *temos criminosos de verdade para apanhar.* Assumi minha expressão mais suplicante e implorei que eles subissem comigo e batessem à porta com seus punhos masculinos de policial. Não me importava quão irritados eles estivessem. Não havia nada, mas *nada* que se igualasse à frustração que *eu* estava sentindo naquele ponto.

Ah, desculpe, havia sim. A humilhação que senti quando eles arrombaram a porta.

Havíamos parado no lado de fora do meu apartamento e um deles estava convencido de que sentia cheiro de queimado. Mas, se ele podia sentir o cheiro, ali da escada, por que Chris não sentia, dentro do apartamento? Haveria um Chris lá dentro? Este seria sequer meu apartamento? Teria uma mulher, cuja descrição fosse igual à minha, escapado do manicômio local por acaso?

— Tem certeza de que ele está aí dentro? — perguntou o Policial Um.

Assenti, incerta.

O Policial Dois fez um aceno de cabeça para o Policial Um e eles acionaram o modo de operação: salva-vidas.

A porta foi arrombada depois de dois chutes fortes e eles entraram rapidamente, deparando-se com a fumaça que saía da cozinha e com Chris voltando à vida no sofá, onde estivera dormindo como um... bem, como um estudante.

Se ele parecia surpreso?

Não. Reservou a surpresa para quando o Policial Dois saiu da cozinha, depois de entrar para desligar o forno e abrir as janelas. — Adoro o Taste of Nawab — disse o policial, segurando a sacola. — Melhor restaurante de entrega da região.

Depois que o chaveiro de emergência guardou suas ferramentas e embolsou o cheque, virei para Chris e disse: — Me desculpe por ter mentido para você.

— Tudo bem — ele me consolou. — Não tem problema se você não sabe cozinhar.

Mas eu me sentia derrotada. Derrotada, exausta e totalmente sem gás. Literalmente. Não só meus planos para a noite perfeita haviam sido arruinados, como minha desonestidade fora exposta. Eu me sentia péssima e não podia mais mentir para ele.

— Não é só isso. Também não sou vegetariana de verdade — confessei.

Ele sorriu, então. — Tudo bem. Também não sou.

Fiquei chocada e vi a mais diminuta centelha de esperança.

— Sério? Então por que você disse que era?

— Hã, porque estava brincando. Sou totalmente vegetariano. Só estava tentando fazer você se sentir melhor.

Então, por que eu estava me sentindo pior?

Passamos séculos limpando a comida queimada e as louças quebradas — eu havia colocado a comida em pratos que não podiam ir ao forno, entende, e eles haviam se rompido no calor. As velas que eu levara horas arrumando carinhosamente também estavam quase todas queimadas. Eu tinha sorte de que o apartamento, com Chris dentro, não houvesse pegado fogo. A fumaça e o fedor de curry queimado haviam praticamente sumido, mas meu desânimo enchia o ar.

Gradualmente, porém, senti minha autopiedade se transformando em raiva.

Estava irritada comigo mesma por ser tão idiota e, como Chris estava ali, todo clemente e solidário, fiquei furiosa com ele também. Eu havia me matado não apenas para trazê-lo ali, mas também para criar o encontro perfeito. E o que ele havia feito? Aparecera e caíra no sono. Não importava quanto ele tivera que estudar durante a noite, quantas músicas ele tivera que tirar de sua cabeça, eu estava possessa.

— Qual é o problema? — ele perguntou, com um olhar preocupado no rosto.

— Olha, Chris, já que estou sendo honesta, não acho que fomos feitos para ficar juntos — eu disse a ele tristemente.

Eu queria muito que desse certo, mas achei que essa cadeia desastrosa de eventos havia sido um sinal. Um sinal de que *aquilo* havia terminado.

Porém, eu não tinha certeza se realmente queria dizer o que acabara de dizer ou se era simplesmente a frustração do momento se expressando.

— Mas nem demos uma chance para que funcionasse — ele implorou. — Sabe de uma coisa, Dayna, acho que nós temos algo realmente especial. Você não sente?

E sabe o quê? Eu gostaria que ele não tivesse dito aquilo, pois suas palavras acionaram um interruptor na minha cabeça. De repente, eu tinha quatorze anos novamente; de volta à idade em que toda a excitação estava na conquista. E agora nós estávamos na linha de chegada.

Tomei uma decisão. A idéia de ficar com Chris era fantástica, incrível, mágica. Mas Chris, em carne e osso, simplesmente não estava rolando. Eu o tinha agora, mas não o queria. Era brutalmente simples. Já pensei muito nisso, desde então, e me perguntei se teria sido diferente se ele tivesse sido um pouco mais frio. Será que eu teria continuado interessada? Quem sabe? Só o que sei com certeza é que, naquele momento, tomei minha decisão.

— Desculpe, Chris — disse-lhe, decidida. — Somos água e óleo. Nunca daria certo.

— Mas são nossas diferenças que fazem tudo ser tão incrível. Você não é como ninguém que eu já tenha conhecido. Não se parece em nada com as garotas com quem cresci ou com as da universidade.

E, pela forma como ele olhou para mim — tão doce e bastante sexy, na verdade —, eu quase cedi, mas ei, eu estava novamente com quatorze anos, lembra?

Nosso momento havia terminado. Caminhei até a porta de entrada e a segurei aberta.

Mas ele não se moveu. — Olha, foi uma noite horrorosa, um desastre — ele tentou racionalizar. — Talvez você se sinta diferente pela manhã.

— Chris, não é nada que você tenha feito. Você é um cara adorável e tudo, mas...

Mas *o quê*? Eu não sabia, sabia? Só estava tentando fazê-lo se sentir melhor.

— Olha, é como em *Love Story* — eu disse.

Ele franziu a testa.

— Aquela parte no final — continuei. — Quando Ali MacGraw morre.

A testa seguia franzida.

— Você sabe, como se fosse um sinal. De que talvez as coisas não fossem dar certo entre ela e Ryan.

Eu não sabia exatamente sobre o que estava falando, mas ele pareceu captar a essência. Apanhou sua jaqueta e virou-se em direção à porta. Parou ao se aproximar de mim e disse: — Eu terminei aquela música, sabe?

— Qual? — perguntei.

— Aquela que eu estava trabalhando quando você foi à minha casa... Acho que é a melhor coisa que já escrevi. Trouxe a letra comigo. Ia mostrá-la a você esta noite, mas... — Ele foi se calando e terminou com um triste dar de ombros.

Será que ele esperava que eu fosse ceder? Não cedi. Em vez disso, disse: — Talvez eu a ouça no rádio algum dia. Boa sorte com a banda e tudo mais. Sinceramente.

— Obrigado — ele murmurou ao caminhar, vacilante, para fora do meu apartamento e pela escadaria abaixo, parecendo o último homem do mundo que se tornaria um rock star.

Eu me senti péssima na manhã seguinte. Pois, embora ainda sentisse que Chris e eu éramos diferentes demais para dar certo, descartar alguém é praticamente a pior coisa que se pode fazer. Faz com que você se sinta injusta e má, mesmo quando você odeia o cara. Eu ainda estava irritada com Chris por ele ter desmaiado no meu sofá enquanto eu estava tendo um ataque de nervos, mas não o odiava — não estava nem perto disso.

Decidi que a melhor forma de livrar minha mente da culpa era fazendo tarefas domésticas. O apartamento ainda fedia àquela comida indiana queimada e havia cera de vela escorrida pelo carpete e pela mobília da sala inteira, portanto entrei em ação.

Quando estava atacando o sofá com o aspirador de pó, um pedaço de papel que havia ficado preso entre as almofadas ficou entalado no cano. Tentei arrancá-lo à força, mas, quanto mais eu puxava, mais o papel simplesmente se rasgava. Desliguei o aspirador e puxei os últimos vestígios. Percebi que era a música sobre a que Chris havia falado. Em um lado, num garrancho que mal era legível, estavam os restos da letra da música. Virei o papel e, sublinhada três vezes, havia uma palavra: Coldplay. Que diabo era aquilo? Seria o nome da música? Ou ele finalmente havia encontrado um nome para sua banda? Não importa, pensei, e então amassei o papel e o joguei no cesto de lixo. Bem, eu estava fazendo faxina, não estava?

Você tem idéia de quantas vezes já pensei naquele pedaço de papel desde então? Principalmente no fato de que, se eu o tivesse guardado, poderia colocá-lo no eBay agora e comprar um belo Mini Cooper com o dinheiro.

5 cm

São quatro e meia. Emily está profundamente adormecida na cadeira a meu lado e, por isso, a parteira mirim está sussurrando. Ela está falando sobre a nova mamãe no quarto ao lado. — Ela vai chamá-lo de Calum. Não é um nome adorável?

— Sim, adorável — concordo. — É o segundo ou terceiro bebê dela, ou algo assim?

— O primeiro — diz a parteira mirim.

— Isso não é nem um pouco justo. Pensei que os primeiros bebês levassem séculos para nascer. Quanto demorou o parto dela? Algumas horas?

— Uma hora e meia, na verdade — ela responde, endireitando-se após ter terminado seu exame. — Bom, muito bom.

— Sério? — prendi a respiração. — Já posso empurrar?

Ela dá sua risadinha demoníaca. — Meu Deus, não, ainda não. Mas já está a meio caminho. Está com cinco centímetros.

Meu coração se afunda. A fulana do quarto ao lado terminou em apenas noventa minutos e eu só estou no meio da porra do caminho. Estou muitíssimo cansada. E, com a Emily dormindo, não tenho ninguém com quem conversar.

A parteira mirim me lança um olhar de pena. — Não perca a coragem — ela diz. — Pode acelerar a qualquer momento, sabe? Meu primeiro demorou dez horas, mas depois de cinco centímetros, só levou meia hora.

Hã? A parteira mirim teve um bebê?

E ela disse que foi o primeiro?

— Você tem um bebê? — pergunto, incapaz de evitar a surpresa na voz.

— Rá! Tenho quatro. — Ela ri. — Todos meninos!

Mas ela só parece ter quinze anos. — Quantos anos você tem? — pergunto.

— Só porque eu toquei seu útero, não vá pensando que somos íntimas o suficiente para dizer nossa idade. — Ela ri novamente e, dessa vez, eu também rio.

Pelo menos ainda estou amortecida da cintura para baixo e a terrível dor que senti no começo passou. Mas também significa que não posso andar. Não sei o que é pior. Ficar paralisada pela dor ou paralisada pela epidural.

A parteira mirim senta com seu delicado traseiro na beirada da minha cama. — Você já pensou em nomes? — ela pergunta, dando um tapinha na minha mão.

— Hã, sim, pensei. Aliás, qual é o seu mesmo? — Há séculos venho querendo perguntar-lhe. Agora preciso saber, principalmente porque não posso mais pensar nela como parteira mirim.

— Louise. Não achei mesmo que você tivesse escutado quando chegou aqui.

— Desculpe.

— Sem problemas. Muita coisa na cabeça. Então, nomes. Quais você está considerando?

Emily se mexe na poltrona e abaixo minha voz. — Bem, é difícil porque quero ser original, mas sem ser muito afetada, sabe?

— Entendi.

— Então... — faço uma pausa para dar mais efeito — ... estava pensando em Diva, se for menina. Rocky, se for menino.

Ela ri. — Muito original e *nem um pouco* afetado.

— Falando sério, não tenho nem idéia. Embora talvez dê a ela o nome da minha mãe.

— Ah, é uma ótima idéia. Ela virá? Ela mora por perto?

— Não. Ela morreu quando eu tinha quatro anos.

Odeio dizer isso às pessoas. Odeio a forma como elas não sabem para onde olhar nem o que dizer.

— Mas minha madrasta virá. — Tento dizer tão alegremente quanto posso para que a parteira mi... quer dizer, Louise, não fique sem graça. — Vou telefonar para ela mais tarde, quando estiver mais perto do fim.

— Bem, essa é uma maneira de expressar — ela diz. — Você é corretora de imóveis ou algo parecido?

— Algo parecido — digo a ela.

Um lapso

Telefonei para a amiga de Simon, Georgina, na segunda-feira depois de terminar com Chris. Precisava de alguma coisa que desviasse minha mente daquela experiência toda. Porém, ainda mais importante que isso, percebi que, *dane-se* a dignidade, eu precisava arrumar um emprego. Minha ligação com o mundo da eletricidade e do gás dependia disso.

Quando cheguei à entrevista, Georgina me conduziu a seu escritório. Meu primeiro pensamento ao conhecê-la foi o de dar uma desculpa e ir embora. Ela era maravilhosa: alta e magra, com umas maçãs do rosto esculpidas nas quais se podia dobrar um papel. Depois de analisar meu CV por um minuto, ela me deu o sorriso mais branco do mundo e disse: — Dayna, que bom finalmente te conhecer! Qualquer pessoa que Simon recomende deve valer a pena.

Sorri de volta, perguntando-me por que a recomendação de Simon teria tanto peso no mundo da estética.

— De onde você o conhece? — ela perguntou.

— Ah, conheço Simon há anos — respondi, sem responder em absoluto. Se ele não havia contado a ela os detalhes de nosso relacionamento, por que eu deveria fazê-lo? Certamente não iria contar a ela que eu era o capacho no qual Simon limpava os pés após um dia duro de galinhagem. Eu estava lá para responder a perguntas *profissionais.*

— Certo, vamos falar sobre você — ela disse, batendo suas mãos de unhas perfeitamente feitas uma na outra. Eu me preparei para o massacre, apavorada de que houvesse, de alguma forma, esquecido tudo que aprendera na faculdade. Mas não precisava ter me preocupado. O interrogatório durou menos de cinco minutos e não foi nada inquisitivo.

— Alguma pergunta? — ela indagou, quando terminou.

Você não odeia quando lhe perguntam isso? Quebrei a cabeça desesperadamente e, no fim, acho que perguntei alguma coisa sobre férias ou carga horária ou George Michael. Os detalhes são um pouco confusos.

Então ela disse: — Acho que você vai se dar muito bem conosco, Dayna...

Será que ela estava me oferecendo o emprego?

— ... Você pode começar na segunda-feira?

Ela estava, certamente.

Mas será que ela não iria me pedir para fazer um teste antes? É nesse ponto que pedem para você fazer um tratamento, só para provar que você sabe o que está fazendo e que não vai arrancar a pele de suas clientes junto com os pêlos das pernas. Na faculdade nos haviam dito que jamais trabalhássemos para um salão que não insistisse num teste. Então, naturalmente, eu disse: — Sim, sim, claro que posso. Mal posso esperar. Obrigada.

— Não me agradeça, agradeça ao Simon. — Ali estava ele novamente. Ela olhou para seu relógio, emitiu alguns ruídos sobre estar realmente ocupada e, então, fofocamos durante cerca de uma hora. Ou melhor, ela fofocou. Georgina podia falar por toda a Inglaterra. Ela me contou sobre as clientes: "podres de ricas" e "ridiculamente mãos-abertas". Ela me contou sobre as outras empregadas: Katja — "imprestável", "mal-humorada" e "croata"; Liza — "escocesa", "mais introvertida que uma ostra" e "supertediosa"; e Victoria — "tecnicamente, sou sua chefe, mas praticamente administramos o salão juntas".

A discrição, conforme nos disseram na faculdade, era uma das qualidades mais importantes numa esteticista. Eu tinha certeza de que Georgina tinha outras qualidades, mas ela não era discreta.

— Victoria é um barato — ela disse. — Foi ela quem me apresentou a Simon, na verdade. Eles tinham um *lance*. Cá entre nós, era um pouco estranho ir a um lugar no qual minha amiga já havia estado, mas, bem, você não deixa algo assim desanimá-la quando se trata de um cara como aquele, não é?

Eu me ofereci para rir com ela, mas, por dentro, me sentia enjoada. Então Simon havia comido *ambas* as mulheres? Teria sido na mesma época? Teria sido na mesma época que *eu*? Blargh. Pensamentos horrorosos. Eu realmente não queria ter aquela conversa.

Mas, ainda assim, ela continuou: — Você e Simon — ela perguntou —, vocês eram... entende?

Eu gritei por dentro, mas por fora dei-lhe meu sorriso mais frio.

— Não, só amigos, só isso. — Não era estritamente mentira. Naquele momento, éramos apenas amigos.

— Ah, ele me deu a impressão de estar a fim de você. Talvez seja essa a maneira de mantê-lo interessado. Vou ter que seguir seu exemplo e ficar fria — ela disse, como se eu tivesse acabado de contar a ela o segredo da eterna juventude.

— Você ainda o vê? — perguntei, embora não soubesse por que estava surpresa; estávamos falando de Simon, a máquina sexual.

— Se é que se pode dizer assim... Mas tenho certeza de que ele tem outra pessoa.

Bem, sim, pensei. Ele tinha Joanne e Hannah e essas eram só as que eu sabia. Mas dei de ombros, como se não soubesse de nada.

Ela olhou novamente para o relógio. — *AimeuDeus*, minha meia perna e axila estão esperando há quinze minutos — ela balbuciou, levantando-se de um pulo. — Foi genial te conhecer, Dayna. Segunda-feira, às dez horas. Não se atrase.

Junto com a discrição, nos haviam ensinado que outra qualidade crucial nas esteticistas era a pontualidade. Como eu disse, tinha certeza de que Georgina tinha outras qualidades.

— Não vou conseguir, pai — choraminguei pelo telefone.

— Claro que vai, meu bem. Você vai arrasar.

— Exatamente! Vou *arrasar* com as clientes! E se eu produzir queimaduras de primeiro grau nelas com a cera? E se eu quebrar a espinha de alguém? Isso pode acontecer durante uma massagem, sabia? *Eu não vou conseguir!*

— Escute, respire fundo e se acalme. Você está sendo histé...

— NÃO ESTOU SENDO HISTÉRICA! NÃO POSSO FAZER ESSE TRABALHO! SERÁ UM COMPLETO DESASTRE! EU SEI!

— Ok, legal. Por que você não fica na cama o dia todo, então? Ou até mesmo pelo resto da sua vida?

— LEGAL. VOU FAZER ISSO.

— Ótimo... só não me telefone quando você ficar sem dinheiro.

— NÃO VOU TELEFONAR! — gritei para o telefone mudo.

Pobre pai. Ele só havia telefonado para me desejar boa sorte no meu primeiro dia. Ele não esperava encontrar uma maníaca suicida no outro lado da linha. O que posso dizer? Era meu primeiro emprego de verdade *na vida.* Quem não ficaria nervosa?

Quinze minutos depois, ele e Mitzy estavam socando a minha porta. Não sei o que eu havia feito para merecer a presença dela. Estou falando sério. Eu nada fizera além de tratá-la horrivelmente. A última vez em que a vira, havia comido sua refeição de três pratos, tinha repentinamente reclamado de fortes náuseas e saíra correndo sem ao menos um "obrigada". Ainda assim, ali estava ela, falando gentilmente comigo através da caixa de correio, como se tivesse treinamento específico para salvar vítimas de suicídio do parapeito de prédios.

— Você ficará bem — ela me tranqüilizou. — Você será uma esteticista brilhante. Já tive mais tratamentos de beleza do que jantares formais, portanto eu *sei* do que estou falando.

Eu só podia ver sua boca pela abertura. Ela usava um batom brilhante magenta. Eu provavelmente já não estava mais tão histérica, pois tomei nota mentalmente de perguntar-lhe qual era a marca.

— Deixe-nos entrar, Dayna. Vamos preparar uma xícara de chá e conversar melhor sobre isso.

— Não há nada a conversar — emburrei. — Não posso fazer esse trabalho.

— Claro que pode. Você tirou nota máxima nos seus exames.

— Mas e se eu fizer uma cagada e machucar alguém? — chorei. — E se tudo der terrivelmente errado?

— Não vai dar — ela disse. — E se der... bem, você simplesmente sai e começa de novo em outro lugar. Simples assim.

Ouvi meu pai pela primeira vez, então. Ele parecia profundamente irritado, como se dirigir até lá para me ver não tivesse sido em absoluto uma idéia dele.

— É assim? Ao primeiro sinal de pressão, ela sai, é isso que você está dizendo?

— Não, Michael, não seja bobo. Só estou dizendo que todos nós cometemos erros às vezes e, se alguma coisa der errado, você estará lá para apoiá-la. Acho que é isso que ela precisa ouvir de você neste momento.

— Não, o que ela precisa ouvir é alguém dizendo para ela crescer. Este é o problema com todos atualmente: são moles demais — ele resmungou.

Naquele momento, por algum motivo, a Sra. Locket, uma das minhas professoras, me veio à mente. Ela me vira lutando com minhas depilações de buço e me chamara para conversar. Ela era muito doce e gentil. — Você tem o domínio perfeito da técnica, Dayna — ela dissera, sorrindo. —Precisa apenas relaxar e colocar seu conhecimento para trabalhar. Acredite em mim, você será uma esteticista *maravilhosa.* — Seu toque suave funcionou e nunca mais tive problemas depois daquilo. Imaginei-a adotando a abordagem rígida do meu pai: "Você acha que este buço está depilado, sua vaca estúpida? Faça de novo e, se não estiver mais liso que a porra da bunda de um bebê, você será expulsa da porra do curso!" Pode ser que tivesse funcionado igualmente bem, mas nunca saberemos, não é?

Meu pai e a Sra. Locket: de planetas totalmente diferentes, tão distantes um do outro quanto o de Chris e o meu.

— Vamos embora — ele bufou. — Não adianta nada falar com ela quando ela está desse jeito.

— E NÃO ADIANTA NADA FALAR COM VOCÊ NUNCA! — gritei.

— Está vendo o que quero dizer? Ela é uma garota mimada. Você vem? — Eu podia ouvi-lo sacudindo as chaves do carro.

— Por favor, Michael, deixe-me tentar só mais uma vez.

— Vou esperar no carro. Você tem um minuto.

Olhei para os lábios de Mitzy tremendo através da fenda à procura de alguma palavra mágica que deixasse tudo melhor. Pobre mulher. Ela estava presa entre um noivo mal-humorado e sua filha igualmente mal-humorada. Ninguém a teria culpado se ela tivesse abandonado nós dois.

Mas ela não abandonou. Em vez disso, ela disse: — Acredite em mim, tudo ficará bem.

Ela parou porque meu pai estava buzinando impacientemente. *Filho-da-puta* — de jeito nenhum já havia passado um minuto.

— Olha, tenho que ir — ela disse —, mas prometo a você que, até o final do dia, você estará rindo disso e se perguntando o porquê de tanta preocupação...

Sábias palavras, mas eu não estava prestando atenção. Não que eu estivesse agindo como uma garota mimada, nem nada. Eu só queria que meu pai voltasse e fosse gentil.

Ela podia ser a vaca que havia *roubado meu pai* e *o virado contra mim*, mas tive que dar-lhe crédito por uma coisa: ela estava certa sobre o trabalho, embora sua estimativa estivesse errada. Não foi no final do meu primeiro dia que me perguntei por que havia me preocupado tanto. Foi depois de... hã... meia hora.

Georgina estava de folga, então Victoria cuidou de mim. Georgina tinha razão: ela era um barato. Ela me apresentou a Katja (muito simpática e nem um pouco mal-humorada) e então me mostrou o salão. Embora fizesse parte do hotel, era um negócio separado — como uma franquia dentro de uma loja de departamentos — e, embora a grande maioria da clientela fosse formada por hóspedes do hotel, o custo de seus tratamentos não era acrescentado a suas contas. Ao contrário, ia diretamente para o salão. E, como o salão estava dentro de um hotel cinco estrelas, cobravam-se preços cinco estrelas.

Victoria me proporcionou um primeiro dia tranqüilo. Uma depilação de meia perna e um minitratamento facial na parte da manhã, algumas massagens nas costas à tarde. Eu tinha um uniforme novinho em folha e, pela primeira vez na vida, estava tratando de clientes pagantes. Era oficial: assim como confirmava meu crachá brilhante, eu era agora DAYNA HARRIS: ESTETICISTA.

Emily me telefonou naquela tarde. Ela sempre me telefonava, o que não era nada mais que justo. Suas contas de telefone eram pagas pela gigantesca corporação de seguros de Max, enquanto as minhas eram pagas por mim.

Conversamos um pouco sobre meu novo emprego e, então, ela perguntou sobre Chris. Eu vinha dando atualizações regulares e ardentes sobre nosso relacionamento e talvez estivesse sendo um pouco, hã, entusiástica demais sobre o quão bem estava indo.

— Terminou no fim de semana — eu disse a ela.

— Mas eu pensei que tudo estava indo maravilhosamente bem. O que aconteceu?

— Ah, é tão complicado — eu disse, de forma um tanto quanto vaga.

— Ok, então explique — ela pressionou.

Pensei no assunto por um minuto. Independentemente de como colocasse a situação, eu não iria parecer justa. Mas talvez houvesse um jeito.

— Bem, hã, é que simplesmente, você sabe, foi tudo meio...

— Deixe-me adivinhar: você se desinteressou dele, né?

— Hã... sim, mais ou menos isso.

— Meu Deus, Dayna, você realmente precisa crescer. Você vem fazendo isso desde os quatorze anos de idade.

Do "garota mimada" do meu pai a isto. Eu te digo uma coisa: não me fez sentir muito bem, e eu estava pensando que duas pessoas não podem estar *igualmente* erradas. Mas não queria discutir com Emily como havia feito com meu pai, então mudei de assunto. — Olha, simplesmente não deu certo. Vamos em frente. Me conte alguma coisa legal.

— Sinto saudade de você — ela me disse baixinho. — Sinto saudade de quando vestíamos pijama, comíamos sorvete e chorávamos no final do *Casamento do meu Melhor Amigo.*

Hã? Do que ela estava falando?

— Emily, nós nunca fizemos nada disso.

— Eu sei, e é isso que me chateia tanto.

— Mas por quê? Você voltará logo para casa e, então, poderemos fazer tudo isso de chorar e tomar sorvete de pijama.

— Não poderemos, não — ela me disse, fatidicamente. — Prorrogaram o contrato de Max.

— O que você quer dizer? Por quanto tempo? — perguntei, o pânico me invadindo.

— Dois anos — ela sussurrou.

— Dois anos — sussurrei de volta.

Acho que, talvez, ela estivesse chorando. Eu sei que eu estava.

Por volta da minha terceira semana no salão, eu já me adaptara de verdade. Georgina e Victoria eram ótimas e eu gostava muito de Katja também. Ela era tão amistosa e prestativa que fiquei chocada quando foi mandada embora, no final da semana.

— Ela era grosseira com as clientes — foi a breve explicação de Georgina. Desconfiei que Georgina quisesse se livrar dela desde o começo, ela só estava se certificando de que eu desse certo, antes.

Na segunda-feira seguinte, Liza, a garota escocesa, não apareceu no trabalho. Victoria ligou para o celular dela. — Onde você está, Liza? — ela a repreendeu. E então, cobrindo o bocal, nos disse: — Ela está na porra da Escócia. Diz que não vai voltar.

Georgina estava furiosa. — Se ela acha que vou mandar o pagamento dela até a Escócia, está seriamente equivocada. Ela pode voltar aqui e rastejar por ele.

— Ela não fará isso — Victoria disse. — Tive uma intuição de que ela iria nos abandonar. O que faremos com suas clientes, entretanto? Ela está com a agenda lotada para hoje.

— Não estou muito ocupada. Atenderei algumas — eu disse, a perfeita empregada nova e entusiasmada.

Georgina analisou a lista de clientes marcadas, então ergueu os olhos para Victoria. — Devemos dar para Dayna a cliente das onze horas?

Victoria olhou de volta para ela. — Alexia? Claro, ela é fácil — declarou com um sorriso. — É uma cliente regular — ela me disse. — Dá boas gorjetas.

— Obrigada! — arrulhei. Deus, você acha que eu estava *entusiasmada*?

Alexia era deslumbrante. Quero dizer, ela era maravilhosa de tirar o fôlego e de cair dura. Entrou rebolando no salão vestindo um terninho marfim e pairando acima de mim sobre pernas que eram praticamente pernas-de-pau. Aquela era uma das razões por que ela viera: depilação de perna. Olhei para ela e estimei que iria precisar do estoque de um ano de cera para depilar de uma ponta à outra.

Enquanto lhe fazia as unhas, perguntei-me se ela seria como muitas de nossas clientes. Ou seja, a esposa rica de algum empresário rico.

— Você se hospeda aqui com freqüência? — perguntei, testando o terreno com uma questão sutil. Não queria parecer uma cabeleireira tonta que espera ouvir a história completa da sua vida entre a aplicação do xampu e a remoção do condicionador. Essas cabeleireiras, não é mesmo? Não são nem um pouco como nós, as esteticistas.

— Cerca de uma vez por semana — ela disse. — Quando os negócios me trazem aqui.

Levantei uma sobrancelha discretamente curiosa — eu era boa no lance da discrição.

— Trabalho com entretenimento — ela disse.

— Televisão?

— TV, isso mesmo. — Ela sorriu.

Terminei de fazer suas unhas e ela levantou a mão contra a luz. — Esta francesinha está lindíssima — ela ronronou. — Onde é que andavam te escondendo?

— Ah, eu sou nova — eu disse, batendo as pestanas e adorando o elogio.

Eu iria depilá-la em seguida, e depois lhe faria um tratamento facial.

Nunca cheguei ao tratamento facial.

Eu a conduzi até a sala de tratamento e a deixei sozinha para se despir e ficar só de lingerie. — Deite-se na mesa e cubra-se com isto — eu disse, entregando-lhe uma grande toalha felpuda. — Voltarei em um segundo.

Georgina estava na recepção, atacando a agenda de horários com uma borracha. "Cancelamentos", pensei. — Está tudo bem? — ela perguntou.

— Sim, tudo ótimo. Ela é um *doce* — eu disse.

— Não é mesmo? — Ela sorriu. — Ok, trabalho, trabalho, trabalho. Já para dentro. — Ela me enxotou com um aceno de mão.

Na sala de tratamento, Alexia estava deitada, os olhos fechados. A toalha cobria suas pernas e subia até seus seios, que pareciam desafiar a gravidade. Perguntei com meus botões — discretamente, é claro — se eles eram falsos. Isso não era da minha conta, decidi, enquanto preparava a cera para deixar aquelas intermináveis pernas suaves como seda. Dobrei a toalha até a metade de suas coxas e, instantaneamente, respirei fundo. A mulher era *peluda.* Não eram os pelinhos normais de uma garota, mas densas camadas de pêlos negros que subiam pelas canelas e cobriam os joelhos. No entanto, ela nem piscou quando comecei o serviço. Depilá-la era como usar minúsculas pinças para arrancar pregos grandes e enferrujados e devia ser uma agonia. Obviamente, porém, ela estava acostumada.

Depois de algum tempo — muito mais do que geralmente levava —, eu havia restaurado suas pernas à maravilhosa ausência de pêlos e dobrei a toalha para começar a trabalhar em suas coxas e virilha...

Sabe, eu devia ter desconfiado, não devia?

Se eu tivera que prender a respiração ao ver suas pernas, a visão que me recebeu a seguir me fez querer gritar. Não um gritinho, mas um GRIIIIIIIIIITO a todo vapor, de quebrar os vidros!

Ela havia feito o possível para escondê-lo bem, mas não havia como ocultar completamente o que *ela* tinha entre as pernas sob seu mísero triângulo de lingerie. Engoli em seco, abafando meu grito. Me obriguei a desviar os olhos do pacote-surpresa de Alexia, mas só pude ir até seu rosto. Seus olhos estavam abertos agora.

— Algo errado? — ela perguntou, parecendo surpresa. Mas havia uma centelha nos olhos dela. Nos olhos *dela*? Nos olhos *dele*? Jesus, eu não sabia. Não importa, *seus* olhos estavam definitivamente rindo de mim.

— Não, nada — gaguejei. — Só senti uma dor... Bem aqui... — Bati com a mão no estômago. — ... Acho que é meu apêndice. — Rapidamente mudei a mão para o lado do apêndice.

— Minha nossa — ela/ele/sei-lá-o-quê disse. — Quer ir se deitar um pouco ou algo assim?

Pensei desesperadamente no que deveria fazer em seguida. Eu não podia depilar aquela pessoa. A faculdade me dera uma excelente base, mas, a não ser que eu tivesse dormido na aula crucial, nunca havíamos aprendido a depilar as partes íntimas de um homem.

Ok, uma coisa dessas não me intimidaria atualmente. Já depilei, lustrei e poli vários travestis desde então, mas com menos de um mês de carreira, e ainda bastante inexperiente, eu não estava nem um pouco preparada.

— Hã... Certo... Sim... Voltarei em um minuto — eu lhe disse ao sair voando da sala.

— Você não vai acreditar — sussurrei para Georgina, que ainda estava na recepção.

— O quê? — ela sussurrou de volta.

— Tem um homem lá dentro!

— *Nããããão.*

Balancei a cabeça freneticamente. — É, um homem! Vestido de mulher!

Victoria apareceu de uma das outras salas de tratamento. Ela olhou para mim, depois para Georgina. Então, explodiu numa gargalhada.

— O que foi? — perguntei, a ficha finalmente caindo. — Vocês sabiam?

— Desculpe, Dayna — disse Georgina, rindo também. — Só pensamos em lhe pregar uma peça.

— É nossa forma de lhe dar as boas-vindas ao maravilhoso mundo da beleza feminina — Victoria conseguiu dizer entre risadinhas.

— Isso foi muito cruel — eu disse estupidamente, sentindo meu rosto ficar vermelho-púrpura. — Vocês deviam ter me contado.

— Desculpe — disse Victoria. — Olha, eu estava a ponto de começar a massagem da Sra. Connolly. Por que você não assume? Eu terminarei a Alexia.

— Tanto faz — resmunguei ao me arrastar para a sala dois e para a Sra. Connolly.

Talvez fosse por culpa da mistura entre choque e humilhação que eu estava sentindo, mas não prestei a menor atenção no que Georgina estivera fazendo quando fugi da minha cliente. A gaveta estava aberta, sua bolsa estava em cima do balcão e o que parecia um rolo de cédulas estava sendo transferido de uma à outra.

Onze meses depois, eu ainda estava lá. Era uma esteticista modelo. Chegava na hora, trabalhava muito e era sempre cortês. Na verdade, eu era tão boa que, depois que Liza e Katja saíram, Georgina percebeu que não precisava contratar mais ninguém. Onde antes eram necessárias quatro esteticistas, agora três davam conta.

Eu era boa, claro, mas também era uma completa idiota. Estava trabalhando tanto que não percebia que estava sendo explorada. Quem estava atendendo metade das clientes? Quem ficava com todas as difíceis? Quem fazia o turno da noite quando o salão ficava aberto até as dez? Isso mesmo, eu, eu e eu. Mas eu nunca falava nada. Era meu primeiro emprego e, eu ainda estava morrendo de medo de fazer uma bobagem. Além disso, eu dizia a mim mesma, tudo é experiência. Deus, eu era tão inocente...

As coisas começaram a mudar quando Georgina me chamou de lado, uma manhã. Ela tinha uma expressão no rosto que eu nunca vira antes.

— Por que você mentiu para mim? — ela inquiriu.

— O que você quer dizer? — perguntei. Não fazia idéia do que ela estava falando.

— Na sua entrevista. Você mentiu.

— Não menti. — Voltei no tempo, tentando desesperadamente me lembrar de alguma mentira no meu CV.

Ela arqueou uma sobrancelha para mim. — Você e Simon, apenas *amigos*, hein?

Meu queixo caiu.

— Eu sei tudo sobre vocês dois. Um passarinho que trabalha no hotel me contou. Por que você não me disse?

— Não sei... Não achei que fosse... Não parecia relevante — consegui dizer.

Eu tinha razão. O que meu relacionamento com Simon tinha a ver com minhas habilidades como esteticista? Mas ela também tinha razão. Ela havia perguntado se nós tivéramos alguma coisa e eu respondera que não.

— De qualquer forma, nós *não* estávamos juntos quando fiz minha entrevista — prossegui, desesperada para me justificar. — Havia terminado há séculos.

— Eu sei — ela disse, e então sua voz se suavizou. — Meu espião disse que Simon estava transando com tudo que se mexia, naquela época. Mas você é jovem. Vai aprender. É preciso ter experiência para manter um homem como ele na linha.

Eu estava vermelha de vergonha, sim, mas, ao mesmo tempo, estava furiosa. Quem ela achava que era? Ela não era muito mais velha do que eu. E estava tendo um *enorme* sucesso em manter Simon na linha, não estava? Durante os últimos meses, eu havia perdido a conta das mulheres com quem ele estava transando pelas costas dela. Então, quem era ela para falar comigo como se eu fosse uma idiota?

Coisa que, logicamente, eu era.

Depois disso, passei a me ressentir da forma como estava sendo tratada. E, pela primeira vez, comecei a pensar seriamente que não era a única que Georgina e Victoria estavam fazendo de idiota. Tinha a sensação de que elas estavam enganando também os donos do salão.

O dia em que vi a gaveta aberta e a bolsa de Georgina sobre o balcão não foi a única vez em que percebi algo estranho acontecendo. E, para um salão pequeno, nós gastávamos um montão de borrachas.

Deixe-me explicar: quando se marcava um horário, era anotado a lápis — se fosse cancelado, seria apagado com a borracha. Mas algo me dizia que aquelas duas estavam apagando mais que apenas os cancelamentos.

Decidi manter uma contagem de quantas mulheres eu atendia. Então, depois de alguns dias, dei uma espiada na agenda de horários. Eu calculava que havia atendido trinta e duas clientes. A agenda dizia que eu atendera vinte e duas. Só havia duas razões possíveis para isso:

1) Georgina e Victoria eram umas ladras.

2) Eu não sabia contar.

Eu fazia a maior parte do trabalho naquele salão. A única hora em que elas me ajudavam era quando eu levava uma cliente até a recepção para acertar o pagamento. Uma delas sempre estava lá, dizendo: "Não se preocupe, Dayna, eu cuido disso." Deduzi que todos os pagamentos feitos em dinheiro estavam indo diretamente para o bolso delas. E se elas estavam roubando as minhas clientes, quantas clientes delas estariam também entrando na dança?

Eu trabalhava como uma idiota e elas ficavam com a bunda na cadeira, só recolhendo os lucros. Mas o que eu podia fazer? Manter a cabeça baixa e a boca fechada, só isso.

Mas Georgina não manteve a *sua* boca fechada. Depois de nossa conversinha sobre Simon, aquilo virou uma fixação para ela. Parece que essa mulher "experiente" não tinha total confiança em suas habilidades para mantê-lo sob controle, afinal. Cada oportunidade que ela tinha, vinha me interrogar. Durante quanto tempo eu havia saído com ele? Ele alguma vez dissera que me amava? Alguma vez havíamos feito um *ménage à trois*?

Perdi a paciência quando ela fez a última pergunta. — Georgina, *por favor*! Terminou tudo entre mim e Simon. *Acabou*. Além disso, você sabe como ele é. Por que agüenta isso?

— Porque eu o am... — Ela se deteve. — Por que você não me diz o que está acontecendo com ele? Você ainda está dormindo com ele?

— Isso é ridículo. *Terminou.*

— Por que vocês se vêem tanto, então?

— Não é contra a lei. Somos amigos.

— Não me venha com essa. Você não pode ser amiga de um ex, amorzinho. Simplesmente não rola. Por que você ainda se encontra com ele?

— Somos *amigos*, pelo amor de Deus. E... e...

— E o quê? — ela perguntou, triunfante, sentindo que estava prestes a tirar uma confissão de mim.

Mas não estava. — Ele se encontra muito comigo porque eu o estou ajudando com o lance dos Marines — eu disse.

Embora houvesse passado um ano desde que eu preenchera os formulários para ele, Simon ainda não estava nem perto de se tornar um Royal Marine. Primeiro, ele havia perdido os formulários. Portanto, preenchi um novo lote. Daí, ele perdeu esses... E os encontrou novamente. Então, ele distendeu um tendão e não pôde ir a seu primeiro Curso para Possíveis Royal Marines (PRMC, na sigla em inglês — sim, eu já conhecia o jargão completo, a essa altura). Depois, ele havia adiado o curso seguinte porque precisava se colocar no auge da forma física... Um monte de desculpas, e tenho certeza que nenhuma delas tinha nada a ver com o fato de ele estar absolutamente apavorado.

— Que lance dos Marines? — perguntou Georgina.

Eu não podia acreditar. Simon tinha uma obsessão absurda pelos Boinas Verdes, mas não a havia mencionado para ela.

— Ele está tentando entrar para os Royal Marines — eu disse.

— Bem, você conseguiu guardar *isso* em segredo, não foi? — ela retrucou. Então ela se afastou, pomposamente, deixando-me com a sensação de que eu não trabalharia ali por muito tempo.

Eu estava certa, mas tive uma surpresa antes de sair de lá — uma oportunidade inesperada de *prorrogar* minha permanência no salão. Deixe-me explicar.

Eu havia entrado numa sala de tratamento e encontrado Georgina e Victoria dividindo um bolo de dinheiro no sofá. Saí no mesmo instante, mas, depois de termos fechado o salão naquele dia, elas me levaram para tomar um drinque. Presumi que iriam me dizer, da forma mais simpática possível, que as coisas não estavam dando certo, que talvez fosse a hora de eu procurar outro trabalho. Mas elas me pegaram totalmente de surpresa quando me contaram sobre seu esquema. Quase engasguei com minha Coca Light.

— O que você acha? — Georgina perguntou.

— Eu... É... hã... — gaguejei, irremediavelmente.

— É brilhante, não é? — murmurou Victoria, dando-me uma pista do rumo que a conversa tomaria.

— Olha, você já está conosco há quase um ano — Georgina disse. — Nós confiamos em você.

— Em uma boa semana, você pode praticamente dobrar seus ganhos — cantarolou Victoria, a ladra-mestra. — E sem impostos.

— Você quer participar? — Georgina disse, finalmente me fazendo a pergunta que elas haviam ensaiado durante os últimos dez minutos.

A escolha era absolutamente clara. Eu poderia dobrar meus ganhos e ter a chance de tirar umas férias decentes naquele verão.

Ou eu poderia ir para casa e passar meu tempo olhando anúncios de emprego.

Georgina deixou passar duas semanas, por educação, antes de me despedir. Quer dizer, ela não queria que eu pensasse que minha demissão tinha qualquer coisa a ver com o fato de eu ter recusado sua oferta. Não, era porque o serviço estava diminuindo, os donos queriam fazer cortes de pessoal, blá, blá, blá... e eu disse a ela que entendia, que tinha sido uma experiência maravilhosa e mais blás... E, então, eu saí com meu salário, o dinheiro das férias e uma referência.

Para meu crédito, não explodi em lágrimas até estar a meio caminho do metrô.

Eu estava num estado deplorável quando cheguei em casa. O apartamento parecia tão vazio. E eu sentia saudade de Emily. Ela não telefonava há dias. Max a havia levado para passar outro fim de semana prolongado na Tailândia. Não contente em carregá-la até o outro lado do mundo, o desgraçado vivia levando-a para passar miniférias cinco estrelas. Dizendo bem claramente, aquilo tudo era suborno. Emily detestava sua vida de expatriada e todos os seus telefonemas recentes eram sobre como ela estava se sentindo infeliz por ter que passar mais dois anos lá. É claro, eu dei a ela meu discurso animador — a oportunidade única de vivenciar uma cultura diferente, expandir seus horizontes e fazer compras excelentes —, mas tudo que eu realmente queria era que ela voltasse para Londres e deixasse Max ganhar seu primeiro milhão sozinho.

Fiquei sentada na minha sala de estar, naquela noite, sentindo-me péssima: desempregada, solitária e morrendo de ressentimento de Max. Por que ele tinha que ser tão incrível? Por que não podia ser ligeiramente inútil como o restante de nós?

Lá pelas oito, eu estava perdendo a vontade de viver. Tinha que fazer alguma coisa. Eu me esforcei para sair do sofá e calçar os sapatos. Eu ia sair. Ia ao cinema. Nunca tinha ido assistir a um filme sozinha, mas parecia um pouco menos desesperado do que sair para comer sozinha. E, pelo menos, eu estaria no escuro.

No meio da escadaria, trombei com Kirsty, que estava subindo. Ela parecia tão miserável quanto eu.

— Você está bem, Kirsty? — perguntei.

— A pessoa com quem eu ia me encontrar me deu o cano — ela resmungou. — E você?

— Perdi meu emprego hoje.

— *Droga*. Ganhou de mim. Quer afogar as mágoas comigo?

— Vou ser uma péssima companhia.

— *Adoro* péssimas companhias. Fazem com que eu pareça mais interessante. Vamos subir?

Rapidamente sopesei a perspectiva de ir ao cinema sozinha contra ter uma conversa agradável com minha divertida vizinha. Então, eu a segui escadaria acima até seu apartamento.

Eu já fora ao apartamento de Kirsty para um drinque algumas vezes, durante o ano anterior. Nós ficávamos à vontade na companhia uma da outra e conversávamos sobre todo tipo de coisa. É claro que havíamos discutido relacionamentos antes, mas nunca daquela forma. Talvez tivesse algo a ver com o fato de estarmos na terceira garrafa de vinho.

— Minha vida amorosa é um *completo* desastre — lamentei. — Malditos homens.

— Eu tentei ficar com um cara uma vez, quando estava na faculdade — ela me disse. — Estritamente por causa do único conselho inteligente que minha mãe já me dera.

— E qual foi?

— Que você não pode dizer que não gosta de algo antes de experimentar. Ela estava falando sobre beringela, no entanto.

— E você gostou?

— Era meio gosmento, da forma como ela preparava.

— Não, do *sexo*.

— Foram os quinze minutos mais odiosos da minha vida. Gosmento também. Genitália masculina... Algo totalmente escatológico. Para que raios serve tudo aquilo?

— Fazer bebês? — sugeri.

— As mulheres precisam saber que podem comprar um recheador de peru de boa qualidade na Woolworths por apenas algumas libras. Acredite, eu sei do que estou falando. O.k., sei que sou minoria aqui, mas simplesmente não entendo qual é a graça.

— Bem, eu não entendo qual é a graça nas mulheres. Quer dizer, elas são ótimas como amigas, para fazer compras e tal, mas qualquer coisa além disso... acho que não — eu disse a ela.

Bebemos em silêncio por algum tempo.

Então ela disse: — Bem, você sabe o que minha mãe diria.

— E o que seria?

— Que não dá para saber a não ser que se experimente.

— Merda, você vai cozinhar beringela para mim, né?

Por alguma razão, Kirsty achou aquilo absurdamente engraçado e embarcou numa montanha-russa de risadas. Talvez fosse o vinho, mas achei o fato de ela achar engraçado igualmente hilário. Tombamos uma de encontro à outra no sofá, sentindo como se o riso jamais fosse parar.

Quando enfim parou, pude sentir sua respiração no meu pescoço, mas algo — talvez fosse o vinho — tornou impossível para mim me endireitar novamente.

— Você tem mesmo um recheador de peru da Woolies? — perguntei.

— Tenho. E também tenho um pote de esperma no congelador. Foi um amigo gay que sugeriu isso. Ele quer ser pai algum dia, então, quem sabe?

— Sério? — Não sei por que aquilo me surpreendeu. Kirsty era suficientemente louca para tentar qualquer coisa. — Você apelaria para um faça-você-mesma?

— Ué, e por que não? Penso nisso como um seguro para o futuro. Caso eu me sinta maternal.

E, deitada ali, meio bêbada, achei que era uma puta idéia brilhante.

— Você ainda está com seu uniforme de trabalho — Kirsty me lembrou.

Olhei para baixo e percebi que, de fato, ainda estava com meu vestido branco de botões e com o crachá do trabalho.

— Inacreditável — bufei. — Eu ia ao cinema vestida *deste* jeito?

— Qual é o problema? Adoro garotas de uniforme. É muito, muito... *sexy*.

— É porque *eu* sou muito, muito sexy — engrolei.

Em retrospectiva, essa foi a segunda coisa mais imprudente que já engrolei em toda a minha vida.

— Você está certíssima — ela sussurrou. — Quer me beijar?

— Tá bom.

Essa, caso você esteja se perguntando, foi *a* mais imprudente.

Eu estava congelando quando despertei no sofá. Não demorou muito para perceber por quê. Eu estava sem roupa. Kirsty, apenas meio vestida, estava adormecida ao meu lado. Era quase uma da manhã.

O que havia acontecido? Tínhamos feito sexo? Sexo *lésbico*? Quebrei a cabeça tentando me lembrar, o que só fez com que ela doesse — o começo de uma ressaca.

Eu me lembrava da primeira parte com bastante clareza. O beijo. Eu não podia acreditar que aquilo estivesse acontecendo. Eu me sentia a mulher mais sexy do mundo. Todo mundo me queria, todo mundo, de homens a travestis, e, mesmo que eu não tivesse namorado, nem melhor amiga, nem emprego, não importava, porque EU ERA A MULHER MAIS SEXY DO PLANETA!

As coisas ficaram confusas depois disso. Eu tinha uma vaga lembrança de Kirsty puxando os botões do meu vestido enquanto eu me deitava e pensava em... quê? Bem, eu estava tão ocupada pensando: "*Arrgghh*, estou prestes a fazer sexo lésbico!" que não sobrou muito espaço na minha cabeça para mais nada.

Depois disso? Nada.

Então, o que havia acontecido? Minha nudez era uma pista. Embora eu pudesse ter tirado a roupa só para mostrar a Kirsty a marca de nascença no alto da minha bunda.

Decidi não acordá-la para perguntar. Juntei minhas roupas, saí na ponta dos pés e não voltei a respirar até estar de volta em meu próprio apartamento, com a porta fechada atrás de mim. Minha cabeça estava me matando, a essa altura. Peguei uma aspirina e um copo d'água. Então fui para a cama e, ao cair no sono, decidi que seria melhor não pensar no que havia acontecido... nunca... nunca... mais...

Passei a manhã de sábado inteira com apenas um pensamento na cabeça.

Que diabos havia acontecido na noite anterior? Eu tinha quase certeza de que Kirsty tinha *feito a coisa dela* comigo, ainda que eu não houvesse retribuído o favor. Meu Deus, aquilo significava que agora eu era lésbica? Talvez eu sempre tivesse sido, mas não sabia. Mas eu não gostava de mulheres. Gostava?

Enchi a banheira e me enfiei ali por uma hora. Mas nem meio pote de espuma para banho conseguiu remover a confusão.

A campainha tocou quando a água já estava morna. Depois de cinco ou seis toques, eu me enrolei numa toalha e saí pingando pelo apartamento até o interfone.

— Eu sabia que você estaria em casa — disse Simon. — Me deixe entrar.

— Você acabou de me tirar do banho. Nem estou vestida.

— Nada que eu nunca tenha visto antes. Vamos, abra a porta.

Quando ele subiu até o apartamento, eu estava enrolada na toalha, mas ela era tão gigantesca que ele teria mais chances de ver Plutão através de um jornal enrolado do que vislumbrar alguma parte do meu corpo nu.

— O que você está fazendo aqui? — perguntei com rabugice.

— Isso não é forma de se cumprimentar um amigo. Bote a água para ferver e eu contarei.

— Bote *você* a água para ferver. Vou me vestir.

Quando finalmente reemergi, ele me deu uma olhada de cima a baixo. — Você ainda não parece bem. Tome, fiz um café para você. Parece que está precisando de um.

Aceitei a caneca com gratidão, contente por ele saber se virar na minha cozinha. Olhei para ele e pensei que, na verdade, era uma pena que tivéssemos um passado, pois ele seria um companheiro de apartamento bastante bom. E, a não ser que eu arrumasse rapidamente um emprego, precisaria de alguém para me ajudar com o aluguel.

— Georgina me despediu ontem — eu disse a ele com tristeza.

— *Não*... Por quê?

Contei a ele sobre o esquema. E sobre o fato de ela achar que ainda havia alguma coisa entre nós dois. Ele olhou para mim, envergonhado.

— O que foi? — eu perguntei. — O que você disse a ela sobre nós?

— Nada, juro. Ela nunca me perguntou sobre você.

— Por que você ficou assim, então? — perguntei.

— Georgina deu um ataque ontem à noite. Ela... hã... descobriu sobre mim e ... — Ele parou de falar.

— Você e quem?

— Sobre mim e Victoria.

— Ela já sabia sobre vocês dois. Ela me disse na entrevista.

— Sim, mas ela não sabia que nós ainda... hã...

— Você não fez isso!

Ele assentiu, um sorrisinho de moleque travesso levantando os cantos de sua boca. — Só algumas vezes... Pelos velhos tempos, esse tipo de coisa.

Também sorri, então. A justiça fora feita.

— Ela ficou *muito* brava? — perguntei, esperançosa.

— Surtou geral. — Ele puxou o colarinho de seu suéter e me mostrou dois arranhões profundos. Fiz uma careta. — Não se preocupe, estou vacinado contra a raiva. Ela era uma psicótica fervedora de coelhinhos, aquela lá. Não importa, há mulheres demais na minha vida neste momento.

— Oh, é um fardo tão pesado para você, coitadinho.

Ele não captou meu sarcasmo.

— Você não está errada. Joanne encontrou uma mensagem de Hannah outro dia. Ela me colocou na rédea curta agora.

— Me surpreende que ela te deixe vir aqui me ver.

— Eu disse a ela que iria à academia — ele sorriu com falsidade —, e vou, quando terminar meu café. Tem essa garota, Hazel, que começou agora na academia. Prometi a ela um pouco de, hã, *personal training*.

— Não quero nem saber, obrigada. De qualquer forma, imagino que você não veio aqui só para me contar sobre sua vida sexual *à la* Robbie Williams.

— Não, tenho data marcada para fazer meu PRMC. Daqui a duas semanas — ele explicou. — Ficarei em Lympstone por três dias. Não quero deixar meu carro na rua em frente à minha casa. Pensei se poderia colocá-lo na sua garagem.

Eu não havia substituído meu carro depois de ele dar dois suspiros e morrer em Heathrow, então havia uma vaga sobrando na frente do meu apartamento.

— Não vejo por que não — eu disse. — Posso usá-lo?

Ele me olhou com os olhos semicerrados. Seu BMW era mais precioso para ele que qualquer mulher.

— Preciso telefonar para a Joanne depois que você for para a academia — cogitei preguiçosamente. — Há anos não converso com ela. Tenho *tanto* para contar.

— Ok — ele disse. — Mas mantenha a velocidade baixa. E nada de passar correndo nas lombadas. Destrói os amortecedores. Certo, vou deixar as chaves aqui antes de ir, tá?

Quando ele estava a ponto de se levantar e partir, houve uma batidinha à porta. Levantei e abri uma fresta. Era Kirsty. Enquanto eu estava no banho, tinha pensado no momento em que teria que encará-la novamente. Mas não pensei que fosse *este*. Com Simon três metros atrás de mim.

— Oi... Você quer conversar ou algo assim? — ela perguntou.

— Não, sério, não há nada sobre o que conversar — falei, insincera. — Além disso, agora não é um bom momento. — Inclinei a cabeça na direção de Simon.

Ela espiou por cima do meu ombro. — Ah, visita... — Ela baixou a voz para um sussurro. — É que... Bem, você foi embora sem me chamar. Não é um bom sinal. Geralmente.

— Bem, você parecia tão tranqüila — menti. — Olha, está tudo bem, de verdade.

— Ok. É que... Bem, seria horrível se houvesse qualquer mal-estar entre nós. Portanto, hã, não há nenhum problema, então?

— Não, não, nenhum — protestei com bastante ênfase.

— Certeza? Ainda somos amigas?

— *Absolutamente* — eu disse, sentindo-me muito consciente dos olhos de Simon perfurando minhas costas, mas também querendo que Kirsty soubesse que eu ainda queria que fôssemos amigas. Não importa o que tivesse acontecido, eu *sinceramente* queria aquilo. É só que, depois da noite anterior, eu não queria vê-la nunca mais, só isso.

Confusa? Pode-se dizer que sim.

— Vamos conversar mais tarde, Kirsty — eu disse, pensando em uma data vários anos no futuro.

— Certo. Ok. Até mais, então — ela se despediu, voltando a seu apartamento.

Eu estava violentamente ruborizada quando me sentei novamente. Simon foi direto ao interrogatório. Espero nunca ser parada pela polícia para um interrogatório porque, obviamente, eu desmoronaria em segundos.

— Ok, pode desembuchar — disse Simon. — O que foi que você andou fazendo?

— *Nada.*

— Mentirosa. O que foi isso de "Ainda podemos ser amigas?".

— Ela é uma ex-estudante de arte. Eles dizem coisas estapafúrdias como essa — balbuciei. Eu podia ver, pela cara dele, que não o estava enganando. — Olhe a hora, Simon — eu disse, tentando uma abordagem diferente. — Pobre Hazel, vai pensar que você deu o cano nela.

— Ela pode esperar. Alguma coisa aconteceu entre vocês duas. O que foi? Uma briga? Não, não foi uma briga. Olhe só para você, está se contorcendo feito uma... *Ei!* Eu conheço este olhar. É o olhar que faço quando *eu* sou pego... Você transou com ela, não foi?

O fato de eu ficar alguns tons mais vermelha lhe disse que havia acertado.

— Você transou com ela! *Deus*, todo esse tempo, você sabia que eu queria fazer com você e outra garota. Assim que nos separamos, o que você inventa de fazer? Não posso acreditar...

— Você pode calar a boca?! — gritei. — Tá bom, nós realmente... hã... nos beijamos e abraçamos e esse tipo de coisa. Mas foi só uma bobagem. Eu preferiria ter mantido isso só entre a gente... Tá?

— Minha boca é um túmulo. Então, como foi essa coisa de beijar e abraçar?

Boa pergunta. Eu não tinha nem idéia, tinha?

— Olha aqui, não é da sua conta — eu disse a ele.

— Tudo bem... e se você a trouxer para cá uma noite, nós três podemos...

— Simon, por favor se comporte! Você e eu não vamos mais transar. *Nunca mais.*

— Está bem, está bem. — ele pensou por um momento, e então disse: — E se eu só ficar olhando vocês duas?

— Simon, academia, *agora*.

Ele se levantou. — Ok, eu te ligo quando for deixar meu carro.

— Ótimo — eu disse, forçando um sorriso. — Mais alguma coisa que eu possa fazer por você?

— Imagino que um boquete rapidinho esteja fora de cogitação, né?

Empurrei-o porta afora com tanta força que quebrei duas unhas.

Então, tenho que admitir, eu ri.

Eu fora demitida e tivera minha primeira experiência (não confirmada) de sexo lésbico. Quantas coisas chocantes mais poderiam acontecer comigo no espaço de alguns dias?

Que tal o que me aconteceu em seguida?

Era domingo. Eu havia atravessado o fim de semana num estado de completo tédio e solidão. Imagino que é nesses momentos que você precisa de sua família por perto, não? Como minha família consistia num único indivíduo, era inevitável que, lá pelo meio do dia, eu telefonasse para ele.

— O que você está fazendo, pai? — perguntei.

— Estou fazendo um churrasquinho.

— Um *churrasquinho*?

— Eu sei, engraçado, né? Estou aprendendo alguns truques novos com esta idade. Quer vir aqui para comer uma salsicha queimada?

— Ok. — eu disse.

Tive meu primeiro choque quando entrei na casa dele. Me senti como se estivesse no programa *Minha Casa, sua Casa.* O papel de parede florido que há anos havia se apegado ferozmente à parede havia desaparecido. Assim como o jogo de sofá surrado, a minúscula televisão e o velho armário imitando pinho onde o aparelho costumava ficar.

As paredes agora eram de um tom de bege ligeiramente perceptível. Dois sofás grandes e macios num tom distinto, embora complementar, de bege estavam sobre o carpete novo. Que também era bege! Em um canto, uma TV de tela plana da largura de um campo de futebol. Quase esperei que aquele idiota do Llewelyn-Bowen saltasse de trás do sofá, passasse seu punho de camisa cheio de babados pelo meu pescoço e me perguntasse o que eu achava.

— Carambolas — foi tudo que eu disse quando Mitzy me conduziu para dentro da sala.

— Ah, não, você não gostou, não é? — ela exclamou, o rosto murchando.

Bem, eu não *queria* gostar. Ela havia tomado a sala de estar antiga e familiar do meu pai — a *minha* sala antiga — e transformado em... algo realmente maravilhoso.

— Não, acho que está fantástica — respondi. — Só me choquei um pouco.

— Fico tão feliz. Eu estava muito preocupada com o que você acharia. Seu pai não queria mudar nada, mas tudo parecia tão...

Desgastado? Estropiado? Como um cafofo muquifento de um homem solteiro?

Ela era diplomática demais para dizer isso. E se contentou com:

— Achei que uma remodelação faria bem ao lugar.

Assim como com relação a tudo que envolvia Mitzy, eu estava completamente dividida. Odiava a forma como ela havia entrado na nossa vida e virado tudo do avesso com sua culinária excelente e seu olho perfeito para o bege de bom gosto. Mas eu não queria ser negativa. Durante o último ano, eu vinha realmente me esforçando para me dar bem com ela. Não era exatamente paz. Era uma trégua incômoda, suponho. Ela e meu pai haviam colaborado ao não mencionar novamente aquela palavra que começa com C. Eles podiam estar vivendo como casados, mas não tinham mostrado qualquer inclinação a torná-lo oficial.

Mitzy me levou até a cozinha para me servir uma bebida. Ela abriu a geladeira, que por anos não abrigava mais que um litro de leite e um pedaço de queijo cheddar, mas que agora estava abastecida de cima a baixo com produtos frescos e saborosos. Ela me entregou uma lata de Coca Light e olhamos para meu pai pela janela. Na verdade, não podíamos ver meu pai; apenas sua mão ao abanar nuvens de densa fumaça negra.

— Não acredito que você conseguiu que ele fizesse um churrasco — eu disse.

— Ah, ele adora. Acho que despertou seu instinto de homem das cavernas.

— Ele não parece estar adorando. Parece que está morrendo sufocado. — Tentei dizer isso como uma piada e não fazer parecer o que eu realmente queria dizer, que era: "Olhe só o que o coitado tem que enfrentar só para que você possa viver o sonho da vida no subúrbio." Está vendo? Eu devia estar amadurecendo. Um ano atrás, eu não teria tido nem a metade dessa diplomacia.

Mitzy começou a picar verduras para a salada.

— E então... conheceu alguém legal ultimamente? — ela perguntou. Ela sempre perguntava isso.

— Não, ando muito ocupada para isso. — Dei-lhe minha resposta padrão tão tranqüilamente quanto podia. Durante os meses anteriores, eu saíra para alguns drinques imprestáveis com alguns caras imprestáveis. Não era o tipo de coisa deprimente que se contasse num papo informal, né?

— Bem, você é jovem. Tem a vida inteira pela frente — ela disse, concluindo aquela parte da conversa do mesmo jeito que sempre fazia.

Ela cortou alguns pepinos em rodelas perfeitas e disse: — Como vai o trabalho? Depilou alguém famoso ultimamente?

— Vai bem, obrigada. — Com todo o trabalho que Mitzy tivera para me fazer ir ao trabalho naquele primeiro dia, eu havia decidido que não podia contar a eles que meu emprego não existia mais. — Embora eu ache que vou sair de lá em breve — declarei, preparando o terreno para quando eu *contasse* a eles a verdade. — O salão está indo um pouco mal.

— Ah... Que pena!

Ela voltou a picar. Fim do papo furado.

— Essas salsichas estão com um cheiro delicioso de queimado — ela disse. — Vamos lá fora comer?

No final das contas, o almoço foi delicioso. As salsichas tinham um crocante tom de preto, mas a variedade de quatro saladas deliciosas feitas por Mitzy e as duas garrafas de vinho branco gelado mais do que compensaram. E meu pai estava relaxado, para variar; provavelmente, para ser honesta, porque eu também estava. No fim da refeição, Mitzy foi lá para dentro fazer café. Fiquei sentada com meu pai e assistimos ao pôr-do-sol juntos.

— Gostei do que ela fez na sala de estar — eu disse.

Ele me olhou desconfiado. Apesar de eu ter me comportado maravilhosamente, ele devia estar esperando que eu puxasse o tapete de baixo dele.

— Ficou muito... — procurei uma palavra adequada *à la* Llewelyn-Bowen e disse: — ... tranqüilizante.

— Ela tem o dom, não tem? — perguntou meu pai.

Assistimos ao sol baixar mais um pouco.

— Você parece feliz hoje, Dayna — ele disse.

— É... estou. Esse fim de semana foi meio estranho... Mas está terminando bem.

Ele estendeu o braço por cima da mesa e deu um apertão na minha mão.

Mitzy reapareceu com uma bandeja de café. — Droga, esqueci as mentinhas — ela disse.

— Eu pego — me ofereci, repentinamente tomada pelo espírito de ajuda.

— Obrigada. Tem Bendicks. No armário ao lado da geladeira.

Levantei de um pulo e corri para dentro como uma enteada perfeita.

Encontrei as mentinhas facilmente. Mas também encontrei algo mais. A caixa caiu do armário sobre o balcão da cozinha quando puxei os chocolates da prateleira. Era uma caixinha pequena de papelão liso, sem etiqueta, não o tipo de coisa que contivesse comida. Curiosa, abri a tampa. Estava cheia de cartões rígidos brancos. Letras rebuscadas anunciavam que MICHAEL HARRIS E SUZY MITTEN TÊM O PRAZER DE... Não li o resto. Apenas pulei diretamente para a data... Menos de seis semanas. Apanhei o primeiro convite da caixa e olhei para a delicada faixa dourada que enfeitava a borda — um chute de bordas douradas no estômago.

Ouvi meu pai atrás de mim.

— Você os encontrou?

Eu me virei e olhei para ele, e ele viu o que eu estava segurando.

— Olha, nós íamos te contar, meu bem.

— Mesmo? — cuspi. — Quando, exatamente?

— Agora mesmo. Durante o café. Dayna, aonde você vai? *Dayna...*

O que quer que ele tenha dito em seguida foi abafado pelo som da porta da frente batendo.

6 cm

Meu relógio me diz que são cinco e meia. Depois de uma boa noite de sono, os leiteiros devem estar começando suas rondas, os pássaros, cantando o coro da aurora, os jornaleiros, arrumando as pilhas de jornais matinais e... Desculpe, não sei de mais coisas que aconteçam tão cedo assim. Isso se deve ao fato de que, normalmente, eu ainda estaria dormindo e não tenho idéia de quem mais estaria acordado às cinco e meia da madrugada.

A epidural foi reaplicada e Louise — também conhecida como parteira mirim — vem aparecendo de tempos em tempos para checar meu progresso. Ela acabou de sair, na verdade, depois de me dar a boa notícia de que dilatei mais um centímetro. Sete horas de trabalho de parto e só dilatei seis míseros centímetros.

Emily se mexe na poltrona.

— Desculpe, Dayna. Devo ter cochilado. Como você está indo?

Cochilado? Ela dormiu por oito horas completas, ou quase.

— Pessimamente — digo a ela com mau humor. — Estou cansada e incômoda e só quero que isso acabe.

— Quer alguma coisa para ler? — Ela vasculha uma de suas sacolas e tira uma pilha de revistas. — Ooh, a revista *Hello!*. Você pode só olhar as fotos.

Ela a passa para mim e vejo dois rostos sorridentes na capa. Não é a maior foto na página, mas se destaca como um farol.

Chris e Gwyneth na estréia do novo filme dela.

— Quem poderia prever isso? — pergunto. — Sabe, a bem da verdade, fui eu quem os apresentou. Lembra, fui eu quem quis assistir a *De Caso com o Acaso* — digo a ela, não pela primeira vez.

— Hã-hã, a perfeita casamenteira. Ei, eu sei que vocês ainda são amigos e tudo, mas imagine o que você não ganharia por uma boa fofoca — diz Emily, também não pela primeira vez.

— Nunca. Além disso, eles só se interessam se você tiver alguma coisa podre para contar e ele nunca foi nada além de um doce comigo. Mesmo quando eu estava dando o fora nele, coitado.

Ela me lança um olhar de lado. — E você não se arrepende *disso* agora? Deve se sentir como aquele cara da produtora de discos que recusou Os Beatles.

— Meu Deus, não era um acordo de negócios, Emily.

— Não, claro que não, meu bem... Mas poderia ter sido.

— Você é tão mercenária. É assim que você vê o Max? *Ele* é um contrato grande e polpudo?

— Isso é totalmente diferente. É amor verdadeiro. — Ela me dá seu sorrisinho amarelo tradicional. — Com um generoso subsídio para compras.

— Bem, Chris e eu nunca tivemos um amor verdadeiro. Posso ter sido um pouco precipitada ao terminar com ele... Mas, não, definitivamente, nunca teria dado certo. — Eu me viro incomodamente na cama. Posso estar paralisada da cintura para baixo, mas o peso no meio do meu corpo continua lá.

— Então, não há arrependimento, hein? — Emily pergunta.

— De jeito nenhum — digo a ela, minha mão na barriga.

E é a mais pura verdade.

Eu acho.

O toque de seu celular me interrompe no meio do pensamento. Emily o tira da bolsa e olha a tela, então solta um gritinho e balbucia:

— Max! Vou atender lá fora. Volto num instante.

E, com isso, ela some, deixando-me sozinha com meus novos pensamentos confusos.

Será que tenho algum arrependimento? Talvez alguns. Mas, ei, muito poucos para mencionar, na verdade.

Nº 3

Comecei meu segundo emprego alguns dias antes do casamento do meu pai e de Mitzy. Isso foi bom, imagino. Cada vez que eu me pegava surtando diante da idéia daquele casamento dos infernos (pelo que me dizia respeito), podia desviar minha mente do assunto preocupando-me com meu novo emprego.

As coisas entre mim e o meu pai estavam estranhas desde que eu saíra correndo de sua casa depois de encontrar os convites do casamento. Tentei consertar a situação agindo como se estivesse contente por ele e Mitzy, mas ainda tínhamos um longo caminho a percorrer. Não acho que ele teria respondido com entusiasmo se eu tivesse pedido para ele segurar minha mão no meu primeiro dia de trabalho. Eu estava sozinha.

Havia conseguido arrumar um emprego na NaturElle, uma nova cadeia de salões de beleza. Lá, todos os produtos eram feitos com ervas, algas marinhas ou lama orgânica, e tudo no salão era ecológico, inclusive a decoração, que era verde. Francamente, eu não via de que forma depilações e tratamentos faciais iriam salvar o planeta — eu já tivera aquela discussão com Emily alguns anos antes —, mas estava preparada para fazer minha parte em troca de um contracheque mensal.

Que, aliás, era ligeiramente maior do que eu estivera recebendo no Hotel — bem, é que, então, eu já era experiente. E, por ser experiente, a NaturElle me deu minha própria estagiária. Que tal, hein? Eu tinha empregados!

Na verdade, isso era o que estava me deixando mais nervosa ao tomar o metrô para Holborn no primeiro dia de trabalho. E se ela fosse totalmente lesada e arrancasse a pele de uma cliente, e eu fosse considerada culpada por ser a responsável por ela? Ou pior, e se ela soubesse mais do que eu? Era um pesadelo, de qualquer ângulo que eu olhasse.

Só que não era. Lá pela hora do almoço, naquele primeiro dia, percebi que iria adorar aquele lugar. No final do segundo dia, senti que tinha sido realmente abençoada com minha opção de carreira. O salão ficava ao lado de High Holborn, e a maioria de nossas clientes vinha relaxar do trabalho de escritório. Vida de escritório, segundo *todas* as garotas que eu recebia em minha sala de tratamento, era um verdadeiro horror. Quem iria querer ficar confinada em um cubículo, olhando para a tela do computador e sendo tratada feito lixo por chefes inseguros e abusivos, tomando café sem gosto em copinhos de plástico, e blá, blá, blá...? Isso era o que todas diziam, pelo menos. E, incrivelmente, o fato de estarem reclamando disso enquanto estavam deitadas na mesa de tratamento no *meu* cubículo sem janela não diminuía o fato de eu adorar meu trabalho.

Se eu tivesse pensado no assunto, teria concluído que todos os empregos eram bastante mundanos e repetitivos. Ser enfermeiro, dirigir táxis, assentar tijolos, narrar o noticiário... As notícias principais de hoje devem se confundir com as de ontem e com as de anteontem, depois que a novidade de estar na televisão houver passado. Cite uma carreira na qual nunca haja trabalho monótono e em que a variedade e as recompensas sejam ilimitadas.

Na verdade, havia uma, pelo menos segundo o cara que *nunca* se cansava de me contar *tudo* a respeito dessa carreira.

Para o 0,01 por cento de caras que passavam pelo duro processo de recrutamento dos Royal Marines, conforme Simon me dizia *repeti-*

damente, a vida se tornava uma aventura perpétua, consistindo principalmente em saltar de helicópteros e salvar pessoas.

Quando, finalmente, chegou a hora de ele ir para seu primeiro PRMC (*Curso para Possíveis Royal Marines* — como você pôde se esquecer?), acho que eu estava mais animada do que ele. Significava que ele teria que parar de falar e falar e falar sobre se tornar um Marine e realmente *ser* um... e eu teria um minuto de sossego.

Conforme o combinado, ele deixou seu carro no meu apartamento na manhã antes de partir. Eu o cumprimentei dizendo: "Aten-*ção*!", que uma vez havia escutado um sargento durão gritar em algum filme de guerra.

— Você o quê? — ele disse, dirigindo-me seu olhar vazio.

— Você sabe... Como eles gritam nas paradas militares.

— É "sen-*tido*!" — ele berrou, quase fazendo voar a minha peruca. — Aten-ção é coisa de americano. Os Marines dos Estados Unidos são uma organização totalmente diferente. Você sabia que eles...

— Sei, sei — eu disse, interrompendo-o antes que ele começasse uma palestra que eu tinha certeza de já ter ouvido mil vezes. — Tem tempo para um café antes de ir?

— Hã... sim... acho.

Ele parecia dividido. Desesperado para partir e se meter em seja lá o que ele iria se meter, mas também desesperadamente nervoso. Tenho que dizer que ele também estava fantástico. Tão musculoso que parecia praticamente à prova de balas, o que imaginei que seria bastante útil, para o lugar aonde ele estava indo.

— Boa sorte, Simon — eu disse ao entregar-lhe seu café —, embora não ache que você vá precisar. Todo o treinamento compensou. Você está incrível.

— Sim, mas não se trata só de forma *física*, Dayna. — Ele parecia exasperado. — Você não ouviu nada do que eu lhe disse?

"Claro que não", pensei. — Claro que sim — eu disse. — Mas você pode me dizer tudo de novo, se quiser. — Eu estava me sentindo caridosa, depois de ter encontrado o *meu* emprego dos sonhos.

Não que ele precisasse de convite. Disparou a palestra nº 37 dos Royal Marines, aquela que abordava temas como força mental, preparo psicológico e "seiva" — um termo técnico, acho eu. Enquanto ouvia (mais ou menos) atentamente, observei-o com atenção. Ele, definitivamente, estava mudado. Perdera sua ousadia habitual e parecia agitado.

— Você está bem? — perguntei. — Parece um pouco tenso.

Ele se desmoronou no sofá. — Estou um pouco. Você sabe que isto é importante pra caralho, né?

— Eu sei, mas você se sairá muito bem, tenho certeza — assegurei.

— Tem?

— Claro que tenho. Este é o momento para o qual toda sua vida vem se encaminhando. *Você* mesmo me disse isso. — "Umas cinqüenta vezes", não acrescentei. — O que diz a Joanne? Aposto que ela está emocionada por você.

Eu me perguntei o que a namorada dele acharia de perdê-lo para a tropa de elite de Sua Majestade.

— Quem? — ele perguntou, lançando-me novamente seu olhar vazio. — Ah, ela... Nada. Não estou mais saindo com ela.

— Ah, sinto muito. Por quê?

— Ela descobriu que eu estava transando com aquela lá da academia.

— Hazel? — perguntei, guardando os nomes melhor do que ele parecia fazer. — E a Georgina?

— Eu falei para você, ela já dançou... você sabe... depois do lance da Victoria. — Ele deu de ombros, sem esperança.

Ah, sim, eu tinha me esquecido. Meu Deus, será que isso queria dizer que Simon estava, de fato, sozinho? — Então... Não há ninguém para chorar pelo pobre soldado? — perguntei.

— Só a Hannah...

Ah, claro, Hannah.

— Você ainda está saindo com ela? — perguntei, tentando lembrar quando a vira pela última vez.

— Bem, sim, quando não saio com Danielle.

— Quem?

— Minha cabeleireira.

— Sua *cabeleireira*? Mas você passa máquina dois no cabelo.

Ele deu de ombros novamente, mas dessa vez com um sorriso petulante. Agora ele estava me dando nos nervos. — Olhe só a hora — eu o adverti. — Seu trem.

Ele engoliu o café e se levantou. Mas não se moveu.

— Vamos, Simon — eu o tranqüilizei —, você está *super*preparado para isso.

— Estou? — ele perguntou, incerto.

— Olhe só para você. É uma parede de músculos. E seu sangue deve ser testosterona pura, a esta altura.

— Sim... Mas os Marines... Será que isso é realmente para *mim*?

— Absolutamente. E pense em todas as garotas que você vai conseguir com aquele uniforme.

Aquilo o animou. Empurrei-o porta afora e, depois que ele saiu, peguei as chaves de seu carro. Não dirigia desde o falecimento do meu Hyundai e tinha que ir a um monte de lugares. Durante os quatro dias seguintes, pretendia morar no carro de Simon.

Quando voltei para casa com o porta-malas cheio de compras, duas horas depois, a última pessoa que esperava encontrar era Simon, mas ali estava ele, na minha porta, com a mochila a seu lado. — O que aconteceu? — perguntei.

— Não consegui ir em frente — ele murmurou, confirmando.

Eu não podia acreditar. Tá, devido a seu estado nervoso ao partir, eu não deveria ter ficado *tão* surpresa, mas mesmo assim... Ele não havia sequer embarcado no trem. Eu poderia ter zombado dele, mas sabia bem como ele estava se sentindo. Afinal, eu era a garota que havia passado noites sem dormir pensando no meu primeiro dia no salão de beleza. Como poderia culpá-lo por ter dúvidas a respeito de uma carreira que envolvia ser mandado a lugares extremamente perigosos, em que pessoas más com armas de verdade esperavam para matá-lo? A gerente da NaturElle podia ser assustadora às vezes, mas, até onde eu sabia, ela não andava armada.

— Vamos entrar, Simon — eu disse. — Farei um sanduba para você.

Ele se deixou cair de novo no sofá e eu fui até a cozinha e preparei um dos meus sanduíches de três andares para ele, emitindo algumas palavras de consolo enquanto passava maionese no recheio de frango, bacon e alface.

— Você não deve se crucificar por isso, Simon. Seu nervosismo é totalmente compreensível. Você tem que passar uns dias colocando a cabeça em ordem; depois, telefone para eles e diga que ficou doente. Eles não precisam saber que você se acovardou. Você investiu demais nisso para desistir agora.

Coloquei o sanduíche num prato e levei para a sala de estar, onde ele estava fechando seu celular. Pareceu se animar um pouco quando pus o lanche na sua frente.

— Eu sabia que um dos meus sanduíches especiais te animaria — eu disse.

— O quê? Ah, isto. Sim, obrigado, realmente me sinto melhor...

Eu me senti aquecer por dentro.

— ... Era Danielle ao telefone.

— Sua cabeleireira — falei, impassível, sentindo o calor escapar.

— Ela realmente soube me consolar.

Ah, pensei.

— Ela disse que meu nervosismo é totalmente compreensível. Disse que eles não precisam saber que eu me acovardei. Que eu posso telefonar para lá hoje à noite e dizer que fiquei doente, com uma infecção estomacal terrível. Sim, é isso que vou fazer. Não vou desistir agora. Trabalhei muito para perder tudo. Ela é ótima, essa Danny. Sempre diz a coisa certa quando estou desanimado. Então, cadê esse sanduba?

Enquanto ele enfiava a cara no sanduíche, eu mantive a minha impassível. Ou tão impassível quanto podia, dado que queria socar o sanduíche em sua goela até que ele sufocasse.

Mitzy tinha me convidado para ser sua madrinha principal (na verdade, sua *única* madrinha). Ela poderia ter convidado sua irmã, Stella, ou qualquer outra combinação de melhores amigas, mas não, ela convidou a mim. E como eu poderia dizer que não sem parecer uma completa bruxa? Então, fiz o que tinha de fazer. Pus meu sorriso estou-tão-feliz-por-você no rosto (que vinha praticando desde que encontrara os convites) e dei a ela o sim mais hipócrita da minha vida.

Foi assim que me vi na casa do meu pai, na manhã do casamento, ajudando uma mulher de quem não gostava muito a se arrumar para afastar meu pai de mim mais ainda do que ela já havia conseguido fazer.

— Você faz minhas sobrancelhas? — ela pediu, enquanto passava rímel em seus cílios. — Se o seu pai vai olhar nos meus olhos hoje, não posso deixar que elas se pareçam com um casal de taturanas peludas.

— Por que você não me pediu isso antes de eu fazer a maquiagem? — perguntei, irritada.

— Desculpe! Não raciocinei direito — ela desabafou, procurando sua pinça.

"Deus", pensei, olhando deliberadamente para meu relógio, "que mulher burra". Ela estava demorando séculos para se aprontar enquanto eu ainda estava de jeans. Não parecia que eu teria muito tempo para me arrumar.

Mas qual de nós duas era a profissional especialista em beleza? Isso mesmo, era eu. Eu deveria ter perguntado a ela se queria que eu fizesse suas sobrancelhas *antes* de aplicar a maquiagem. Mas eu não falei isso naquele momento. Não, em vez disso trinquei os dentes e procurei arrumar suas sobrancelhas sem borrar a maquiagem dos olhos. É claro que não consegui, então tive que remover tudo e começar do zero. Depois, ela decidiu que seu cabelo precisava de glitter, o qual, naturalmente, eu havia esquecido de trazer, e sendo assim tive que correr até a farmácia. Quando finalmente terminei, já estávamos seriamente atrasadas e nem toda a maquiagem do mundo poderia esconder o fato de que ela estava seriamente nervosa.

Sim, sim, era tudo culpa minha. Eu não apenas era a profissional, como também sua madrinha de casamento, que estava ali para tranqüilizá-la, acalmá-la e resolver qualquer dificuldade de última hora com bom humor. Mas você seria capaz de admitir isso? Bem, talvez sim, e talvez você seja uma pessoa melhor e mais madura do que eu era então.

Lá fora, o motorista da limusine buzinava com impaciência — como se fosse o casamento *dele* que estivéssemos correndo o risco de perder. Meu pai havia contratado um Daimler para levar Mitzy até o cartório civil e de lá para a festa. "Bem, se você não puder ir com estilo ao evento mais importante de sua vida, quando é que o fará?", ele havia justificado. Internamente, agradeci a Deus por ele não ter arrumado um cavalo com carruagem ou algo parecido *à la* Lady Di.

Rapidamente vesti meu terninho e corri ao banheiro, onde apliquei minha maquiagem como se fosse o The Flash atrasado para o trabalho. Então me inclinei para frente, abaixei a cabeça e dei uma vigorosa sacudida nos cabelos, do jeitinho que fazem nos comerciais. Ergui a cabeça e olhei cheia de expectativa para o espelho...

Olha, quando fazem isso nos comerciais, o cabelo da modelo parece cair naturalmente num penteado maravilhoso, bagunçado-porém-sexy. Eu? Eu parecia ter ficado de cabeça para baixo e me arrastado sobre um rolo de arame farpado. Coloquei o chapéu — *sim*, eu tinha um chapéu — e resolvi deixá-lo na cabeça pelo resto do dia.

Voltei ao quarto de Mitzy e bati suavemente à porta. Quando ela abriu, não pude fazer mais do que admirar...

Quando eu saíra, alguns minutos antes, ela ainda estava de roupão. Agora, seu vestido de seda marfim abraçava seu corpo inteiro até os tornozelos. Minúsculas flores haviam sido aplicadas nas alcinhas finas, o único detalhe do vestido. Era elegante, discreto e absolutamente divino. *Ela* estava absolutamente divina.

Baixei os olhos para meu terninho azul-marinho e me senti com cem anos de idade.

— Você está maravilhosa — eu disse a ela, com toda sinceridade.

— Tem certeza? — ela perguntou, nervosa. — Eu queria tanto que tudo desse certo. Quero que este seja o melhor dia da vida de Michael.

— Ah, eu acho que será — eu disse, mordendo fortemente meu lábio inferior.

Uma lembrança — uma que estivera enterrada nas profundezas do meu subconsciente por anos, escolheu aquele momento para vir à tona. Um carrossel no parque, minha mãe me girando, eu tinha três anos de idade e gritava de alegria. Eu estava usando um vestido de noiva branco, um desses para crianças se fantasiarem. Segundo meu pai, eu o usei para ir a todos os lugares até que ficasse imundo e esfarrapado. E lá estava eu no carrossel, com minha mãe me abraçando e me dizendo que eu era a noiva mais bonita do mundo, e eu dizendo a ela que, quando crescesse, iria me casar com *ela*.

Eu tinha pouquíssimas lembranças de verdade da minha mãe. Mas essa estava agora na minha cabeça, e era tão vibrante e real como se estivesse numa tela de cinema. Quis correr para meu antigo quarto, bater a porta atrás de mim e soluçar. Mas aquele não era o momento certo, era? Eu deveria ir para o cartório civil com minha futura madrasta. Gostasse ou não, aquele era o momento de Mitzy.

Foi então que tive meu instante de clareza, minha virada. *Aquele era o momento de Mitzy* e eu não faria nada que o estragasse. Na verdade, decidi ali, naquela hora, que iria fazer o possível para que tudo fosse perfeito para ela e para o meu pai. Como eu havia passado os últimos dias fazendo tudo o que podia para irritá-los, achei que deveria correr atrás do prejuízo.

Comecei tentando segurar as lágrimas que enchiam meus olhos. Não deu muito certo e, sendo alguém que não perdia nada, Mitzy também lacrimejou. — Nós vamos ser tão felizes, e isso quer dizer nós três — ela soluçou.

E sabe de uma coisa? Eu sabia que ela tinha razão. Nós seríamos felizes e finalmente eu estava contente de que ela fizesse parte de nossa vida. Mas não podia dizer isso a ela, podia? Não podia dizer nada, porque também estava soluçando. Então me contentei em lhe dar um abraço muito, muito apertado.

E, quando finalmente nos separamos, dei uma olhada para ela e gritei. Bem, é que a maquiagem dela estava arruinada.

— Que diabos aconteceu? — meu pai sibilou para mim na frente do cartório. — Jesus, eu sabia que era um erro deixar você sozinha com Mitzy.

Estávamos terrivelmente atrasadas e eu podia entender que ele tivesse pensado o pior.

— Não foi nada disso, pai — expliquei. — Na verdade, foi bastante...

Eu ia dizer "especial", mas ele não ficou por perto para ouvir. Agarrou sua maravilhosa noiva pela mão e a puxou para dentro. Segui os dois porta adentro e fiquei com os outros dez convidados enquanto o escrivão lançava um olhar irritado para o feliz casal e emitia um perceptível tsc-tsc.

(Secretamente, é claro, por que quem iria admitir uma coisa dessas?) Eu tinha todos os singles da Mariah e da Celine e, portanto, me considerava uma especialista em romance. Na minha opinião de profunda conhecedora, ficar ali naquele frio cartório civil, ouvindo um funcionário irritado correr com a cerimônia como se estivesse narrando a etapa final de uma corrida de cavalos, não constituía *romance*. No entanto, ninguém mais parecia incomodado. Todos sorriram quando meu pai beijou Mitzy, mas eu olhei aquilo com culpa, sentindo-me genuinamente feliz com o fato de que meu pai e Mitzy parecessem tão felizes, mas questionando se não estaria traindo minha mãe, cuja imagem estava ainda alojada na minha mente.

No segundo em que terminou, o funcionário nos acompanhou para fora como se tivesse vinte outros casamentos à espera dando voltas pelo quarteirão. Lá fora, nos degraus de entrada, o fotógrafo, isto é, Wayne, o amigo do meu pai que tinha uma máquina fotográfica chique, fotografou o feliz casal. Eu estava me esforçando para abrir minha caixinha de confete quando ele gritou: — Certo, agora vamos fotografar a família do noivo.

"Que família?", pensei, olhando ao redor ansiosamente à procura de algum irmão/irmã/primo há muito perdido.

— Isso quer dizer você, Dayna, sua tonta — disse Wayne, para a risada geral.

Parei, sem graça, ao lado do meu pai. Mitzy estendeu a mão e me puxou para que eu ficasse entre eles dois — ela estava se esforçando mesmo e, apesar das minhas emoções mistas, eu ainda estava determinada a não estragar as coisas e dei meu sorriso mais cheio de dentes. Quando Wayne terminou de fotografar, virei para meu pai e disse:

— Parabéns. Espero que você seja muito feliz.

— Ahh, venha aqui e nos dê um abraço — ele disse, me agarrando e puxando-me para si. Eu sabia qual era o jogo dele. Ele não queria que eu o visse chorando. Mas eu podia sentir, no entanto. Seu corpo tremia daquele jeito que o corpo dos homens treme quando eles tentam sufocar os soluços. Ele me abraçou por um momento e, então, sussurrou algo no meu ouvido: — Você é uma menina muito especial, Dayna. Ela teria muito orgulho de você, sabia? — Então, ele também estava pensando na minha mãe. Fiquei estupefata. Ele quase nunca falava sobre ela e fazia anos que não a mencionava, mas ali estávamos, compartilhando um momento que só nós dois podíamos compartilhar. Aquilo me desmontou. Lágrimas grossas simplesmente jorraram, mas, assim que elas começaram, ele se afastou, bateu palmas e gritou: — Vamos, pessoal, temos uma festa nos esperando! — deixando-me parada feito um dois de paus nos degraus de entrada do cartório.

Homens, hein? Eu estava rapidamente descobrindo que eles eram todos iguais. Eles te atraem, fazem você se derreter, e então, puxam o tapete de sob seus pés.

Meu pai havia transformado sua elegante limusine num transporte público até a festa. Deveria ter sido só para ele e sua noiva, acariciando-me no banco de trás, mas Stella, a irmã de Mitzy, e eu nos aboletamos nos banquinhos dobráveis de frente para eles. Stella estava me olhando de cima a baixo, então, decidiu puxar conversa.

— Você está bonita, Dayna — ela disse, por fim. — Ela não está bonita, Suzie?

Eu nunca a tinha visto antes, portanto não fazia idéia se ela estava sendo sincera, embora, pelo tom, desconfiasse que não. Mas não a desafiei, principalmente porque estava surpresa em ouvi-la chamar a irmã de Suzie. — Ela te chama de Suzie? — perguntei, sem pensar.

— Sim, por quê?

— Posso também?

— É claro. Todos os meus amigos me chamam assim. — Ela riu. — Só Michael me chama de Mitzy.

"Humm", pensei, "e só você o chama de Michael".

Seja como for, eu estava aliviada por não ter mais que chamá-la por aquele nome idiota.

— O que você faz, Dayna? — Stella perguntou, continuando a conversa fiada.

— Sou esteticista — eu disse a ela.

— Ah — ela disse, claramente pouco impressionada. Fim da conversa fiada, ao que parecia.

Olhando para elas, eu não podia acreditar que fossem irmãs. Suzie (como eu adorava ter um nome normal pelo qual chamá-la!) gostava de coisas femininas, música popular e filmes românticos e assinava as revistas *Heat* e *Hello!*, enquanto Stella estava cheia de cabelos brancos e dava a nítida impressão de que não usaria algo inútil como uma revista de celebridades nem para forrar a caixa de areia de seu gato. Elas eram, simplesmente, como óleo e água.

— O que você faz? — perguntei a ela.

— Trabalho no varejo. Mas também estudo linguagem corporal — ela anunciou.

Aquilo me desconcertou. Eu estava prestes a perguntar o que aquilo significava quando percebi que Suzie havia caído na risada. — Você tinha que ver sua cara, Dayna! — ela disse, entre risadinhas.

— O que você quer dizer? — perguntei, tentando desesperadamente pensar em algo inteligente para dizer a Stella, que olhava assustadoramente para Suzie.

— Não se preocupe, Dayna — disse Suzie, enxugando uma lágrima do olho, com cuidado para não borrar o rímel lindamente *re*aplicado. — Stella trabalha no caixa da livraria WH Smith.

Olhei, sem jeito, de uma irmã à outra, sentindo a tensão aumentar dentro do carro.

— Ah, vá em frente, pode zombar — Stella resmungou. — Você sempre faz isso mesmo.

— Desculpe — disse Suzie, tentando fazer cara de séria, mas fracassando terrivelmente —, desculpe. É que, bem, parece engraçado, só isso.

— Não acho que haja nada de *engraçado* em um diploma de psicologia.

— Stella está fazendo um daqueles cursos de Universidade a distância — Suzie explicou.

— Ah, parece interessante — eu disse, tentando parecer sincera, porque agora estava sentindo um pouco de pena dela.

— E é mesmo — Stella me informou. — Nosso comportamento físico, a maneira como nossos gestos desmentem o que estamos dizendo, é muito complexo. A linguagem corporal afeta *tudo* o que fazemos. — Agora ela estava empolgada. — Pode fazer com que você consiga um emprego ou o perca. Pode colocar um fim em guerras, assim como começá-las. Todo tipo de coisa. E aquele que entende a linguagem corporal tem uma vantagem óbvia na vida. — Ela disse essa última parte com um olhar furioso para a irmã.

— Vá em frente, então — desafiou Suzie —, o que minha linguagem corporal está te dizendo neste instante?

— Me diz que você está procurando briga, mas não vou lhe dar o prazer de uma. Não hoje, pelo menos.

— Errado. Não estou procurando briga. Na verdade, só estou desesperada por um cigarro.

— Nada de fumar no carro — retrucou o motorista, lançando-nos um olhar por cima do ombro. — Sinto muito — ele acrescentou, não parecendo nem um pouco sentido.

— Você deveria parar de fumar — Stella disse com arrogância. — Além de todo o resto, faz mal para a pele. Envelhece terrivelmente.

Então eu quis rir. Stella não estava exatamente dando um bom exemplo à sua irmã menor. Coloquemos desta forma: ela não estava a ponto de conseguir emprego como o rosto da Olay.

Estava claro que aquelas duas não se davam bem e, qualquer que fosse a trégua que tivessem feito por causa do casamento, não parecia que iria durar. Stella olhou pela janela, aparentemente fascinada pelas lojas decadentes pelas quais passávamos, como se fossem as mais finas de Bond Street. Eu não podia suportar aquilo e senti que tinha que dizer alguma coisa para elevar o ânimo. Afinal, aquilo era a porra de um casamento.

— Então... Stella... — comecei, tentando ser jovial —, você é a mais velha ou vocês têm mais irmãos?

Ela não respondeu.

No outro lado do carro, Suzie desandou a rir novamente. Eu? Eu de repente desejei ter recusado a oferta de carona do meu pai e tomado um ônibus.

Suzie finalmente se controlou o suficiente para responder em nome de sua irmã. — Não, Dayna, somos só nós duas — ela disse —, e eu sou cinco anos mais velha.

Quem precisava do aquecimento do carro? Meu rosto vermelho nos aqueceu o suficiente.

A festa foi no Regency Rooms, um daqueles lugares que já viram dias melhores, mas que ainda não está pronto para pendurar as chuteiras. Meu pai e Mitzy haviam investido muito dinheiro no evento, no entanto, e eu fiquei impressionada como um bufê decente, uma banda boa e barulhenta e algumas luzes ofuscantes de discoteca podiam dissimular as falhas de um ambiente. Essa foi minha segunda lição de vida naquele dia. A primeira, obviamente, era a de nunca calcular a idade de alguém contando rugas e cabelos brancos. Ou, mais especificamente, a ficar de bico calado.

Só dez pessoas haviam estado no cartório civil, mas havia mais de cem na festa. Estava barulhenta, lotada e... superdivertida. Sim, ao contrário de todas as minhas expectativas, eu me diverti muito. Dancei, comi de montão, tomei uns — uns tantos — drinques e conversei com uma porção de gente que não via há anos. E vi meu pai parecendo mais feliz do que nunca. Ele estava socializando, rindo e dançando como Justin Timberlake — bem, a energia era a mesma, ainda que os passos não fossem. Aquilo colocou o carimbo final em minha mudança de atitude com relação a ele e a Suzie. Sua alegria era contagiante e como eu poderia não senti-la também? Eu já disse que me diverti muito? Mude para um montão.

Não teve nada a ver com conhecer Archie, é claro.

Aconteceu quando eu estava procurando uma via de escape. Eu estava descansando um pouco de tanto dançar e me sentei à mesa mais próxima, encontrando-me ao lado de Stella, que claramente não estava em clima de festa.

— Quer que eu pegue um drinque para você? — perguntei. — Um Bacardi Breezer, talvez? — Achei que sugerir uma bebida colorida de adolescentes compensaria meu erro anterior. A julgar pela irritada negativa que ela me deu, não funcionou.

Rapidamente me levantei e fui até o bar. Não precisava de outro drinque, mas precisava sair de perto da Face da Morte. Por ser especialista em linguagem corporal, minha corrida para o bar provavelmente lhe teria indicado que eu não apreciava sua companhia.

Enquanto esperava pelo barman, notei um cara sentado num banco, segurando uma garrafa de cerveja. Não o conhecia, o que supostamente fazia dele um dos parentes ou amigos de Suzie. Ele tinha um rosto bem delineado, uma expressão de durão, e cabelo cortado com máquina um para acompanhar. Um pouco assustador à primeira vista, mas não pude deixar de notar seus olhos: azuis e luminosos como safiras.

Ele virou a cabeça ligeiramente e me lançou um olhar de viés. Deu um sorriso e, de repente, não parecia mais tão durão e assustador. Apenas lindíssimo. Sorri em resposta, então voltei minha atenção ao barman.

— Posso te pagar um drinque? — perguntou o estranho bem delineado.

— Não precisa, obrigada — respondi. — É open-bar.

— Eu sei — ele disse, sacudindo sua garrafa de cerveja —, mas podemos fingir que não é e que eu sou um cara realmente generoso.

Eu ri então, e deixei que ele pedisse um Jack Daniels com Coca para mim.

— Com quem você veio? — perguntei.

— Wayne — ele respondeu. — Ele disse que precisava de ajuda com as fotos, como se ele fosse o fotógrafo David Bailey ou coisa parecida. Como ele só tem uma câmera, estou me sentindo um pouco supérfluo.

— Pelo menos você tem acesso ao bar — consolei.

— Hã-hã, mas detesto casamentos em que não conheço ninguém. A noiva é um espetáculo, no entanto, não é?

— Humm, você acha? — perguntei.

— Sim, para quem gosta de mulheres mais velhas. O que não é meu caso.

— E de que tipo você gosta, então? — perguntei, sinceramente sem segundas intenções. Como poderia ter qualquer intenção, dado que, se fizessem um concurso de Miss Desmazelada naquele dia, eu poderia ter roubado o primeiro lugar de Stella?

— Do seu tipo, na verdade — ele disse, exibindo-me novamente aquele sorriso maravilhoso. — Pois é, não sou muito exigente.

Estava prestes a dar um soco em seu rosto quando ele riu. — Só estou brincando. Você está linda — ele disse.

Mentiroso, pensei. — Eu estou horrível, na verdade, e nós dois sabemos disso — disse a ele.

— De jeito nenhum. Adorei o chapéu. Lindas... hã... plumas — ele disse.

Eu me encolhi, envergonhada, querendo tirar o chapéu, mas, sabendo que, se tirasse, ficaria ainda pior.

— As pessoas sempre exageram um pouco nos casamentos, não? Olhe só para aquele trio ali. — Ele indicou com a cabeça a pista de dança onde as três melhores amigas de Suzie estavam tão cheias de brilho que faziam a bola de espelhos parecer tímida e recatada.

— Pelo menos elas se esforçaram — eu disse, em defesa, embora tivesse que fechar um pouco os olhos cada vez que olhava para elas.

— É verdade — disse o estranho cinzelado voltando a olhar para mim. — Então, de que lado você é? Da noiva ou do noivo?

— Do noivo — disse a ele.

— Ah, Mikey. Soube tudo a respeito dele por Wayne. Um tanto quanto mulherengo, pelo que ele me disse.

— Sim, ouvi dizer a mesma coisa. — Sorri enigmaticamente. Não queria revelar quem eu era, exatamente. Se ele tinha alguma coisa a dizer sobre meu pai, eu queria ouvir.

— Se todas as histórias forem verdadeiras, não entendo por que ele está se amarrando — ele continuou. — Deve ser porque ela é rica.

— É? — Engoli em seco. Eu sabia que ela tinha se saído bem no divórcio, mas *rica*? Era novidade para mim.

— Você não sabia? — ele disse. — Ela é *bem* rica. Seu ex é dono de uma estamparia grande no East End. Ela fez a limpa quando eles se divorciaram.

— Bem, não conhecemos os fatos, não é mesmo? — declarei, saindo em defesa de Suzie pela primeira, embora não pela última vez, conforme se revelaria. — As pessoas sempre fazem fofoca quando um casal se separa. Ela não parece ser do tipo aproveitadora, para mim.

— Elas nunca parecem. Pelo menos ela não está atrás do Mikey por sua conta bancária. Veja bem, ele deve ter alguma coisa, caso contrário ela não estaria se casando com ele, imagino. De onde você o conhece?

— Ah, você sabe, de algum lugar por aí — eu disse. Sim, eu sei, eu deveria ter sido honesta com ele, mas, apesar de toda a sua beleza, ele estava começando a me dar nos nervos. Estava falando demais e com uma perfeita estranha, algo que não é a qualidade mais admirável em um homem.

— Eu não vou me casar. Nunca — ele anunciou com uma risada. — Agora que eu já disse isso, você não poderá me acusar, daqui a cinco anos, de não ter sido sincero.

"Idiota", pensei, "e quem iria querer se casar com você?"

Eu estava tentando desesperadamente pensar em algo mordaz para responder quando ele deslizou do banco do bar e disse: — Só vou até o banheiro. Fique de olho na minha cerveja, tá?

Era mais provável que eu cuspisse nela, pensei, quando ele se afastou. Quem diabos esse cara pensava que era? Mas algo me manteve no bar. Seria o efeito hipnótico daqueles olhos? Talvez. Mas, principalmente, era Stella. Eu estava a ponto de voltar para a pista de dança quando ela se aproximou silenciosamente de mim.

— Está se divertindo? — perguntei, tentando ser educada.

— Sim, obrigada — ela mentiu, sem nem ao menos tentar ser convincente.

Ficamos em silêncio por um minuto. Eu me senti tão pouco à vontade que, mais para ter algo que fazer, virei meu drinque num gole só, desejando que ele fizesse a mágica de me transformar em uma pessoa interessante e mais comunicativa. O que ele fez foi a sala girar. Um sinal certo de que eu estava chegando ao meu limite.

— Não pude deixar de ver você conversando com aquele rapaz — disse Stella, com um sorriso ligeiramente dissimulado. — E, bem, pode ser que ele não tenha percebido, mas, para qualquer pessoa versada em linguagem corporal, está perfeitamente claro que você... *gostou* dele.

— Não gostei, não — protestei. — Na verdade, acho que ele é um completo...

Ela me interrompeu com uma bufada. — A maneira como você inclinou seu corpo na direção dele. Isso é elementar, sabe.

— Eu não conseguia ouvi-lo direito — argumentei. — Está! Muito! Barulhento! Aqui! — gritei para reforçar meu ponto de vista.

— Mas eu pude notar que ele estava resistindo a todas as suas investidas— ela prosseguiu, ignorando-me (ou, talvez, não me ouvindo). — A postura dele falava mais que mil palavras.

— Bem, por que então você não as condensa numas dez e me diz quais são elas? — eu disse, adotando a postura de *foda-se*, com as mãos na cintura e o queixo empinado para a frente.

— Não seja tão defensiva — ela disse. — Eu só notei quão fechada estava a postura dele, só isso. Ele nunca virou os ombros de frente para você, e ficou com os braços cruzados durante toda a conversa. Além disso, ele resistiu ao contato visual. Estava constantemente olhando por cima do seu ombro, para a pista de dança.

— Ah, não seja ridícula. — Eu não podia ouvir suas bobagens nem mais um segundo. — O motivo pelo qual ele estava olhando para a pista de dança era porque estávamos falando das pessoas que estavam *lá*, sabe... *dançando*.

Ela me deu um sorriso condescendente. — Eu sei que a verdade pode doer, mas, acredite em mim, é melhor não se enganar. Sério, não acho que você seja o tipo dele.

Bem, logicamente me senti desafiada no mesmo instante.

— Eu *sei* que, de fato, sou seu tipo — anunciei. — Caso contrário, por que ele teria me convidado para um drinque na semana que vem?

Assim que a mentira foi dita, eu me arrependi. Em parte, por causa da mesquinharia de tentar levar vantagem sobre uma mulher obviamente solitária e triste como Stella, mas, principalmente, porque o assunto de nossa conversa escolheu aquele momento para voltar ao bar.

— Minhas orelhas estão queimando — ele disse. — Estão falando de mim?

Por sorte, Stella manteve o bico fechado. — É melhor eu ir ver se meu táxi chegou. Tenho que tomar o trem de volta a Leeds hoje à noite. — Ao virar-se para partir, ela olhou para o estranho cinzelado e disse: — Foi um prazer conhecê-lo...

— Archie — ele disse, completando a lacuna.

— Quem era ela? — Archie perguntou, quando ela se afastou.

— A irmã da noiva — eu disse.

— *Irmã?* — ele repetiu, descrente.

Nós dois olhamos para a pista de dança, onde Suzie e meu pai haviam se juntado às suas três amigas. Os cinco estavam dançando ali como... Não era nada bonito.

— Aquilo está parecendo *Dirty Dancing* — observou Archie, claramente com o mesmo pensamento. — Seu pai está o próprio Patrick Swayze.

Eu ri e, de alguma forma, engasguei ao mesmo tempo. Ele tinha dito *pai*? Ele sabia quem eu era. Teria sabido o tempo todo?

— Você é uma tratante — ele prosseguiu. — Até quando iria continuar me enrolando?

Em resposta, fiz minha imitação de peixinho dourado, ou seja, abrindo e fechando a boca sem emitir palavra alguma.

— Não tem problema — ele disse, sorrindo. — Assim, eu aprendo a ser menos falastrão com estranhos.

— Como você soube? — consegui dizer.

— Perguntei ao Wayne sobre você, no caminho do banheiro. Não queria perder mais tempo conversando com numa estranha. Quer dizer, você poderia ser comprometida, casada, sei lá.

Será que era a bebida? Ou seu sorriso? Seus olhos? Sim, ele era irritantemente metido, mas eu estava começando a gostar dele. E, pelo menos, ele não tinha me escutado mentir para Stella.

— Ele me falou muitas coisas sobre você — ele continuou. — Mas não mencionou que você podia ler pensamentos.

— O que você quer dizer?

— Você disse àquela mulher que eu a convidaria para um drinque...

Ai, não. Eu me senti enrubescer de novo.

— ... E é exatamente o que estou planejando fazer. Muito estranho.

Pois é, lá veio o peixinho dourado de novo.

— Sabe de uma coisa? Você fica maravilhosa quando fica vermelha. — Ele estendeu a mão e acariciou minha bochecha.

Eu não sabia se me derretia com seu toque ou se lhe dava um tapa. Como começava sentir dificuldade para ficar em pé, optei pelo derretimento. Foi quando ele se inclinou para frente e me beijou. Com força e demoradamente. Ele era, possivelmente, o cara que melhor beijava de todos os tempos. Para ser sincera, não poderia dizer com certeza. Eu havia atingido aquele estado de embriaguez em que os lábios ficam adormecidos.

Na segunda-feira depois do casamento, meu pai e Suzie partiram para sua lua-de-mel: duas semanas no Tenerife. Não era exatamente Barbados, pensei, quando eles marcaram a viagem, mas então Suzie me mostrou o folheto do hotel. O Gran Melia Bahia del Duque. Chique? Acho que tinha uma estrela para cada letra do nome. Eles haviam reservado uma suíte em uma ala especial do hotel com piscina privativa, mordomo e, provavelmente, um helicóptero com número de licença personalizado. Lógico que iria custar mais que um simples passeio pelas Ilhas Canárias.

No entanto, como Archie havia utilmente me informado, minha nova madrasta era rica.

Na manhã em que eles partiram, fui até a casa do meu pai — ou melhor, do meu pai e de Suzie, como ela havia oficialmente se tornado. Pensei que pudéssemos ter uma ou duas horas para tomar um café antes de eles irem, mas havia confundido o horário do vôo e só tivemos dez minutos antes de o táxi chegar.

— Você é tão atrapalhada, Dayna — meu pai me repreendeu, como se ele fosse bacharel em Organização e Gestão de Tempo. — Você precisa começar a agir com um pouco mais de responsabilidade. Não pode simplesmente flanar por aí achando que tudo dará certo na sua vida, *porque não é assim que a banda toca.*

— Bem, desculpa aí — respondi. Deus, por que ele estava tão tenso? Eu não ia fazer uma cirurgia tripla de ponte de safena nele. Só tinha vindo para dar um tchau.

Ele não disse nada. Só me olhou feio e esfregou o rosto, agitado.

— Qual é o seu problema, pai? — perguntei. — Porque está claro que há um problema.

— Ok, já que você tocou no assunto, é você, Dayna. *Você* é o problema.

— O que foi que eu fiz? — perguntei, estupefata. Depois do momento especial que tivéramos no cartório, pensei que estávamos bem, que havíamos passado uma borracha em todos os problemas que havíamos tido (tá, que *eu* havia tido) desde que Suzie entrara em cena. Aparentemente, não. Olhei para Suzie em busca de uma pista, mas ela estava olhando, sem graça, para os próprios sapatos... cor-de-rosa de tirinhas e salto alto. Engraçado como nos lembramos dos detalhes bobos.

— Você é muito desorganizada, Dayna, é isso — meu pai disse, preparando-se para uma explosão. — Você é leviana, desorientada, um verdadeiro caos.

Fiquei abaladíssima. Nós havíamos tido nossa cota de brigas nos últimos anos, mas ele nunca fora tão brusco comigo.

Lutei para controlar as lágrimas e reagi com raiva. — Do que você está falando? Acabei de arrumar um emprego novo. Sou esteticista sênior agora e...

— E está desperdiçando todo o seu salário em aluguel. O que você está fazendo para encontrar alguém para dividir o apartamento? Que se dane tudo, aposto. E aposto que gastou cada centavo daquele cheque que te dei só em calefação.

Eu queria responder, mas ele já estava no item seguinte de sua lista.

— E quanto à sua vida amorosa? — ele questionou.

— Isso não é da sua conta — respondi, furiosa.

— Ah, acho que é, sim, quando vejo você se agarrando, bêbada, com estranhos no *meu* casamento. Vou lhe dizer uma coisa: você tem ido de mal a pior desde que rompeu com Simon.

Eu não podia falar. Apenas deixei as lágrimas rolarem. Ele abaixou o tom, então. Só um pouco, mas, definitivamente, abaixou.

— Olha, estou preocupado, só isso — ele disse. — Faz tempo que venho querendo conversar com você sobre as coisas, mas...

— Bem, Michael, talvez você devesse ter falado com ela antes — Suzie interrompeu gentilmente. — Não é justo jogar isso tudo em cima de Dayna cinco minutos antes de partirmos, é?

Bem naquele instante, o táxi buzinou na rua. Meu pai olhou para mim e para Suzie. Então agarrou uma mala com raiva e a carregou até o hall. Quando ele estava, para nossa segurança, fora de casa, Suzie passou o braço ao redor do meu ombro.

— Você não deve lhe dar muita atenção, viu? — ela disse. — Ele acordou um pouco confuso esta manhã, só isso.

— E sobre o que ele pode estar confuso? — perguntei, ainda vacilante. E era uma pergunta séria. Ele era um homem recém-casado com uma linda esposa, e estava partindo para sua lua-de-mel num hotel cinco estrelas. Deveria estar se sentindo o máximo.

— Bem, você sabe... — Ela parou e me olhou por um momento. Então, disse: — Ele vem pensando um pouco na sua mãe. Não é nada importante, portanto não precisa ficar nervosa por causa disso, mas é que ele, sabe, sente saudade dela.

Olha, eu sei que ele havia mencionado minha mãe pela primeira vez em séculos no cartório e talvez não devesse ter ficado surpresa, mas fiquei. E me perguntei como sua nova esposa se sentia com ele pensando na primeira mulher enquanto a tinta ainda não havia sequer secado nos papéis do casamento. "Pobre Suzie", pensei, o que definitivamente era algo inédito.

Então, ouvimos meu pai voltar para o hall e Suzie baixou a voz a um sussurro. — Estas férias vão estabilizá-lo. Vou assegurar-me disso — ela disse, rapidamente. — E é melhor você não mencionar o que acabei de lhe dizer, tá?

Meu pai voltou para a sala para pegar a última mala. Olhei para ele e me senti mais desajeitada que nunca. O que fazer? Ou dizer? Ele tinha sido realmente grosseiro comigo, então não teria sido tão estranho assim se eu o tivesse mandado se danar e desejado uma horrível lua-de-mel, com baratas em sua banheira de hidromassagem. Mas, por outro lado, eu agora estava de posse completa dos fatos e tudo que queria era lhe dar um abraço forte e lhe dizer que sabia como ele estava se sentindo. Olhe só para nós dois discutindo feito crianças. E, ainda por cima, a única pessoa agindo com algum grau de sensibilidade era a mulher com quem ele havia acabado de se casar. Não estava muito certo, estava? Qualquer idiota podia ver isso.

Portanto, fiz o que qualquer idiota faria.

Resmunguei o adeus mais curto do mundo e fui embora sem olhar para trás.

Fazia cerca de uma hora que eu estava em casa quando cedi e liguei para o celular do meu pai. Estava na hora de consertar as coisas.

— Alô? — eu o escutei dizer. E só. A conexão estava realmente ruim.

— Sinto muito, muito mesmo pelo que aconteceu hoje, pai — eu disse, apressadamente. — Só queria lhe desejar uma feliz lua-de-mel.

— Quem? Alô? Não estou...

A linha fez mais ruído ainda e escutei alguém conversando ao fundo.

— Pai? — insisti. — *Pai*, tá me ouvindo? Quer que eu ligue de novo?

— Desculpe, sim, vou desligar — ele disse.

— Desligar *o quê*? — praticamente gritei.

— Dayna? Ah, não estou falando com você — ele gritou. — Estamos passando pelo controle de segurança. Tenho que colocar o celular no trequinho do raio X... Falo com você...

— Pai, escute, só queria dizer que amo...

Tarde demais. A linha estava muda.

Archie me telefonou alguns dias mais tarde e concordei em sair com ele. Por quê? Porque eu queria beijá-lo de novo com os lábios sóbrios para descobrir se ele era bom; ou seria porque ainda estava ferida pelo "agarrando-se bêbada com estranhos" do meu pai e queria tornar Archie menos estranho? Não tinha certeza, mas definitivamente sabia que a única maneira de descobrir era sair com ele e ver como as coisas ficariam.

Iríamos nos encontrar num pub qualquer perto de casa, mas me vesti bem para a ocasião. Parecia pronta para um casamento. Na verdade, devido ao fator brilho do meu vestido, era provavelmente o que eu *deveria* ter usado no casamento — a primeira vez em que Archie pôs os olhos em mim —, mas não importava. Ali estava a chance de deslumbrá-lo adequadamente.

Conforme quis o destino, encontrei Kirsty ao sair do apartamento. Havia conseguido evitá-la desde o... você sabe, o *incidente*, mas ali vinha ela, subindo a escada, enquanto eu fechava minha porta.

— Oi, estranha. — Ela sorriu. — Como vai?

— Ah, maravilha. Tudo ótimo — me gabei. — Estou com um pouco de pressa, na verdade.

— Vai a algum lugar especial?

— Tenho um encontro. Com um homem, sabe. Bem, obviamente, você não sabe, mas é que...

— Fique fria. Você tem um encontro. Com um cara. Isso é ótimo. Você está deslumbrante.

Ela parecia tão relaxada que eu realmente não soube por que estava fazendo tanto estardalhaço. Na verdade, eu sabia, sim. Aquela garota e eu havíamos (possivelmente) trocado fluidos corporais. Não que eu achasse que havia qualquer coisa remotamente errada naquilo, mas simplesmente não queria vê-la nunca mais nesta vida. Só isso.

Quando ela chegou na frente de seu apartamento, a porta se abriu de supetão. — Oi, você chegou — disse a garota que estava atrás dela. — Estava esperando você.

Kirsty lhe deu um sorriso largo. — Desculpe, Ruby, tráfego caótico. Dayna, esta é Ruby, minha namorada.

Ruby não parecia lésbica. Mas, também, como é que uma lésbica deve parecer? Masculinizada, cabelo curto, com uma cerveja na mão? Ruby era alta, magra e bonita. Tinha cabelo longo castanho-avermelhado e nenhum piercing (visível, pelo menos). Ela estava me dando um sorriso curioso. Ai, Deus, será que ela sabia sobre o que pode ou não ter acontecido naquela noite? Eu estava sendo paranóica? Claro que sim! Ela estava sorrindo porque havíamos acabado de ser apresentadas. Que tipo de idiota eu era? Como se aquelas duas não tivessem nada melhor para conversar do que sobre mim.

— Prazer em conhecê-la, Dayna — Ruby disse com leveza. — Kirsty me contou tudo sobre você.

Argghh!

— Legal — balbuciei. — Tenho que correr.

E corri...

Até o pub. Cheguei lá com um atraso respeitável de dez minutos, depois de dar duas voltas no quarteirão para recuperar o fôlego e também para me assegurar de chegar com um atraso respeitável de dez minutos. Archie já estava no bar.

— Então não levei o cano — ele disse, levantando-se.

"Bons modos", pensei.

— Só vou até o banheiro — ele continuou. — Compre as bebidas. Para mim, uma Budweiser.

Irritada, fiz um movimento para pegar minha carteira quando ele explodiu numa gargalhada. — Estou brincando...

Eu ri e fechei a bolsa.

— ... Só ianques e bichas tomam Bud. Quero uma John Smith's.

Deus, aquela seria uma longa noite.

No fim, acabou sendo uma noite excepcionalmente longa, mas só porque me diverti tanto, que não queria ir embora. Archie era um barato e acho que eu nunca havia rido tanto na vida. Lá pelos últimos pedidos, minha mandíbula havia travado, minhas costelas doíam e meu rímel já havia escorrido até o queixo. Éramos as últimas pessoas no pub, sentados numa mesinha de canto, a qual nem dava para ver sob tantos copos vazios. Sim, eu estava bastante bêbada. De novo.

Quando saímos do pub, eu estava tendo dificuldade para ficar em pé. Archie havia entornado como se quisesse criar uma reserva alcoólica, caso enfrentasse algum dia aquele tipo de lei seca dos anos 20; porém, parecia tão sóbrio quanto no começo da noite.

— Se vamos continuar nos vendo, vou ter que dar um jeito de aumentar sua resistência — ele disse, meio que me carregando escada acima até meu apartamento. — Você é fraca como uma garotinha.

— Não sou, não — respondi com a voz rouca, não porque estivesse tentando ser sexy, mas porque, na verdade, não conseguia falar. — Já sou uma mulher.

— Ah, isso você é mesmo — ele disse ao abrir minha porta e devolver a chave a meu bolso.

Eu me encostei no batente da porta e levei um (longo) momento para me estabilizar. Então, fixei os olhos nos dele e perguntei: — Quer entrar para um café?

Ele sorriu. Tomei aquilo como um sim.

E, apesar de estar bem bêbada, tenho quase certeza de que foi o melhor café que já tomei.

Depois de trabalhar na NaturElle por alguns meses, estava começando a pensar que meu pai tinha razão ao me criticar. Será que eu era leviana e desorientada? Será que eu era um caos? Eu me perguntava essas coisas porque havia rapidamente passado de amar meu emprego a ter horror a ir trabalhar.

Agora sei por quê. Depois que mudei de emprego, percebi que estava infeliz na NaturElle porque ficava no subsolo, isto é, enquanto a recepção estava ao nível da rua, as salas de tratamento ficavam no porão. Portanto, depois de dois meses sem praticamente ver a luz do dia das nove às seis, eu estava começando a me sentir um texugo com depressão.

As mulheres vão ao salão de beleza para fazer tratamentos, mas também vão para descarregar. Todo mundo sabe disso e eu sempre gostei desse aspecto do meu trabalho. O fato de alguém compartilhar comigo seus problemas de trabalho ou seus traumas amorosos enquanto eu arrancava pêlos de suas pernas fazia com que eu me sentisse uma *terapeuta* de verdade, além de terapeuta de beleza.

Mas, na NaturElle, ouvir toda aquela desgraceira estava começando a me afetar. Como eu disse, a maioria de nossas clientes trabalhava em escritórios e só o que sabia fazer era reclamar. Reclamar, reclamar, *reclamar.* Claro, eu escutava e tentava dar conselhos e, quando não sabia o que dizer, apenas tentava emitir os ruídos certos. Era duro, no entanto, e estava se tornando mais difícil a cada dia.

Tentei me concentrar no lado positivo. Pelo menos meu pai e eu estávamos em paz novamente. Não havíamos conversado sobre as coisas desde a sua volta do Tenerife, todo bronzeado e satisfeito, mas pelo menos tampouco tínhamos discutido. Uma parte de mim achava que deveríamos ter uma conversa sincera sobre a situação, mas o resto de mim gritava: "Que se dane, apenas seja tudo que ele quer que você seja e tudo ficará bem." Então, fiz o melhor que pude para ser adulta, responsável e legal com Suzie, o que, agora que eu gostava dela, era bastante fácil.

Portanto, ao menos na superfície, tudo ia bem com relação ao meu pai.

Assim como com relação a Archie.

Eu não sabia que ter um namorado podia ser tão divertido! Meu relacionamento com Simon tinha sido um barato, mas as lembranças estavam nubladas por todas as infidelidades dele. E, é claro, nós éramos jovens demais para saber o que era um relacionamento de verdade. Chris tinha sido um caso perdido de acidente de percurso. Kirsty nem contava, porque ela não era um garoto e o que havia acontecido entre nós (se é que) era tão insignificante e sem sentido que nem deveria entrar nesta lista.

Mas agora eu tinha Archie. Ele tinha trinta anos. Um *homem*. Era confiante e experiente. Também era lindo e muito, mas muito engraçado. Além disso, logicamente, havia o sexo. Enquanto Simon havia sido do tipo *tcheca na butcheca*, Archie tinha um pouco mais de imaginação. Eu nunca soube que tinha tantos lugares no corpo que pudessem... *formigar.*

Se eu estava animada? Pode apostar que sim. Começava a pensar seriamente que Archie era O cara.

Fazia séculos que eu não via Hannah, minha antiga colega de faculdade, então, quando ela me telefonou e sugeriu que nos encontrássemos para um drinque, logicamente eu disse sim. Péssima idéia. Quando se é uma esteticista passando por uma rotina tediosa, a última coisa que se deseja é encontrar outra esteticista deprimida. Ela estava trabalhando em um salão em Golders Green e detestando. Ficou claro que só o que queria fazer era reclamar do trabalho, então, pelo bem da minha sanidade mental, mudei rapidamente o assunto para Archie.

— E o que é que ele faz? — ela perguntou.

— Você não vai acreditar — eu disse. — Ele é dono de uma empresa de locação de caçambas.

— Caçambas? — ela disse, cuspindo de surpresa (essa tinha sido mais ou menos a minha reação quando ele me contou).

— Caçambas do Archie — anunciei, com tanto orgulho quanto se a empresa fosse minha.

— Que trabalho engraçado! A gente não imagina que alguém, de fato, tenha uma empresa de caçambas.

— E você acha o quê? Que elas caem do céu como que por mágica e depois desaparecem, quando estão cheias? — eu disse, rindo (tinha sido mais ou menos essa a resposta de Archie quando expressei surpresa). — As dele estão por toda parte — continuei, orgulhosamente. — Amarelo berrante, com "Caçambas do Archie" pintado na lateral. Agora que lhe contei, aposto que você vai começar a vê-las. Estou dizendo: é como sair com uma celebridade.

Ela riu, então disse: — Ele deve estar bem de vida, então. Não me admira que você goste dele.

Ele estava indo bem, pelo que eu podia ver, mas essa não era a razão pela qual eu gostava dele. — É que ele é tão engraçado. Nunca conheci alguém que me fizesse rir tanto.

— Deus, bem que estou precisando de um pouco disso — ela declarou, cansada. — Então, por que ele é tão engraçado?

— Não sei, ele é e pronto — respondi vagamente. Bem, é uma pergunta difícil de responder, não é? É como ter de dizer por que você gosta de chocolate. Você simplesmente gosta, não é?

— Vamos, me conte a última coisa que ele disse que fez você rir — ela insistiu.

De repente, minha mente ficou em branco, enquanto eu a varria à procura de alguma coisa, *qualquer coisa* realmente engraçada que Archie tivesse dito.

— Ok, ok — eu disse, por fim. — Isto é *muito* engraçado. Ele estava me contando sobre o amigo com quem vai ao futebol, eles são superfãs do West Ham, e esse amigo leva o filho junto. Tem oito anos, e é um menino quietinho; escuta todas as canções dos torcedores e nunca fala nada. Tem esse jogador que vive se queixando, aparentemente, para o árbitro, para seus companheiros, sei lá eu...

— Quem é ele? — Hannah interrompeu.

— Não sei. Detesto futebol, né? Enfim, os fãs sempre cantam: "Por que caralho você só reclaaaaaaaama?" para ele. Um sábado, Archie está na casa do amigo dele e eles estão se preparando para ir ver o jogo. A esposa do amigo entra na sala e começa a ralhar com o garotinho. Você sabe: "Seu quarto está uma bagunça", "Olha só o estado da sua camiseta", essas coisas, e então o menino se vira para ela, aponta e canta: "Por que caralho você só reclaaaaaaaama?"

Naquele ponto, explodi numa gargalhada, segurando a barriga e sentindo as lágrimas escorrerem pelo rosto, rindo tanto quanto na primeira vez em que Archie me contou.

Quando me recuperei o suficiente para olhar para ela, Hannah simplesmente me encarava. — Que encanto! — ela disse de forma esnobe. — Não há nada de engraçado em um garoto de oito anos cuja boca parece um bueiro.

O que achei hilário vindo dela, a garota que dormia com os namorados alheios.

Humm. Eu tinha me esquecido daquilo.

Eu não devia ter dito nada, mas sua beatice de repente despertou algo em mim. — E como vai o Simon? — perguntei.

— Como você sabe sobre o Simon e mim? — ela disse, ruborizando.

— Ele me contou.

— Ah, ele disse para *mim* que deveríamos manter em segredo porque ele está se unindo aos Marines e eles não têm permissão de ter namorada. Ou algo parecido. Pareceu um pouco estranho para mim.

— Que monte de besteira — expliquei de forma tão condescendente quanto podia. — O motivo pelo qual ele quer manter em segredo é porque ainda está saindo com Joanne... Ou seria com Victoria? Ou Hazel?

Imediatamente, eu me arrependi de ter aberto minha grande boca (de novo). Eu achava que ela sabia que Simon também se encontrava com outras mulheres. Então, por que ela parecia tão chateada?

Estava pensando rapidamente em maneiras de voltar atrás quando ela perguntou: — Quem é Victoria? E Hazel?

Não respondi. Em vez disso, falei: — No que eu estava pensando? *Joanne!* Ela era a garota com quem ele estava saindo *antes* de começar a sair com você. Lembra? Eu lhe contei sobre ela há um tempão. Ele terminou com ela *séculos* atrás.

— Eu sei disso. Quem são Victoria e Hazel? — ela perguntou com mais insistência.

— Só amigas, só isso — eu disse, alegremente. — Desculpe, Hannah, eu só estava te provocando. Não devia ter feito isso. É por sair com Archie. Ele é tão provocador. Deve ser contagioso. Verdade, elas são só amigas.

Mas ela não engoliu. Enquanto ela me interrogava, menti o melhor que pude e praguejei silenciosamente contra Simon por sua promiscuidade. Decidi que, na próxima vez que o visse, iria matá-lo.

O que ocorreu muito antes do que eu imaginava. No dia seguinte, ele estava me esperando na frente da NaturElle quando saí à luz do dia, piscando como uma marmota. No típico estilo de outono inglês, chovia canivete e as ruas estavam abarrotadas de gente correndo para tomar o metrô; porém, ficar ensopado e ser empurrado pareciam as últimas coisas a preocupar Simon. Ele não parecia estar no melhor dos humores.

— Eu poderia matar você — ele cuspiu.

— Como é? — Eu estava um pouco surpresa. Aquela seria a minha frase.

— Não dê uma de inocente para cima de mim, Dayna Harris. Por que você fez isso? Você tinha mesmo que abrir seu bocão para Hannah na primeira oportunidade que...

— Como você se atreve a gritar comigo? — berrei para ele. Na verdade, eu estava, de repente, me sentindo muito mal pelo que fizera. Ele sempre havia sido tão sossegado com relação a seu estilo de vida de múltiplas namoradas que nunca imaginei que fosse ficar bravo quando algo desse errado. Mas achei que o ataque era a melhor defesa, então decidi devolver na mesma moeda e fazê-lo no maior volume possível, se fosse necessário.

— Sou eu quem deveria estar furiosa com você, Simon — retruquei. — O que eu deveria dizer a ela? Se você vai transar com a metade das mulheres de Londres e espera que eu lhe dê cobertura, vai começar a ter que me manter informada com memorandos ou algo parecido, porque NÃO CONSIGO ACOMPANHAR!

— Está bem, não grite — ele berrou também, enxugando gotas de chuva do nariz. Ele olhou sem jeito para as pessoas que diminuíam a velocidade para olhar para a gente. — Venha, vamos entrar aqui.

Ele agarrou meu braço e me empurrou para dentro do Caffè Nero, ao lado do salão. E me fez sentar a uma mesa, caminhou até o balcão e pediu dois cafés. "Que atrevimento", pensei. Não passou pela sua cabeça que eu poderia ter que me apressar para ir pra casa e me arrumar para um encontro? O que o fazia imaginar que eu tivesse tempo de me sentar e tomar café com ele enquanto ele me xingava por tê-lo entregado de bandeja? Quase saí de fininho, mas ele voltou rápido demais. Típico. A única vez em que você precisa que um serviço seja lerdo, os funcionários resolvem ser eficientes.

Ele se sentou de frente para mim e limpou a chuva do rosto. — Jesus, que bagunça! — ele exclamou com tristeza.

Não falei nada. Ainda não tinha decidido qual seria minha postura, principalmente porque ele não parecia mais tão furioso; apenas triste.

— Terminou tudo — ele disse.

— Hannah?

Ele assentiu. — Ela não quer mais me ver.

— Sinto muito. — Eu não sabia o que mais poderia dizer. Quer dizer, além de: "Tente manter o zíper fechado pelo menos uma vez na vida, seu pedaço de músculo descerebrado comedor compulsivo de mulheres." *Sinto muito* parecia mais conciso.

— É, bem, não foi culpa sua, na verdade — ele disse. Aquele era o lance de Simon. Ele nunca ficava bravo por muito tempo. Realmente eu me preocupava que ele fosse se tornar um soldado. Eles não deveriam ficar bravos como requisito profissional? Eu conseguia imaginá-lo chegando a uma zona de guerra e dizendo: "Esses iraquianos, eles não são tão ruins assim. Gente decente, a maior parte. Não seria melhor deixar isso pra lá e ir comer um curry?"

— Para ser sincero, é um alívio — ele continuou. — Garota estranha. Ela ficava querendo transar com velas e pétalas de rosas e essas coisas espalhadas por todo lado. Qual é o lance das garotas com as velas, hein?

Apenas dei de ombros e fiquei quieta.

— Tenho coisas mais importantes com que me preocupar — ele disse. — Farei meu PRMC no mês que vem.

— Você se inscreveu de novo?

— Hã-hã. E eu *tenho* que estar preparado desta vez... Na verdade, estava pensando... você poderia me ajudar?

— Definitivamente — respondi com facilidade. É isso que se faz pelos amigos, certo? Ajudá-los quando eles precisam de você; quer dizer, quando vocês não estão ocupados demais ficando bravos um com o outro, o que, claramente, não estávamos mais. — O que você quer que eu faça? Não é preencher mais formulários, é?

Ele balançou a cabeça. — Me levanto às cinco da manhã para correr antes de ir para a academia. Oito quilômetros, aumentando até doze.

— Que máximo! — exclamei, perguntando a mim mesma onde diabos eu me encaixava nessa história.

— O negócio é que preciso de um marcador de ritmo, alguém que me ajude a manter a velocidade.

— Eu não vou correr com você — exclamei.

— Não seja boba. Você não precisa *correr.* — Ele riu. — Vai de bicicleta. — Ele olhou para a minha boca, aberta, e acrescentou: — Tudo bem, você pode usar a minha.

De que diabos ele estava falando? Estava me confundindo com Kelly Holmes? Número um: eu não me levantava às cinco da manhã. Número dois: eu não me levantava às cinco da manhã para montar numa bicicleta e pedalar oito quilômetros, que dirá doze. Odiava as manhãs só ligeiramente menos do que odiava exercícios físicos. Tomaria um táxi para ir ao mercadinho da esquina se achasse que ninguém iria perceber.

— Por que você não pede ajuda a Victoria? — sugeri. — Ou para aquela outra garota, como ela se chama... Hazel?

— Hazel? Quem é Hazel?

— *Hazel*, da academia. Ela deve estar em forma.

— Ah, *ela*. Não posso pedir isso a ela. Mal a conheço.

— Mas você disse que estava *saindo* com ela — objetei, achando que devia estar ficando louca.

— *Saindo* com ela? Eu não — ele retrucou.

Droga, eu tinha cometido o terrível erro de dar informação falsa a Hannah. Talvez ele não fosse um traste infiel, afinal.

— Eu *transei* com ela algumas vezes — ele explicou —, mas não que a gente seja *próximo*, nem nada.

Humm.

Ele parecia tão absorto nos próprios problemas que fiquei quieta.

— Ok, então, se você não vai me ajudar a correr, poderia me testar com as coisas práticas? Você sabe, revisar as perguntas e respostas. Que tal neste domingo?

— Desculpe, não posso. Tenho um encontro no domingo.

— Um *encontro*? — A palavra pareceu entalar em sua garganta. — Com quem?

— O nome dele é Archie.

— Quem diabos é Archie? — Ele parecia mais furioso agora do que quando ralhou comigo por tê-lo dedurado para Hannah.

— É só um cara que conheci. A gente vem se encontrando há alguns meses, então suponho que seja meu namorado, mas ainda não é *tão* sério assim.

— Certo, então deixe-me ver se entendi direito. Você prefere sair com um cara que mal conhece a ajudar a *mim*, que você conhece há *anos*, com a coisa mais importante que já fiz na vida?

— Eu... Bem, não é assim... Eu só...

Fiquei sem palavras. Ele estava fazendo com que eu me sentisse a pessoa mais egoísta sobre a face da Terra. O tipo de amiga capaz de ficar sentada à mesa do jantar vendo você engasgar até a morte, enquanto bebe um copo de água para engolir a própria comida.

— Bem, muito obrigado, Dayna. Apenas se lembre dessa conversa na próxima vez que seu carro quebrar em um estacionamento assustador no meio da noite.

E com isso, ele saiu para a chuva como um tufão.

* * *

Enquanto eu me arrumava para meu encontro com Archie, no domingo seguinte, não pude evitar me sentir culpada por Simon. Ele tinha razão, não tinha? Nos velhos tempos, quantas vezes eu o havia chamado para vir me ajudar? E sempre em alguma hora infame. E ele sempre viera correndo. Havia vezes em que Emily e eu ouvíamos barulhos no meio da madrugada e o acordávamos, convencidas de que havia um fantasma ou um espreitador na janela. Ele passou três noites sofrendo de torcicolo no nosso sofá. E não reclamou uma única vez, nem mesmo quando teve que usar um colar cervical.

Quando Archie chegou, eu estava me sentindo péssima. Simon tinha dúzias de amigos a quem poderia ter pedido ajuda, e a quem ele havia se dirigido? Isso mesmo, a mim. E eu havia recusado. Prometi a mim mesma que o compensaria imediatamente.

Bem, imediatamente após meu adorável encontro.

Archie ia me levar para almoçar fora.

— Aonde vamos? — perguntei ao pegar minha bolsa. — Do que você gosta? Comida francesa? Italiana? Indiana?

— *Indiana?* Faça-me o favor — ele disse com uma gargalhada. — Vou te levar para comer comida de verdade.

Não chegava a ser um boteco de peixe com fritas. *Era* um restaurante mesmo, com mesas e cadeiras e toalhas de mesa, mas, quando se olhava bem, era exatamente o que era: um boteco.

— Nunca vim aqui — eu disse a ele, apertando a jaqueta contra os ombros.

— É ótimo, não? Sempre lotado, também, o que já diz tudo. Vou comer o bacalhau, mas o local aqui é famoso pelo lagostim. Você deveria experimentar.

Estávamos sentados no centro do restaurante. Estava cheio e havia um zunzunzum amigável. Porém, aquilo não me impediu de me sentir pouco à vontade.

— Por que você não tira a jaqueta? — Archie perguntou, estudando o cardápio.

Pensei no vestidinho preto que usava por baixo e, então, olhei para os demais clientes, que estavam adequadamente vestidos para uma refeição de peixe com fritas — isto é, que não usavam um vestidinho preto com mules delicados.

— Estou com um pouco de frio — disse a ele, dando uma estremecida básica enquanto sentia as glândulas sudoríparas das minhas axilas acelerarem a produção. Estava um forno ali dentro.

— Então você não é muito aventureiro com comida? — perguntei, depois que fizemos o pedido.

— Do que você está falando? Adoro comida — ele protestou. — Só não gosto de nada estrangeiro, só isso.

Gargalhei alto de verdade. Não tenho certeza se ele também riu. Eu estava sentindo calor demais para notar qualquer outra coisa, para ser honesta.

Mas isso não impediu que nos divertíssemos muito. Ele me contou sobre sua família. Sobre o pai, que havia sido capataz na fábrica de brinquedos Matchbox, em Hackney, até a fábrica fechar; sobre a mãe, que ainda era merendeira; e sobre o irmão, que havia estudado enfermagem e com quem ele não se dava há anos. Coisas corriqueiras de família, mas a forma como Archie contava fazia tudo parecer fascinante. Ele era um ótimo contador de histórias. Eu me inclinei para a frente, saboreando cada palavra, sentindo que realmente o estava conhecendo.

E sentindo que me apaixonava.

Ele terminou me contando como havia entrado para o negócio das caçambas. Deixara a escola aos dezesseis anos sem fazer nenhum exame de GCSE e arrumara um emprego no depósito de caçambas. Aos dezoito, ele dirigia um dos caminhões e, aos vinte e dois, fez uma oferta de compra ao proprietário. Conseguiu um empréstimo e a Caçambas TK passou a ser Caçambas do Archie.

Incrível, pensei, que risco enorme para se assumir aos vinte e dois anos. Não muito mais velho do que eu, então, mas eu não podia me imaginar chegando à dona da NaturElle e lhe fazendo uma oferta de compra.

— Eu estava contando à minha amiga sobre o seu trabalho — eu disse a ele. — Ela achou que era algo bastante incomum.

— Não tão incomum quanto essas garotas que lambuzam estranhos seminus com óleo grudento e esfregam suas partes íntimas por uma hora, com música de baleia tocando ao fundo.

— Rá, rá. Você não estaria tirando sarro se eu lhe aplicasse uma das minhas massagens especiais — eu disse.

— Curioso você dizer isso. O que vai fazer mais tarde?

— Lhe aplicar uma das minhas massagens especiais?

Terminamos rapidamente, voltamos para o meu apartamento e ficamos lá até a manhã seguinte, quando era hora de eu ir para o trabalho e dar a estranhos seminus um pouco do que dera a Archie na noite anterior. Mas só um pouco, veja bem. Não quero que você tenha uma impressão equivocada do tipo de serviço de massagem que normalmente eu oferecia.

Três meses adiante, outro encontro com Archie. Ele iria me levar ao cinema. Podia ser uma noite com os mendigos embaixo da ponte e eu teria me divertido mesmo assim. Pois é, eu já havia ultrapassado o estágio de estar me *apaixonando*. Eu já estava totalmente apaixonada: era pra valer.

O telefone tocou quando eu estava me arrumando. Era Archie.

— Me desculpe, mas vou ter que te dar o cano, meu bem.

— Algum problema? — perguntei ansiosamente, pensando em crises familiares ou sei-lá-o-quê.

— Não, está tudo bem. Só trabalho. Uma reunião chata que pensei que pudesse evitar, mas não posso.

— Reunião? — perguntei, surpresa. Sobre o que as pessoas do ramo de caçambas tinham que fazer reuniões? Imediatamente pensei em Simon, o traidor mentiroso, e minha desconfiança disparou.

Mas aí ele me deu detalhes. Todas aquelas coisas a respeito de autorizações municipais e licenças de uso das calçadas eram tão complicadas que não era possível que ele estivesse inventando. Quando desliguei o telefone, senti mais pena dele por ter que passar a noite com um bando de vereadores rígidos do que de mim. E, na verdade, eu estava até feliz por passar uma noite calma em casa. Nós vínhamos saindo muito ultimamente e eu estava exausta.

Mas, assim que preparei um café e me joguei em frente à TV, bateram à porta. Provavelmente Kirsty, pensei, querendo açúcar, leite ou sexo lésbico desenfreado. Não, por sorte as coisas estavam tranqüilas novamente com a minha vizinha. Tínhamos nos visto com bastante freqüência desde que nos encontramos na escada. Ruby estava quase sempre com ela, elas eram bastante normais e amistosas, e eu havia conseguido ver que meu constrangimento e embaraço não passavam de uma grande tolice.

Então pulei até a porta, abri e recebi o maior choque da minha vida. Um choque maior do que se *fosse* Kirsty pelada, segurando uma coleção de vibradores tamanho-elefante e cantarolando: "Eu vou te pegar."

— *Emily!* — guinchei. — Que diabos você está fazendo aqui?

Então joguei os braços em volta dela e a apertei quase até matar, o que provavelmente não é do que você precisa depois de um vôo de doze horas desde Tóquio.

— Max sabe que você está aqui? — perguntei, depois de ter arrastado sua mala para dentro, tê-la feito sentar e preparado uma xícara de chá para ela.

Ela balançou a cabeça. Tinha começado a chorar e estava com muita dificuldade para falar, e eu ainda me perguntava que raios havia acontecido.

— Ele viajou a negócios — ela choramingou entre fungadas. — *De novo*. Para Manila, desta vez. Ele queria que eu fosse com ele, mas, sinceramente, por que diabos eu iria fazer isso? Para segurar a mão dele? — Ela, subitamente, havia redescoberto seus poderes de fala. Sentei no sofá ao seu lado e me preparei para escutar. — Ele não precisa de mim, Dayna. Sou apenas uma inútil peça sobressalente. Vivo infeliz o tempo todo, não tenho nenhum amigo de verdade... Não tenho absolutamente *nada* para fazer. E, se eu reclamo, ou ele tenta pensar em coisas para eu fazer, o que é extremamente condescendente, ou fica bravo e me diz que eu não entendo a pressão que ele sofre.

Escutei e tentei consolá-la, mas o que podia dizer? Eu concordava totalmente com seu ponto de vista e aí estava o problema. Se eu lhe dissesse: "Meu Deus, o Max é um filho-da-puta mesmo", o que aconteceria quando ela, inevitavelmente, mudasse de idéia e se reconciliasse com ele? Era um caso difícil. Mas, na verdade, não importava que eu não soubesse o que dizer, porque ela não estava em condições de ouvir conselhos. Ela só queria desabafar.

— Sabe o que é mais estúpido em tudo isso? — ela balbuciou. — Antes da oferta do Japão, eles queriam que ele fosse para Nova York. Nova *York*! Eu teria adorado lá, eu sei que teria.

— O que aconteceu? — perguntei. Era a primeira vez que eu ouvia sobre Nova York.

— Ele recusou! Por *minha* causa. Eu fiz um comentário estúpido uma vez a respeito de noventa por cento dos americanos não terem passaporte e que nós deveríamos retribuir o favor boicotando todos eles. E ele me levou a sério! Até parece!

Bem, acho que Max deve ser um total e absoluto imbecil, então. Como ele poderia pensar que a garota que boicotava tudo, de peles a atum enlatado, não estivesse falando sério sobre fazer a mesma coisa com relação aos americanos?

Uma vez mais, fiz a coisa certa e fiquei de bico calado.

Emily tinha muitas coisas a dizer sobre Max e apenas deixei-a soltar tudo sem emitir nenhuma opinião. Ela me disse que ele era egoísta, obcecado pelo trabalho e totalmente movido pelo dinheiro. Eu poderia ter-lhe dito isso séculos atrás, mas foi melhor que ela tivesse chegado a essas conclusões por si só, você não acha?

— Bem, você não deve se preocupar com nada disso agora — eu disse a ela, soando um pouco como sua mãe. — Vou lhe preparar um banho quente e você poderá ficar aqui quanto tempo quiser.

— O quê? Você quer dizer que ainda não arrumou uma companheira de apartamento? — ela quase gritou, soando muito como meu pai. — Está jogando fora todo o dinheiro que o seu pai lhe deu com aluguel! Jesus, quando é que você vai começar a agir com responsabilidade, Dayna, e amadurecer?

Saí arrogantemente da sala e preparei um banho para ela, mostrando-me madura o suficiente para resistir à tentação de acrescentar um pouco da espuma para banhos de ácido sulfúrico que mantinha no armário do banheiro para momentos como aquele.

Levou dois dias para Max rastreá-la. Desconfio que ele soubesse o tempo todo onde ela estava e que tenha decidido deixá-la em paz por um tempo. Dado o estado em que ela se encontrava ao chegar, eu provavelmente teria feito o mesmo.

Quando atendi o telefonema dele, ela gritou: — Diga a ele que eu não estou — numa voz suficientemente alta para chegar a Tóquio sem a ajuda da tecnologia telefônica.

— Diga a ela para atender o telefone — foi a resposta de Max sem que eu dissesse uma palavra sequer. Ela falou com ele, é lógico, e embora tenha começado a conversa como Emily, a Rainha do Gelo, no final já estava falando sentimentalês fluente. — Eu te amo tanto, Max, também quero ficar com você para sempre, nada se colocará entre nós de novo, nunca mais, blá, blá, blá, *blaaaarrrgghhh*! — Se eu tivesse um saco de vômito, já o teria enchido duas vezes antes de ela desligar. Jurei ali mesmo, naquele instante, que, ainda que chegasse a ficar tão enlouquecida por Archie, jamais me permitiria falar como um cartão meloso de Dia dos Namorados.

— Então, você vai voltar para lá? — perguntei, quando ela finalmente desligou, tendo conseguido fazer com que a despedida levasse mais tempo que o resto do telefonema.

— Nananinanão — ela disse, sorrindo.

— Mas e tudo isso que você disse? Parecia que ia tomar o primeiro avião para lá.

— *Au contraire*, minha querida. É Max quem vai tomar o primeiro avião. Ele vai largar tudo e voltar. Por *mim*!

Eu me lembrei de como o apartamento havia parecido grande e vazio quando Emily fora embora pela primeira vez. É engraçado, não é, como a gente se acostuma a uma nova situação sem nem sequer se dar conta? Durante os últimos meses, eu havia conseguido me espalhar e preencher todos os espaços disponíveis. Havia chegado a gostar de morar sozinha.

Agora que minha melhor amiga estava de volta, eu estava... *odiando*. Deus, eu nunca havia percebido como Emily era bagunceira. Roupas por toda parte, comida que nunca era colocada de volta na geladeira, maquiagem espalhada pelo banheiro, em vez de arrumada em uma bolsinha em cima da pia, como a minha. Não me leve a mal. Era maravilhoso vê-la novamente. Eu tinha sentido muita saudade dela e não queria brigar por causa de algo bobo como calcinhas penduradas no box. Conseqüentemente, passei tanto tempo mordendo a língua que me surpreende não ter tirado sangue.

Estava me queixando sobre isso com Suzie, numa noite em que fui à sua casa para uma visita.

— Faz quanto tempo que ela voltou? — ela perguntou.

— Parecem dois anos, mas só passaram duas semanas! Juro, é melhor que Max se mexa e encerre logo tudo por lá ou pode ser que a encontre morta quando chegar em casa.

— Você vai sobreviver, Dayna. Por que você não se dá um descanso e fica um pouco mais na casa do seu namorado? Alfie, não é?

— Archie — eu disse a ela, sentindo-me mais animada instantaneamente. Não podia acreditar como estava me sentindo de bem com a vida. Apesar de ter passado muito tempo colocando o papo em dia com Emily nos últimos quinze dias, ainda havia conseguido ficar bastante com Archie. Estava começando a achar que ele sentia por mim o mesmo que eu sentia por ele.

— Quando é que vamos conhecê-lo? — Suzie perguntou. — Seu pai está curiosíssimo. Ele ainda o vê como o estranho que beijou sua garotinha no casamento dele. Acho que você precisa tirá-lo dessa ansiedade, mostrar a ele o cara legal que você arrumou.

— Vou trazê-lo aqui muito em breve — eu disse. — A propósito, onde está o meu pai?

Olhei para o relógio. Tinha que acordar cedo para ir trabalhar no dia seguinte e não podia ficar ali para sempre.

— Boa pergunta — ela disse, franzindo levemente a testa.

— Algum problema?

Eu me lembrei de como meu pai havia estado tenso antes de eles viajarem para a lua-de-mel. Embora não o tivesse visto muito desde que eles voltaram, ele parecera mais alegre e eu havia deduzido que tudo estava de volta ao normal. Mas agora Suzie me deixara preocupada.

— Não, nenhum problema — ela me disse. — Você conhece seu pai. Ele gosta de sair por aí. Mas ele é bem grandinho. Não tem que me dizer onde está nas vinte e quatro horas do dia.

— Tenha dó, Suzie, não me venha com essa — eu disse. — Eu sei bem como é meu pai. Mas ele não pode mais viver a vida como solteiro. Se ele fez alguma coisa...

— Não seja boba — ela disse com um aceno desdenhoso da mão. — Está tudo bem. Seu pai tem sido um amor.

— É bom mesmo, caso contrário, vou matá-lo. — Eu mal podia acreditar que estivesse me atirando em defesa de Suzie daquele jeito, mas ali estava. — Alguma coisa está acontecendo, Suzie — eu disse. — Posso notar.

Ela suspirou com força. — Para ser honesta, seu pai *tem* estado um pouco... diferente desde o nosso casamento. Um pouco irritadiço. Você pôde ver pessoalmente, naquele dia em que partimos. Ele me diz que vai sair para um drinque rápido com os rapazes e, então, só volta para casa de madrugada. E eu sei que ele vai ao cassino porque conheço umas das garçonetes de lá. Eu não ligo. Como eu disse, ele é bem grandinho. E, antes de nos casarmos, costumávamos fazer isso o tempo todo. Mas este é o problema: nós fazíamos isso *juntos.*

— Você conversou com ele sobre isso?

— Eu tentei, mas ele não quer se abrir.

— Bem, ele não disse nada para mim — eu disse a ela. Queria tranqüilizá-la de que eu não sabia de nada que ela não soubesse. E, por mais que eu amasse meu pai, estava furiosa com ele. Esse comportamento dele se parecia muito com o antigo, pré-Suzie. Bom para um homem solteiro, mas ele havia aberto mão do direito de se comportar com egoísmo. E agora que eu pensava a respeito, como ele se atrevia a me dar sermão sobre agir com responsabilidade?

— Ele lhe contou sobre seus ganhos? — Suzie perguntou, baixinho.

Balancei a cabeça e engoli em seco, sentindo o que viria pela frente.

— Ele perdeu a metade em uma noite de jogo.

— A *metade*? — engasguei. Mesmo depois do que ele já havia gasto e do que me dera, ainda havia mais de cinqüenta mil.

— E tem mais, infelizmente — ela continuou. — Ele voltou na noite seguinte com a outra metade, determinado a recuperar o dinheiro, e... Bem, você pode adivinhar o que aconteceu.

Senti a cor se esvaindo do meu rosto.

Ficamos em silêncio por um tempo. Ela parecia pensativa. Eu me sentia péssima. Quando ela aparecera em nossas vidas, eu estava convencida de que era uma caça-fortunas. Bem, mesmo que fosse, ela jamais teria tido a chance de deixá-lo sem dinheiro. Ele havia provado ser perfeitamente capaz de fazer isso sozinho.

— No entanto, é só dinheiro, né? — Suzie disse, por fim. — E, como ele mesmo vive dizendo, não está nem um pouco pior agora do que antes de ganhar. Olha, me desculpe, Dayna. Eu realmente não deveria ter incomodado você com tudo isso. Os homens são criaturas estranhas, na melhor das hipóteses. É provável que ele só esteja passando adiantado pela crise dos sete anos de casamento para já ficar livre ou coisa parecida. — Ela riu, mas apenas com os lábios. Seus olhos não estavam sorrindo nem um pouco.

Na manhã seguinte, não acordei com o melhor dos humores e, quando cheguei ao trabalho, as coisas pioraram ainda mais. Eu já vinha me enchendo com o trabalho há algum tempo, mas naquele dia foi como se tudo estivesse conspirando contra mim.

Começou com a máquina de cera. Juro que verifiquei o controle da temperatura duas vezes. O termostato devia estar com problemas, no entanto, porque, quando comecei com minha primeira cliente, a temperatura estava alta quase o suficiente para cozinhar sua perna. Senti pena dela, mas ela reagiu de forma exageradamente drástica. Em vez de dizer: "Ai, está um pouco quente demais", ela pulou da mesa e gritou a plenos pulmões. E, com todo aquele escândalo, não foi nenhuma surpresa que as duas garotas que estavam esperando lá fora tivessem, repentinamente, se lembrado de outros compromissos e ido embora.

E não parou por aí. Uma mulher com as mãos listradas de laranja veio reclamar que suas mãos estavam listradas de laranja. Eu havia feito um bronzeamento com spray nela no dia anterior e, sim, eu lhe dissera, especificamente, para evitar se lavar nas próximas doze horas porque a água poderia afetar a cor.

— Você não me disse nada disso — ela protestou quando a lembrei. — E, de qualquer maneira, como você espera que as pessoas não se lavem? — ela continuou, tirando os sapatos para me mostrar os pés listrados de laranja.

Eu tinha *certeza* de que a avisara e também de ter dado o folheto que informava sobre a regra de não se lavar, em letras pretas garrafais. Eu sempre repassava a rotina de cuidados com as clientes, fazendo uma brincadeira a respeito para que não pensassem que eu estava defendendo a sujeira... Ou talvez, apenas talvez, eu tivesse me esquecido de dizer isso a ela. Minha concentração vinha vacilando muito nos últimos tempos. Eu simplesmente não sabia.

— A loja de departamentos John Lewis fica a duas estações de metrô daqui. O departamento de luvas fica no térreo — ofereci. — Se isso falhar, você ainda pode se candidatar a próxima garota-propaganda do Tang. — Não, eu não falei nada disso, mas desejei ter falado, ao vê-la sair feito um tufão.

— Eu trabalho com relações públicas, sabia? O *Daily Mail* adoraria essa história — foi seu golpe de despedida.

Vivien, a gerente, não se impressionou, e eu recebi minha primeira bronca na NaturElle. Que não foi nada ecológica!

As coisas pioraram depois do almoço, quando a secretária mais depressiva do mundo se aboletou na minha poltrona. Era como fazer limpeza facial em um bilhete de suicídio. Sei como você se sente, eu queria dizer a ela. Consolei a mim mesma com a idéia de passar uma noite com Archie. Até que ele telefonou para dizer que havia outra reunião com os vereadores naquela noite. Disse a ele para não se preocupar, que eu precisava lavar o cabelo, de qualquer jeito. Se eu tinha que ficar em casa como uma fracassada triste e sem namorado, era melhor que o fizesse com cabelos limpos e brilhantes.

Deu para perceber que eu estava com pena de mim mesma?

Voltei para o meu apartamento na esperança de receber consolo por parte de Emily. Encontrei-a no chão da sala de estar, mandando beijos pelo telefone para você-sabe-quem. Pilhas de roupas e lingeries suas estavam espalhadas no sofá e havia latas de refrigerante vazias e embalagens de doces dispostas ao seu redor, no carpete. Dei meia-volta e saí de novo pela porta. Ela nem percebeu.

Fiquei na frente do apartamento respirando fundo, tentando me acalmar. O.k., eu havia tido um dia horrível, mas aquilo não era motivo para descontar na minha melhor amiga no mundo inteiro. Mas, ao pensar nisso, comecei a entender que sua posição privilegiada como minha melhor amiga no mundo inteiro a tornava exatamente a pessoa com quem eu deveria desabafar.

Estava prestes a entrar novamente e lhe dizer os diabos quando Kirsty e Ruby saíram de seu apartamento.

— Que foi, Dayna? — Kirsty perguntou. — Perdeu a chave do apartamento ou coisa parecida?

— Não, só estou recuperando o fôlego antes de entrar — eu disse, tentando sorrir. — A propósito, você sabia que a Emily voltou?

— Difícil não perceber, — Ela riu. — Ela entra e sai pra caramba, aquela lá. Também não gosta muito de fechar a porta em silêncio, né?

— Desculpe. Não vai demorar muito aqui. Max voltará logo para nos salvar.

Ela gesticulou com a mão, como se dissesse que não tinha importância. Tão sossegada aquela menina, eu pensava. Que legal da parte dela não fazer estardalhaço! Eu não poderia ter desejado uma vizinha melhor. Como pude ter me sentido tão incômoda a respeito dela? Porque, Deus, se você vai ter uma transa bêbada e experimental com uma garota, não poderia ser com alguém melhor que Kirsty. Não que houvéssemos, definitivamente, tido uma transa bêbada e lésbica. Eu não conseguia me lembrar, não é? De qualquer maneira, simplesmente estava feliz que tudo estivesse bem entre nós.

— Nós vamos ao Raglan — ela disse, quando se encaminharam para a escada. — Quer vir?

Minha reação instintiva era dizer não, mas então pensei um pouco naquilo. *Lá fora* havia um pub com cantos e esconderijos legais e uma atmosfera tranqüilizadora e amistosa, ao passo que, *ali dentro* havia um apartamento cheio das tralhas de alguém, com esse alguém junto.

— Adoraria — respondi, correndo atrás delas.

Encontramos com facilidade uma mesa de canto. Kirsty e eu nos sentamos enquanto Ruby foi buscar a primeira rodada.

— Obrigada por ter me convidado, Kirsty — eu disse. — Não poderia encarar outra noite com Emily e sua bagunça. Vou ter que dizer alguma coisa para ela.

— Ei, você não está pensando em discutir e nunca mais falar com ela, está? Porque, se estiver, nem pense em vir ao meu apartamento para encher a cara e descarregar suas mágoas e como pretexto para vir com a sua sem-vergonhice para cima de mim de novo. Agora eu estou esperta com você, viu, mocinha!

Mesmo à pouca luz do pub, ela pôde me ver enrubescer. Ela riu do meu constrangimento e disse: — Relaxa, só estou brincando. Então, o que você vai dizer a ela?

— Provavelmente, nada. Ela só é um pouco bagunceira, não é grande coisa. De qualquer modo, não vai ficar lá por muito tempo — eu disse isso tão casualmente quanto podia. Se Kirsty iria agir com tranqüilidade, eu também o faria. O problema é que a Kirsty não só agia com tranqüilidade, ela era tranqüila de verdade, havia nascido com o gene da tranqüilidade. Ao contrário de mim, que claramente havia herdado do meu pai o gene do mau humor, do nervosismo e da suscetibilidade.

Também havia nascido com a mesma incapacidade de esconder sentimentos. Isso ficou comprovado quando Ruby colocou o drinque na minha frente e perguntou: — O que foi? Parece que você está carregando o peso do mundo nos ombros.

— Dayna está tendo problemas com sua companheira de apartamento desordeira — Kirsty explicou.

— Ela é temporária, não é? — disse Ruby. — Essas são as piores. Elas não acham que têm que impressionar com a organização porque não vão ficar por muito tempo. Ela deve estar te enlouquecendo.

— Não, de jeito nenhum — protestei em vão. — Eu adoro ter Emily de volta. Só tinha me esquecido de que ela pode ser um pouco, você sabe, desorganizada. — De repente, eu me senti péssima por falar mal da minha melhor amiga e fiquei desesperada para mudar de assunto. — Enfim, é legal estar aqui com vocês duas — eu disse. — Adoro sair com lésbicas. Elas são tão tranqüilas.

Aaaarrrggh! De onde diabos havia saído aquilo? Questionei quem estava no controle da minha voz naquela noite, pois certamente não era eu.

— Kirsty disse que você era um pouco estranha — Ruby disse com um sorriso. — O que é mesmo que você faz?

— Sou esteticista — eu disse a ela, enquanto abanava o rosto com o porta-copo. — Mas não sei ao certo até quando. Não estou gostando muito do trabalho no momento.

— Sei como você se sente. Eu estou *detestando* meu trabalho — disse Ruby.

— O que você faz?

— Sou assistente social, você sabe, de crianças com necessidades especiais — ela respondeu.

— Ruby tem um patrão dos infernos, e o salário é uma droga — Kirsty explicou —, mas ela recebeu uma oferta para um emprego fantástico.

— Isso é ótimo — eu disse a ela. — Vá em frente.

— É, eu iria. É no melhor centro de Síndrome de Down no Reino Unido. Mas fica em Cheshire. Sem querer faltar com respeito a Cheshire, mas Kirsty não está lá, não é mesmo?

— Ah, mas não tá mesmo — Kirsty confirmou.

— O que você faz quando o emprego dos sonhos e o amor dos sonhos se confrontam? — Ruby perguntou.

— Você opta, querida, você opta — Kirsty disse a ela, colocando a mão firmemente em sua coxa.

— Ah, eu acho que já optei — Ruby disse. E, para não me deixar com a menor dúvida da opção que tinha feito, ela virou o rosto para Kirsty e a beijou. Não um beijo leve na bochecha, mas um completo e absoluto beijo na boca. *Com* língua, ao que parecia.

Caramba.

Eu nunca havia estado num pub com duas garotas fazendo *aquilo* antes.

Rapidamente eu me lembrei de que era falta de educação ficar olhando, então me abaixei para amarrar os cadarços do meu tênis. Assim que cheguei lá embaixo, fui lembrada de que, na verdade, estava usando botas com zíper, portanto, voltei a me erguer e percebi que o beijo havia ficado ainda mais exagerado. O que fazer, para onde olhar? Para ter o que fazer, revirei minha bolsa à procura de nada em particular. Eu não teria me sentido mais constrangida se fosse eu quem Kirsty estivesse beijando... coisa que ela fizera, há não muito tempo; mas pelo menos havia sido na privacidade de seu apartamento e, além disso, eu não estava mais me estressando com aquilo, não é verdade?

Era óbvio para qualquer pessoa que estivesse olhando, de boca aberta (isto é, eu), que aquelas duas garotas estavam apaixonadas e que não davam a mínima para quem soubesse. Eu tinha certeza de que o pub inteiro estava encarando as duas, mas uma rápida olhada em volta provou que eu estava totalmente errada. Não havia uma única pessoa olhando na nossa direção. Fiquei estupefata. Eu devia ter tido uma vida muito protegida, porque era claro que beijos entre garotas era algo a que o mundo inteiro estava acostumado e, aparentemente, já não achava mais graça. Meu Deus, eu precisava sair mais.

Tomei uma decisão. Eu iria dizer a Archie que queria ir a boates da moda e a bares exóticos. Queria freqüentar o Soho e me rodear de travestis louquíssimas e lésbicas beijoqueiras e pessoas com a cara cheia de tachinhas e cabelo multicolorido. E ele iria me adorar por meu senso de aventura e poderíamos falar sobre aquilo agora mesmo, porque ele acabava de entrar no pub.

Hã, por que Archie estava entrando no pub? Ele não deveria estar numa reunião municipal? Ele caminhou até o bar seguido por um grupo de seis ou sete outros caras. Alguns deles estavam de terno e gravata, mas os outros se vestiam de forma mais casual. Casual estilo torcedores baderneiros de futebol, quero dizer: cabelo quase raspado, camisas pólo da Hackett e tênis DM. Havia algo de criminoso no jeito deles. Imaginei que pudessem estar no negócio de locação de caçambas. Afinal, não era um trabalho para molóides.

Mas por que ele havia mentido para mim? Tudo bem, ele não estava entrando com uma louraça pendurada no braço, mas mentira é mentira. Talvez houvesse uma explicação inocente. Ou talvez ele fosse simplesmente um mentiroso filho-da-puta. Decidi que a melhor tática seria me abaixar e observar discretamente da minha mesa de canto para ver se conseguia entender o que estava acontecendo.

— Archie, aqui! — gritei antes que pudesse me controlar.

Não acho que ele teria ficado mais perplexo se realmente estivesse com uma loura pendurada no braço. Ele ficou paralisado por um momento, então recuperou a compostura, forçou-se a sorrir e veio até onde eu estava.

— Que surpresa boa! — ele disse, e eu realmente quis acreditar que ele estivesse sendo sincero.

— O que você está fazendo aqui? — perguntei, tentando fazer a pergunta parecer casual. — Achei que estivesse numa reunião.

— E estou — ele respondeu, ocupando uma cadeira ao meu lado. — Está vendo aqueles caras de terno? Vereadores. Eles estavam tentando nos afogar em burocracia lá na prefeitura. Eu e alguns outros pensamos que seria bom mudar de ambiente. Depois de umas cervejas, acho que eles farão as concessões de que precisamos.

"Parece suficientemente plausível", pensei, observando o barman conduzir os homens por uma porta que levava ao andar de cima.

— Aonde eles estão indo? — perguntei, tentando sem sucesso manter o toque de desconfiança longe da minha voz.

— Não queremos discutir assuntos confidenciais a respeito de eliminação de lixo com gente como você escutando tudo, né? — ele brincou. — Não, eu telefonei com antecedência e pedi ao proprietário que nos deixasse usar uma de suas salas particulares. De qualquer modo, achei que você fosse ficar em casa hoje à noite.

— Eu até que ia — disse a ele —, mas Kirsty me convidou para um drinque.

— Kirsty?

— Você sabe, ela mora no apartamento em frente ao meu.

Eu me virei na direção dela, pronta para apresentá-lo. Por sorte, ela e Ruby haviam parado de se beijar, mas estavam ainda completamente agarradas e o batom de Ruby estava borrado até a bochecha.

— Deixe-me apresentá... — Parei porque Archie havia se levantado de supetão, com uma expressão no rosto que eu não podia decifrar.

— Desculpe — ele interrompeu, não parecendo desculpar-se nem um pouco. — É melhor eu ir, senão eles vão terminar a reunião sem mim. — Ele se inclinou e me beijou no rosto. — Eu te ligo. Amanhã. — E lá foi ele, apressadamente, atrás de seus amigos.

O que o estava incomodando? Alguma coisa claramente estava. Será que ele mentia pra mim? Talvez houvesse outra mulher esperando-o lá em cima. Diabos, talvez houvesse várias mulheres lá em cima e aquele fosse o ponto de encontro secreto das orgias na cidade. Eu não tinha a mínima idéia, e minha confusão devia estar estampada em meu rosto porque Kirsty se separou de Ruby e acariciou meu braço.
— Não se preocupe com isso, minha linda — ela disse. — Nós já estamos acostumadas.

— Acostumadas com o quê? — perguntei, não entendendo nada.

— Homófobos, preconceituosos, chame-os como quiser. Ainda existe muita gente assim por aí.

— Ah, não, Archie não é preconceituoso. Ele é um cara adorável. Só estava com pressa. Está tendo uma reunião com aqueles vereadores que acabaram de entrar — expliquei, tentando fazê-lo parecer muito importante, alguém relacionado ao Parlamento, e não um homem que estivesse prestes a subir correndo a escada para transar porcamente com múltiplas parceiras.

Kirsty e Ruby balançaram a cabeça para mim e riram. Qual era a graça? Talvez elas soubessem quem ele era. Que ele era o Archie em pessoa, das Caçambas do Archie.

— Qual é a piada? — perguntei.

— Você acha que aqueles caras são da prefeitura? — disse Ruby.

— Sim... Por que não seriam?

— Eu trabalho para a Prefeitura de Camden. Acho que conheço o tipo.

— E de que tipo eram eles?

— Preconceituosos — Kirsty disse, respondendo pela namorada.

— Olha, Archie *não* é um cara preconceituoso — protestei. — Ele é totalmente "cada um na sua".

— Ei, não leve isso para o lado pessoal. Não é como se ele fosse seu namorado ou algo assim... — Ela parou de falar ao perceber a expressão no meu rosto. — Espere um pouco, ele é seu namorado, não é?

Assenti fracamente.

— Ups, eu e minha grande boca americana. Desculpe. É melhor eu ir buscar as bebidas. Mesma coisa, meninas?

O assunto de Archie não surgiu novamente.

Várias semanas depois, tendo completado seu aviso prévio, Max chegou. Emily achou profundamente romântico o fato de seu ambicioso namorado ter largado tudo quando estava no auge da carreira, e que aquilo significava que eles estavam destinados a ficar juntos.

Eu achei que apenas provava que ele era completamente incapaz de fazer qualquer coisa sem que ela segurasse sua mão, mas o que eu sabia?

Ele veio do aeroporto direto para o apartamento, largando suas malas no meio da sala de estar e se atirando sobre Emily. Parecia *O Regresso de Lassie*. Não, era mais como *O Regresso de Lassie depois de um Ano sem Comer e Encontrando um Saco Inteiro de Ração Espalhado no Chão da Sala.*

Fui para a cozinha porque entendia a necessidade de "espaço" de um casal e porque sou discreta pra caramba.

— Quando vocês dois tiverem terminado de espancar um ao outro, querem um sanduíche? — gritei pela porta.

Nenhuma resposta.

Eu me perguntei se deveria convidar Kirsty e Ruby para sair e tomar alguma coisa. Pelo menos elas faziam pausas ocasionais para conversar, enquanto se devoravam mutuamente.

Eles deram um tempo para respirar, por fim, e então nós três conversamos. Ou melhor, Emily e eu ouvíamos enquanto Max falava. Ele estava gozando de algo chamado licença de jardinagem.* Levei alguns minutos para perceber que não tinha nada a ver com plantas e cercas vivas e, por sorte, não soltei um: "Mas, Max, você não tem jardim no seu loft modernoso em Clerkenwell."

Max nos contou que tinha grandes planos. O fato de ele não trabalhar nos próximos seis meses lhe daria tempo para reinvestir os zilhões que havia ganhado no Japão e transformá-los em megazilhões. Aparentemente, isso significava encontrar a empresa iniciante certa, uma que precisasse de uma injeção de capital inicial e blá, blá, blá...

Olhei para Emily para ver se ela estava tão distraída quanto eu, mas seus olhos estavam arregalados, brilhantes e luminosos. Jesus, o que ele tinha feito com ela? Não teria me surpreendido se ela tivesse tirado uma cópia do *Financial Times* da bolsa e começado a cotar preços de ações ou coisa parecida.

Não que eu quisesse mudar de assunto nem nada, mas... — Você vai voltar para o seu apartamento hoje à noite? — perguntei a Max tão casualmente quanto podia.

— Não, vamos ficar aqui, se você não se importar — Max me disse, como se eu tivesse escolha. — Meu apartamento está vazio há tanto

---

* Em inglês *gardening leave* é uma cláusula contratual de não-concorrência que estabelece o pagamento de salários e bônus equivalente a um período (de seis meses, em média) durante o qual o executivo se compromete a não trabalhar para uma empresa concorrente. O termo é uma referência bem-humorada à aposentadoria, quando muitos profissionais se dedicam a hobbies como, por exemplo, a jardinagem (*gardening*). (N.T.)

tempo que os faxineiros provavelmente levarão o dia inteiro e a noite inteira para deixá-lo habitável.

"Teria matado Emily ir até lá com uma flanela de tirar pó e uma lata de lustra-móveis?", pensei.

Fiquei de boca fechada e me consolei com o fato de que seria apenas mais uma noite. Eles iriam embora no dia seguinte. E, realmente, já não era sem tempo.

Archie apareceu quando Max e Emily colocavam suas malas num táxi. Nós tínhamos nos encontrado bastante desde a noite em que ele aparecera no pub e quaisquer pensamentos desconfiados que eu tivesse acalentado haviam desaparecido no encontro seguinte, quando ele insistiu em me contar cada detalhe sórdido de suas negociações com a prefeitura. Sinceramente, era tão chato que não poderia ter sido inventado.

Ao apresentá-lo a Emily e Max, eu me dei conta de que era a primeira vez que ele conhecia um amigo meu e, também, que eu não havia conhecido nenhum amigo dele. Bem, nós estávamos tão encantados um com o outro que não tivéramos tempo para mais ninguém. Amor novo é assim mesmo, não é?

Enquanto eles três estavam na sala de estar, olhando um para o outro com constrangimento, eu disse: — Archie, esta é Emily, minha melhor amiga. Ah, e este é Max... Eles estão de saída. — Tentei evitar o tom de triunfo na minha voz ao dizer essa última parte.

Max, instintivamente, estendeu a mão para dar um aperto firme de executivo na mão de Archie. Era minha imaginação ou Archie hesitou por um momento antes de oferecer a dele? Não tive chance de pensar muito sobre aquilo porque Emily, sempre amorosa, se atirou em cima do meu namorado para um abraço.

— Não acredito que não havia te conhecido até agora — ela disse, efusiva. — Dayna me falou tanto de você. É óbvio que você é incrível, porque ela vem andando nas nuvens desde que voltei para casa e não consegue parar de falar de você e...

E assim foi durante algum tempo.

Quando ela finalmente terminou e Archie conseguiu desgrudá-la dele, ele me lançou um olhar vazio, parecido com a expressão de Jack Nicholson no final de *Um Estranho no Ninho*, depois que removeram a metade de seu cérebro. Sim, pensei, ela pode ser um pouco opressora, às vezes. Mas, olhando para ele, percebi que havia mais do que isso, embora eu não conseguisse definir exatamente o quê.

— Vamos indo, Em — Max resmungou. — O táxi está com o taxímetro ligado.

Era hora de dizer adeus. Depois de passar as semanas anteriores furiosa com a presença de Emily, subitamente eu me senti inconsolável. Minha melhor amiga no mundo inteiro estava me abandonando. *De novo*. Nunca fui boa com despedidas, mas Emily era pior ainda. Ela começou a chorar primeiro.

— Meu Deus, olha só para vocês duas — Max disse. — E, de qualquer jeito, conhecendo vocês, sei que irão se telefonar assim que chegarmos em casa.

Homens. Eles não entendem isso de ficar no telefone horas a fio não falando sobre nada, entendem? Se uma mulher fosse esperar até ter alguma coisa para falar antes de ligar para as amigas, bem, ela seria um homem, não seria?

Depois que eles foram embora, fiz café e me perguntei o que Archie teria achado deles. Ele parecera constrangido, mas talvez fosse sempre assim com gente nova — embora tivesse sido totalmente o oposto de constrangido quando me conhecera, no casamento. Talvez simplesmente não tivesse gostado deles. Francamente, eu não ligava muito para o que ele achava de Max, mas era importante que gostasse de Emily. Ela tinha feito parte da minha vida por tanto tempo que era como se fosse uma parte de *mim*.

— E aí, o que você achou da Emily? — perguntei quando me juntei a ele na sala.

— Parece legal — ele disse, não parecendo totalmente convincente.

— Você não gostou dela, né?

— O que te faz dizer isso?

— Ah, sei lá. Você ficou um pouco estranho quando ela disse olá.

— *Olá?* Foi um pouco mais exagerado que isso. Ela é muito expansiva, essa sua amiga. Acho que sou um pouco britânico com relação a essas coisas. De onde ela é, afinal?

— Daqui — eu disse a ele. — Nós estudamos juntas na escola.

— Não, quis dizer de onde é a família dela. Ela é um pouco... escurinha.

— Ah, sim, a mãe dela é mestiça, meio jamaicana, acho. Ou um quarto. Nunca me lembro. Ela é bonita, né?

Ele não respondeu e eu me perguntei em que ele estaria pensando. Talvez ele tivesse gostado dela. Eu estava acostumada àquilo. Emily era maravilhosa e eu nunca conhecera um homem heterossexual que não gostasse dela. Ela tinha uma cabeleira de cachos negros exuberantes e olhos da mesma cor, e lábios cheios e extremamente beijáveis. Não era de admirar que Max não conseguisse manter as mãos longe dela. Eles combinavam, na verdade. Não só ele era inegavelmente bonito, mas também tinha olhos negros e uma pele levemente morena que combinava com a dela.

— É que você pareceu um pouco estranho com eles, só isso — eu disse, preenchendo o silêncio.

— Não gostei muito dele, para ser honesto. Judeu, não é?

— Caramba. Como você percebeu?

— Ah, deixe-me ver... A pele morena, o nariz, e a carreira em finanças internacionais. Eu diria que são indicadores bastante fortes. E ele é mesquinho.

— Como você deduziu isso? — Eu estava espantada. Sim, Max era cuidadoso com o dinheiro, a não ser que estivesse gastando com Emily, mas eu não entendia como Archie poderia ter concluído aquilo.

— Pela forma como ele se preocupou com o taxímetro correndo no táxi. É marca registrada de judeu.

Eu me senti mais que um pouco incomodada com aquilo. — Você não tem nada contra judeus, tem? — Eu ri.

Eu sinceramente esperava que ele atirasse uma almofada em mim e me dissesse para não ser boba e que *Seinfeld* era a melhor série de todos os tempos, o que provava que, além de terem uma mente brilhante para os negócios e de serem incrivelmente hospitaleiros, os judeus também eram as pessoas mais engraçadas do mundo.

Mas ele não fez nada disso. Ao contrário, torceu o nariz e disse: — Eu jamais poderia ser amigo de um judeu. Nunca conheci um em quem pudesse confiar.

Senti que me contorcia. Ele tinha mesmo acabado de dizer aquilo? Qual era o problema com os judeus? Bem, tinha aquele papo de cortar o prepúcio dos bebês, que realmente não dava nem para pensar a respeito... Mas toda cultura tem suas tradições bizarras, não tem? Quer dizer, veja os cristãos (entre os quais, eu me incluía, mais ou menos) bebendo vinho e fingindo que é o sangue de um cara que morreu há dois mil anos. O que pensariam os alienígenas que estivessem de visita aqui? Não, decidi, os judeus não eram nem melhores nem piores que ninguém.

Talvez Archie tivesse tido alguma má experiência com um judeu. Sim, deve ter sido algo assim, decidi. É claro, eu deveria ter perguntado a ele e chegado até o fundo do assunto, mas não o fiz. A coisa toda estava me deixando incomodada e, quando ele quis mudar de assunto, deixei que o fizesse.

— O que você quer fazer esta noite? — ele perguntou.

— Quer ir ao cinema? Tem aquele filme da Meg Ryan que parece interessante...

— Só tem uma pessoa que acho interessante por aqui — ele disse, me agarrando e partindo para o ataque. — Vamos ficar por aqui mesmo.

Brega, eu sei, mas adorei o fato de ele só estar interessado em mim. Além disso, eu tinha ouvido no rádio na semana anterior que ficar em casa era a última moda.

Fomos para a cama e ficamos lá até termos que levantar para ir trabalhar no dia seguinte, e, da forma como ele fez com que me sentisse, não havia outro lugar no mundo no qual eu preferisse ter passado a noite.

Trabalho no dia seguinte. Só existe uma palavra para descrever: *aaaaarrrrrggggghhh!!!*

— Sinto muito, Dayna, mas é a quarta reclamação em quatro dias — minha chefe me disse, parecendo sentir tão pouco quanto era humanamente possível.

— Mas eu não sei do que ela está falando, Vivien. Eu não faço eletrólise em ninguém há duas semanas.

— O que você está dizendo? Que ela está mentindo?

— Não. Sim. Não sei.

— Bem, teremos que esperar até Angie voltar para ver se ela se lembra dessa mulher ter vindo aqui. Espero, para seu próprio bem, que ela não se lembre.

Vivien estava furiosa e ficou claro que ela já havia se decidido. A cliente em questão havia telefonado para dizer que tinha vindo fazer eletrólise e que eu havia queimado tanto seu lábio superior que ela acordara na manhã seguinte com bolhas. Parecia um pouco de conto-do-vigário para mim, porque, para começo de conversa, ela havia deixado passar três dias antes de ligar, e, além disso, ela não estava disposta a vir nos mostrar o dano. Disse a Vivien que estava traumatizada demais para sair de casa e que deveríamos dar a ela um pacote completo de tratamentos (que custaria centenas de libras) ou ela nos veria no tribunal.

Eu já tivera casos de mulheres que tentaram isso. Garotas tentando extorquir uma pedicure grátis ou algo assim, embora nunca tão grave quanto queimaduras de terceiro grau e "vejo vocês no tribunal". Eu me lembrava vagamente da mulher porque ela tinha um nome engraçado (Sra. Annal — eu e Angie tínhamos feito piada com aquilo por um tempão), mas, pelo que eu podia me lembrar, tudo que havia feito fora depilar suas axilas. Quando ela estava indo embora, Vivien havia, muito estupidamente, derramado café na agenda, portanto só podíamos confiar na memória. Agora estava nas mãos de Angie.

Eu queria que tudo se resolvesse ali, naquele instante, mas Angie estava de folga por alguns dias. Ao começar a massagear minha próxima cliente, a coisa toda foi me deprimindo tanto que decidi não esperar que meu futuro fosse decidido pela memória duvidosa de Angie.

Eu já tivera o suficiente: das clientes reclamonas e trapaceiras, de trabalhar num porão, de Vivien, de tudo. Terminei a massagem, encontrei Vivien e me demiti. Ela não soube se ficava horrorizada ou aliviada.

Eu não podia acreditar que meu pai iria fazer cinqüenta anos. A maioria dos meus amigos achava que eu tinha um pai superjovem, moderno e legal, e eu sempre ficara feliz em concordar com eles. Mas *cinqüenta*? A não ser que você seja o Mick Jagger, essa idade não é sinônimo de moderno e legal na opinião de ninguém, tenho certeza.

Suzie havia organizado uma festa surpresa para ele. Ela reservara uma mesa no Thai Palace e me disse para convidar quem eu quisesse. Eu estava ansiosa por aquilo há muito tempo. Sempre gostei de uma festa, adoro comida tailandesa e era uma oportunidade do meu pai e Suzie finalmente conhecerem Archie. Eu convidara Emily e Max também. Ainda que Archie não tivesse exatamente caído de amores por Max (para dizer educadamente), achei que seria legal. Eu pediria a meu pai para colocar Max e Emily em uma ponta da mesa e Archie na outra, e eu me alternaria entre eles. Eu seria como uma celebridade em um daqueles clubes da moda do West End aonde queria que Archie me levasse, e não a Dayna, no aniversário de cinqüenta anos do pai, no restaurante tailandês local.

Archie me telefonou na manhã antes da festa. — Me desculpe, Dayna, mas é a semifinal e eu não posso faltar. Sinceramente, nunca pensei que fôssemos estar juntos até agora e é o maior jogo que já tivemos. Eu jogo com esses caras há dez anos e eles me matariam se eu não aparecesse.

Qualquer um que ouvisse pensaria que ele era o atacante principal do time do West Ham Hotspur (ou sei lá qual) e que eles tinham chegado à semifinal da Premiership Cup (ou seja lá o que for). Mas eu sabia como o futebol era importante para ele e tinha que respeitar. E, por menos interessada que eu estivesse, era o futebol que o mantinha tão em forma, e *isso,* eu adorava.

— Olha, realmente lamento muito e vou sentir falta de você esta noite — ele prosseguiu.

— Sei, sei, deixa pra lá — eu disse, nem sequer tentando esconder minha decepção.

— Por favor, não fique assim.

— Só estou decepcionada, Archie. Tenho estado super ansiosa para que você e meu pai se conheçam direito. Acho que vocês vão se dar muito bem.

— Sinto muito mesmo, mas é a *semifinal*. Se fossem só as quartas de final, eu iria, acredite. Faremos isso logo, eu prometo. Divirta-se hoje à noite, tá?

— Vou comer um lagostim picante por você — tentei brincar.

— Por favor, não faça isso. Eu *odeio* comida tailandesa.

Cara doido. Quem odeia comida tailandesa?

— Odeio comida tailandesa — Suzie sussurrou para mim. — Teria preferido mil vezes um restaurante italiano.

— Por que você marcou aqui, então? — sussurrei de volta, questionando como era possível que tanta gente não gostasse de comidas exóticas e pensando que, talvez, Archie não fosse tão estranho, afinal.

— Hoje é a noite do seu pai e ele adora comida tailandesa — ela explicou.

— Oh, isso é muito gentil da sua parte — eu disse.

Ela sorriu, mas o sorriso parecia tão falso quanto a garçonete de vestido tailandês tradicional que nos recebera na porta. Ela era ruiva e tinha sotaque de Birmingham.

— Venha — ela disse —, pegue seu drinque e vamos fazer um brinde.

Excelente idéia, se quiséssemos erguer nosso copo para uma cadeira vazia. Havia rostos conhecidos ao redor da mesa toda. Os melhores amigos do meu pai, Bill e Brenda, Wayne e Owen e suas esposas, e outros que eu conhecera durante a maior parte da minha vida. Mas nenhum sinal do meu pai. Onde diabos estava ele?

Eu o localizei depois de um momento. Ele estava apoiado no bar, no fundo do restaurante. Ao lado dele, estava a ruiva de Birmingham.

Não acho que estivessem conversando sobre os pedidos, não da maneira como ele se inclinava para sussurrar no ouvido dela e ela jogava a cabeça para rir sedutoramente.

Olhei rapidamente para Suzie para ver se ela também tinha visto a cena. Se tinha, estava tendo muito sucesso em esconder. Ria escandalosamente de uma piada que Bill já havia contado umas dez vezes.

Que raios meu pai estava fazendo? Aquela não era a forma de se tratar a mulher que ele tinha jurado amar para sempre apenas alguns meses atrás. Ela tivera muito trabalho para fazer daquela uma noite especial. Tinha passado pelo inferno para convidar todos os amigos dele e manter tudo em segredo. E depois, havia o vestido novo e o penteado, e eu passara quase a tarde toda fazendo suas unhas e a maquiagem. Quando me levantei para me reunir com Emily e Max no outro extremo da mesa, não me senti nem um pouco como uma celebridade. Apenas me senti triste por Suzie.

— O que está acontecendo entre seu pai e Suzie? — Emily me perguntou quando me sentei ao lado dela. — Eles mal trocaram duas palavras a noite toda.

— Fico tão feliz por você ter dito isso — respondi. — Agora eu sei que não é só minha imaginação.

— Do que vocês duas estão falando? Eles parecem perfeitamente bem para mim — Max disse, franzindo a testa um pouco.

"Idiota", pensei. Não, isso não era justo. Obviamente, é preciso ser mulher para ver essas coisas. Meu pai havia se juntado à Suzie, então. Mas, embora estivessem sentados lado a lado e ambos estivessem rindo, riam de piadas diferentes e seus corpos estavam inclinados para longe um do outro. A Grande Muralha da China poderia ter sido colocada entre os dois e não os teria feito parecer mais distantes. Isto é, para um olhar *feminino* treinado.

— Olhem para eles — Max disse. — Estão rindo, estão se divertindo muito.

— Eles tiveram alguma briga ou coisa parecida? — Emily perguntou, ignorando-o.

— Não que eu saiba, mas ele estava agorinha mesmo cantando aquela garçonete no bar.

— Os homens simplesmente não conseguem se controlar, né? Nem mesmo aqueles que são velhos o suficiente para saber um pouco mais da vida — ela sibilou e, mesmo que fosse sobre o meu pai que ela estivesse falando, tive que concordar.

Max riu, então. — Vocês duas precisam arrumar alguma coisa melhor para fazer — ele disse.

— Do que você está falando? — Emily perguntou, parecendo irritada.

— Prestem atenção ao que estão dizendo. Procuram problemas onde eles não existem. Vocês duas têm tempo livre demais. Deveriam mostrar um pouco mais de ambição. Utilizar suas habilidades para começar a ganhar dinheiro de verdade.

— Você é *obcecado* por dinheiro — Emily disse, golpeando-o no braço.

"Até que *enfim*", pensei, "ela viu quem ele é de verdade".

Mas daí ela estragou tudo. — *Adoro* isso em um homem — ela completou.

Eu me recordei dos dias em que ela discursava sobre a escória capitalista e me perguntei se era possível que fosse a mesma garota que agora olhava distraidamente para Max com cifrões nos olhos. Então questionei se não teria sido aquilo que Archie havia desaprovado em Max: que ele fosse movido pelo dinheiro e nada mais.

Archie estava bem, financeiramente, mas não deixava o dinheiro governar sua vida. Ele tinha outras coisas que o faziam feliz. Como eu, por exemplo. Sim, concluí, eu sempre sabia que cara escolher. Definitivamente, não o futuro bilionário sentado a uma cadeira de distância de mim, mas o cara que não estava ali porque tinha ido participar de um estúpido jogo de futebol.

— Você está me ouvindo, Dayna? — Max perguntou.

— Não — respondi com sinceridade. — O que você estava dizendo?

— Tive uma idéia. Algo para você e Emily pensarem a respeito. Algo que fará com que vocês mexam esse corpo preguiçoso e, de quebra, ganhem um pouco de dinheiro para nós todos.

— Não somos preguiçosas! — Emily ladrou, batendo nele de novo. — Só estamos dando um tempo enquanto decidimos o que fazer a seguir.

— O que você tem a ver com isso, de qualquer maneira? — bufei.

Quem ele achava que era? Meu pai? (Que, a propósito, parecia definitivamente embriagado a essa altura e havia se arrastado até o outro lado da mesa para se sentar ao lado da melhor amiga de Brenda, Diane, a qual, dentre todas as mulheres emperiquitadas na nossa mesa, era a que, por acaso, exibia o maior decote.)

— Eu já te falei — ele disse, como se estivesse se repetindo pela qüinquagésima vez (o que provavelmente estava): — Tenho dinheiro para investir e tenho uma proposta para vocês du...

Ele se calou quando uma colher foi golpeada fortemente na mesa. Bill estava se levantando. Era hora do discurso.

— Hora de brindar ao aniversariante — ele anunciou. — Suzie, você gostaria de fazer as honras ou faço eu?

— Vá em frente, Bill — ela disse, obrigando seu rosto a sorrir novamente. — Estou alegrinha demais para dizer coisa com coisa.

Alegrinha ou furiosinha?, perguntei com meus botões.

— Está bem, mas não acredito que eu esteja fazendo isso outra vez — Bill começou. — Quer dizer, eu fiz o discurso como padrinho no seu primeiro casamento, Mikey, o discurso como padrinho no seu segundo casamento e, agora, estou de pé aqui no seu qüinquagésimo aniversário. Você poderia enjoar de me ver. — Pausa para risadas, as quais ele recebeu. — Em todo caso, acho que seu qüinquagésimo ano deve ser o melhor de todos. Justamente quando você achava que estava tudo acabado, conseguiu arrumar uma excelente esposa. Um brinde a você, Suzie. Você fez com que nosso amigo rejuvenescesse alguns anos — Ele parou novamente para olhar para Suzie, que não estava mais sorrindo. Estava ocupada demais olhando para o braço do meu pai, que, de alguma forma, havia se pendurado nas costas da cadeira de Diane. — Seja como for, não vá ficando satisfeito demais. Lembre-se de que, daqui para frente, é só ladeira abaixo. — Pausa para mais risadas, então, o encerramento: — Um brinde ao melhor amigo que um cara poderia pedir a Deus. Mike Harris!

Todos erguemos os copos. Eu também ergui as sobrancelhas, mas meu pai não estava olhando. Ele só tinha olhos para os peitos de Diane.

Quando Bill sentou, Suzie se levantou rapidamente e Brenda a acompanhou. Será que haveria outro discurso? Não, elas se viraram e se dirigiram ao banheiro. Pelo tremor no queixo de Suzie, desconfiei que meu esmerado trabalho de maquiagem estivesse prestes a ser destruído.

Max, como era de se esperar, não percebeu nada disso. Ele tentou retomar o assunto onde havia parado. Seu sermão iria ter que esperar, no entanto, pois eu tinha que salvar um casamento. Eu me levantei e marchei até a ponta de mesa onde meu pai estava. Agarrei-o pelo braço e o arrastei até o cubículo da chapelaria, na lateral do restaurante.

— O que é isso, Dayna? — ele disse com a voz arrastada, tentando focalizar meu rosto. — Veio dar um abraço de aniversário no seu velho?

— Cale a boca, pai — retruquei. — Que diabos você está fazendo? Suzie está no banheiro chorando por sua causa.

— Está? Por quê?

— Porque você está se comportando como um suíno. Ver você dando em cima daquele decote em forma de gente é asqueroso. Quem você pensa que é?

— Qual é o seu problema? — Ele deu uma risadinha. — Você nem mesmo gosta da Mitzy.

— É *Suzie* e, para sua informação, eu gosto, sim. Mesmo assim, isso não vem ao caso. Ela é sua esposa. Mostre um pingo de respeito por ela. Vá até lá e seja *gentil* com ela.

Ele assentiu.

— E mantenha as mãos longe de Diane.

Ele assentiu novamente. Acho que falar estava além de sua capacidade, naquele ponto.

Empurrei-o de volta para o restaurante e o observei ir tropeçando até a mesa.

Eu devo tê-lo impressionado, porque, dez minutos depois, ele e Suzie estavam se beijando e fazendo as pazes no bar. Achei melhor deixá-los à vontade, mas decidi que, assim que ele ficasse sóbrio, teria uma conversa muito séria com ele.

Eu ia ter aquela conversa, ia mesmo, mas foi impossível, já que meu pai estava, então, em Dubai. Ele havia recebido uma oferta de trabalho lá e partiu uma semana depois da festa. Dubai, aparentemente, era a nova Marbella, e hotéis cinco estrelas estavam brotando feito capim. O trabalho era um contrato de três meses para fazer a parte elétrica de algum resort gigante.

— Mas, pai, *Dubai*. Você estará tão longe — eu me preocupara quando ele telefonou para se despedir.

— Sim, mas é uma grana absurda, ainda por cima isenta de impostos. Eu seria louco se recusasse.

De certa forma, eu estava aliviada por ele ir. Eu sabia que precisávamos conversar, mas não estava nem um pouco ansiosa para que isso acontecesse. Disse a mim mesma que eu teria três meses para entender o lado de Suzie antes de cair de pau no meu pai.

Meu pai podia ter desaparecido, mas Simon continuava aparecendo na minha vida como uma assombração. Cerca de uma semana depois que meu pai partiu, ele bateu à minha porta sem avisar, como sempre.

— O que você está fazendo em casa, sua vadia preguiçosa? — ele disse, apoiando-se no batente da porta. — Ainda desempregada?

— Licença de jardinagem — eu disse a ele.

— Você não tem jardim.

— Meu Deus, você não sabe nada, Simon?

— Não muito. Vai lá esquentar a água, então?

Ele passou por mim e se jogou no meu sofá. Estava com uma pilha de revistas no colo. A de cima tinha uma mulher num collant bastante exíguo na capa, mas não era nada disso que você está pensando. Era uma revista de boa forma.

— O que você está aprontando? — perguntei. — Vai ser o próximo Mr. Universo? Você já não deveria ser um Marine a esta altura?

— Que nada! Os Boinas Verdes são umas bichas. Tive uma idéia melhor.

Eu não deveria ter me surpreendido. Simon mudava de carreira mais vezes que a maioria das pessoas mudava de roupa íntima. Mas eu ainda estava perplexa pelo fato de ele estar jogando fora todo o esforço empregado. E quanto a mim? Os eternos formulários a preencher, a ajuda com seus malditos questionários, o apoio emocional. Agora eu estava irritada.

— Você é tão inconstante, Simon — ralhei. — Não consegue dar continuidade a nada, consegue? — O que era ótimo, vindo de uma garota que não conseguia manter um emprego por mais de dez minutos.

Mas ele não se ateve àquilo. Em vez disso, disse: — Olha, concluí que, se vou ficar em forma, poderia ao menos ganhar um salário decente por isso. Vou ser personal trainer. — Ele anunciou aquilo com a mesma certeza absoluta que tivera quando me disse que seria um mecânico de alto nível, um gerente de hotel, um consultor de segurança, um Royal Marine...

Suspirei, perguntando-me o que viria a seguir. Cardiologista? Primeiro-Ministro? Dalai Lama?

— Sério, Dayna, eles podem ganhar mais em uma hora do que eu ganho trabalhando a noite inteira na porta de alguma boate suja. E é muito mais seguro porque os clientes não vão armados. Não geralmente.

Ele tinha razão em certo ponto, mas eu não tinha nenhuma fé em sua capacidade de ir até o fim.

— Dá para ganhar uma grana preta. E você pode duplicar isso se trabalhar com celebridades — ele continuou, entusiasmado.

— Incrível — eu disse. — Com certeza você vai descolar algumas, com todas as conexões que tem com pessoas famosas.

Simon não era desprovido de senso de humor. Ele entendia as piadas infames e as de irlandês. Mas não era bom com ironia. — Pois é, enfim, não tenho muita certeza de quanto é o máximo que se ganha — ele disse —, mas, seja quanto for que consigam cobrar, eu tô dentro.

— De onde você tirou essa idéia? — perguntei.

— Bem, Hazel, essa garota que conheço da academia, tem amizade com o gerente e ele disse que, com meu físico, eu poderia facilmente conseguir trabalho como personal trainer.

— Hazel, a garota com quem você está transando?

— Ah, é. — Ele riu. — Eu contei para você sobre ela, não contei? Deus, nem queira saber. A garota é maluca. Ela quase quebrou minha mandíbula na noite passada com aquele gancho de esquerda dela.

— O que você fez com ela para ela te dar um soco? — exclamei.

— O que *eu* fiz? Jesus, por que você automaticamente acha que foi alguma coisa que *eu* fiz?

— Só um palpite. Vá em frente, me conte.

Ele riu. — Foi só *uma* noite. Com Sally. Ela é salva-vidas na academia. Como eu iria saber que elas eram amigas?

Claro, não tinha sido absolutamente nada que ele fizera.

— Então você está se dando bem com o pessoal que trabalha na academia, né?

— É, conheço algumas pessoas bem a fundo. — Pausa para um sorriso sem-vergonha. — Enfim, o gerente disse que eu deveria fazer esse curso de personal trainer que dão na YMCA, então me inscrevi na semana passada.

— Legal, boa sorte — eu disse, com um ar que, eu esperava, fosse de encerramento. Porque, se ele pensava que iria me arrastar junto com ele em mais uma jornada sem sentido a caminho de lugar nenhum, estava completamente enganado.

— Obrigado — ele disse, não captando em absoluto a vibração. — Eu estava pensando se você poderia me ajudar com algumas coisas que preciso saber para os exames. Tem essas coisas supercomplicadas sobre o corpo... Você sabe, grupos musculares e ácido láctico e... Você teve que aprender tudo isso para passar nos seus exames, não teve?

Simon era tão egocêntrico que eu não podia acreditar que ele sequer se lembrasse do que eu fazia, quanto menos do que eu tivera que estudar para meus exames. Estava tão surpresa com aquilo, que me vi afundando no sofá e me deixando sugar.

— O que você precisa saber? — perguntei.

— Bem, você sabe que o troço do coração tem, tipo, dez câmaras, ou seja lá o que for...

Aquilo iria demorar um pouco.

Vi Simon com freqüência nas semanas seguintes. Como eu havia previsto, ele... hã... se esforçou muito para se entender com os estudos. Em nossa primeira sessão, eu desenhei o contorno de um corpo e pedi a ele que marcasse os principais grupos musculares. Eu me recostei e o observei escrever "braço", "perna" e "corpo" ao lado das flechas. Ah, e "bunda".

Mas ele estava animado e se esforçou muito e logo soube distinguir o bíceps do tríceps e mais uma ou duas coisinhas. E eu não me importava de ajudá-lo. Gostava de exibir meu conhecimento sobre o único assunto no qual me sentia especialista, e tinha bastante tempo livre.

Com todo esse tempo sobrando, eu deveria estar me encontrando freqüentemente com Archie, não deveria? Mas não. Nosso relacionamento parecia ter estagnado. Eu não queria tocar no assunto com ele porque não queria parecer pegajosa e desesperada, coisa que não era; eu só gostava tanto dele que queria passar cada minuto do dia com ele, só isso.

— Sinto muito, Dayna, mas acho que ele pode ter outra mulher — Emily me disse numa manhã em que estávamos analisando nossas opções de trabalho, e não assistindo a *Trisha*, como nossa postura jogada no sofá poderia ter sugerido.

— *Hã?* — exclamei. — Como você sabe? Você o viu com alguém?

— Não, mas você tem que admitir que toda essa história de "desculpe, amor, tenho uma reunião da prefeitura, jogo de futebol, blá, blá, blá", não parece nada boa, né?

— Ai, meu Deus, ele não pode estar saindo com outra — gritei. — Eu ficaria arrasada.

— Isso é bem *típico* de você — Emily disse. — É uma repetição do que aconteceu com Chris, só que ao contrário.

— Do que você está falando?

— Chris queria você, então você decidiu que não queria ele. Archie não está morrendo por você, então você morre por ele. Você sempre quer aquilo que não pode ter — ela explicou. — Não sei o que você vê nele, em todo caso.

— Isso não é justo. Você nem sequer o conhece.

— Bem, ele não foi exatamente amigável naquela vez em que o vi, foi? Por que nós nunca saímos juntos?

— Nenhum motivo — menti. — Ele só está ocupado, só isso. Ou saindo com outra mulher. Sei lá.

— Por que você não vai até o apartamento dele e o surpreende, uma noite? Então, quando ele estiver fazendo café ou algo assim, você pode dar uma espiada por lá, ver se descobre alguma coisa.

— Eu *jamais* faria isso! — protestei, e até que fui bem convincente. Omiti por completo que eu havia feito exatamente aquilo algumas noites antes, mas que ele não estava lá. Ela não precisava saber disso, precisava? — Talvez eu devesse enfrentar os fatos — eu disse. — Talvez eu seja sem graça demais para ele. Olhe para mim, nem mesmo consigo outro emprego, quanto mais segurar o melhor cara com quem já estive.

— Isso não é verdade. Você nem ao menos tentou arrumar outro emprego. Vamos, qual é seu problema? Por que você não está lá fora, batendo às portas, sendo proativa?

— Porque minha melhor amiga, a dama do ócio, está sempre aqui assistindo à programação diurna da TV, por isso.

— Bem, hoje estou aqui por um motivo. Há uma idéia que quero discutir. Na verdade, é idéia de Max. Ele tentou mencioná-la na festa do seu pai, lembra? Ele acha que você e eu deveríamos abrir um negócio juntas.

— *Excelente!* — gritei com emoção. — E o que você está esperando? Vá buscar sua meia-calça arrastão e eu vou caçar alguns homens na rua. Mas quero deixar claro desde já: não faço anal.

— Deus, quer parar com esse sarcasmo?

— Bem, de que tipo de negócio você está falando? Que raios eu e você poderíamos...

— Você é uma esteticista formada, não é?

Eu havia me esquecido disso. Já fazia algum tempo.

— Si-im — eu disse, hesitante.

— Ok, bem, eu sei que abandonei a faculdade, mas aprendi algumas coisas. E fiz um curso de reflexologia no Japão, e um curso de unhas que foi absolutamente brilhante. E fiz massagem... você sabe, aquela japonesa. Reiki. E Shiatsu.

— Você fez tudo isso? Achei que você estivesse incrivelmente entediada por lá.

— E estava. Totalmente. Só porque fiz alguns cursos não quer dizer que eu tinha alguma coisa para fazer.

— Então, qual é a idéia?

— Nós abrirmos um salão de beleza juntas. Alto nível, cinco estrelas, luxo de cima a baixo. Quando eu estava em Tóquio, visitei um monte de spas e salões. Eles eram impressionantes, como nada que você já tenha visto. Precisamente o tipo de coisa que Londres está pedindo e...

— Você está completamente louca? — Tive que detê-la antes que ela perdesse totalmente o rumo. — Onde vamos montar um lugar desses? Numa barraca no jardim? Ah, que boba eu sou, nós não temos jardim. Nem barraca. Fala sério, Emily, onde vamos arrumar dinheiro para...

— Com Max, é claro. Ele está doido para investir. Ele realmente avaliou tudo isso.

— Fico feliz que alguém o tenha feito — resmunguei.

— Ele quer mesmo nos ajudar, e não acho que sua atitude esteja sendo muito legal. Você está sendo supernegativa e colocando um monte de obstáculos. Eu mesma estava bastante animada para contar isso para você.

— Me desculpe — eu disse. — Mas você não acha que isso demonstra por que amigos nunca devem abrir negócios juntos? Nós ainda nem abrimos e já estamos discutindo.

— Sim, mas nós vamos ter todas as discussões agora. Quando abrirmos, não haverá nada mais sobre o que brigar. O que você acha?

— Você quer que eu dê uma resposta agora? Ok, que tal: esqueça? É loucura. Você e eu não sabemos absolutamente nada sobre a administração de um negócio. Não vai dar certo, nem em um milhão de anos.

— Eu sabia que você aceitaria. Vou dizer a Max para começar a procurar imóveis.

— Não seja burra. É o *nosso* império de beleza. Se alguém vai procurar imóveis, devem ser você e eu.

— Excelente. Viu só o que arranquei de você?

Eu tinha visto, sim. Pelo jeito, eu estava comprometida.

— Você está muito bem preparado para isso, Simon. Vai se sair maravilhosamente bem, tenho certeza.

Conforme as palavras saíam da minha boca, eu me senti como um disco arranhado. Já não tinha feito aquele discurso antes? Sim, era o mesmo incentivo que eu lhe dera antes de suas tentativas frustradas de entrar para os Marines. E ali estava eu, de novo, enchendo a bola dele às vésperas de seu exame para personal trainer.

— É, eu estou animado mesmo com isso — ele disse, pouco convincente. — E tudo graças a você, sabe?

— Não seja idiota. Foi você quem estudou com tanta dedicação.

— Que nada, eu não poderia ter feito isso sem você. Você tem sido ótima.

Eu me senti aquecer por dentro. Não era sempre que Simon fazia um elogio.

— Você tinha um montão de... hã... outras coisas na cabeça — ele resmungou. — Acho.

— O que você quer dizer com isso, Simon?

Ele ergueu os olhos e me olhou. — Bem, você sabe, seu cabelo está meio descuidado e tudo, e só pensei que você poderia estar com outras coisas na cabeça.

"Bem, muito obrigada", pensei. Meu cabelo estava descuidado porque eu havia passado tanto tempo ajudando Simon que há dias não tinha tempo de lavá-lo. — E que coisas eu poderia ter na cabeça? — perguntei friamente.

Ele deu de ombros e se ruborizou. — Sei lá... Você nunca fala disso, mas não deve ser fácil para você... Sabe, sua mãe ter morrido e tudo mais.

Eu não sabia se ria ou se chorava. Ele nunca perguntava sobre o meu bem-estar, mas agora estava tocando no assunto da minha mãe. Que cara idiota/sensível — na verdade, eu não sabia bem qual dos dois.

Ele se mexeu no sofá, sem jeito, e murmurou: — Achei que talvez você... hã... pudesse... sabe, querer falar sobre o assunto...

Eu me derreti um pouco, então.

— ... porque você não está mesmo com uma cara muito boa — ele acrescentou.

Grande erro.

— Muito obrigada, Simon. E, na verdade, não, não quero falar sobre nada. Não com você, pelo menos.

— Está bem, não precisa se irritar. É que a minha mãe disse que eu deveria perguntar, só isso. Não é nada importante.

— Bem, como eu disse, não quero falar sobre nada — retruquei.

— Jesus, vocês, mulheres. Estão sempre nos enchendo para falar mais; daí, quando damos trela, vocês nos matam por ter tentado. Não podemos ganhar nunca, né?

Os homens simplesmente não entendem a necessidade que uma garota tem de conversar sobre seus sentimentos de forma *sensível* e no momento de *sua* escolha, e, falhando isso, de ter direito a mandar a pessoa que perguntou ir se foder.

— Então, está com saudade dele, Suzie? — perguntei, colocando meus pés sobre o tamborete aveludado novo.

Meu Deus, Suzie havia feito maravilhas na casa. Passou pela minha cabeça que eu deveria voltar a morar lá, em vez de desperdiçar todo meu dinheiro em aluguel. Ela havia trazido meu almoço — um sanduíche de bacon, alface e tomate e uma xícara de chá — e tinha até mesmo colocado tigelinhas de batatas fritas e de azeitonas na bandeja. Aquilo era um paraíso. Sinceramente, quem precisava de *liberdade* e *independência* quando a casa velha de onde você não via a hora de sair havia se transformado num palácio com serviço de copeira?

— Sim, estou sentindo saudade dele — ela disse, removendo o esmalte velho de suas unhas com um chumaço de algodão. — Mas acho que esse intervalo provavelmente lhe fez bem, para ser honesta. Longe dos olhos, perto do coração e tudo isso. Temos conversado quase todos os dias e ele parece muito mais feliz.

— E você? Está bem?

— Eu? Claro, meu Deus! — Ela riu e jogou o cabelo para trás. — Sou uma garota solteira novamente. Estou me divertindo muitíssimo. Almoços com as meninas, dias no spa e todo o resto.

Sua alegria parecia um pouco forçada, mas eu não quis pressionar. Além disso, era meu pai que eu tinha vindo visitar.

— Quando ele vai chegar? — perguntei.

— A qualquer momento. Ele telefonou há um tempão para dizer que havia pousado.

— Antes de ele ir para Dubai, eu estava bastante preocupada com ele... com vocês dois — eu disse, decidindo pressionar um pouco, afinal.

— Pois é, bem... eu também — ela disse. — Ele meio que entrou numa crise, né? Ele não fala sobre as coisas, guarda tudo dentro de si. Ele vai ao cassino só para esquecer, na verdade. E, quanto mais tempo ele passa sem falar nada, mais dramático fica. É tudo por causa da sua mãe, na verdade. Ela foi o grande amor da vida dele, você sabe.

Ah, eu sabia, sim. Mas não parecia certo conversar sobre a minha mãe com Suzie. Não porque minha madrasta não tivesse nada que falar dela, mas porque, bem, não era justo com Suzie, era? O que ela havia feito para merecer toda aquela bagagem emocional?

— Não me entenda mal, Dayna, eu sei que ele me ama — ela disse, parecendo ler a minha mente. — Não sinto que esteja competindo, nem nada assim tão tolo. Perdi minha mãe quando tinha vinte e seis anos, então sei pelo que vocês dois passaram. A gente acha que vai superar com o tempo, mas esses sentimentos nunca nos abandonam, né?

— Esses sentimentos não o impediram de sair transando por aí todos esses anos, não é mesmo? — eu disse, acrescentando rapidamente: — Até você aparecer, claro.

Ela sorriu para mim. — Acho que foram precisamente os sentimentos pela sua mãe que o *fizeram* sair transando por aí — ela disse.

— Como você chegou a essa conclusão?

— Tem a ver com uma fuga, com não encarar as coisas... Olha, não sou psicóloga. Deixo essas coisas para a minha irmã. Realmente tentei fazer com que ele se abrisse, com que conversasse sobre tudo aquilo que está preso dentro dele.

Pensei em todas as vezes que quis conversar com o meu pai e não o fizera. Porque não queria irritá-lo ou, mais honestamente ainda, me irritar. Se não falasse sobre as coisas, as coisas se resolveriam sozinhas ou não?

— Sinceramente, acho que sou a primeira pessoa com quem Michael já conversou sobre seus sentimentos — ela continuou. — Muita coisa ainda está em carne viva. E, se eu o obrigo a desabafar, depois não posso reclamar se ele vier descontar em mim, posso?

— Hã, pode, sim — eu disse. Podia ser do meu pai que estávamos falando, mas ele não tinha direito algum de tratá-la como um capacho. — Não o deixe tratá-la mal, Suzie.

— Ah, não se preocupe comigo. Sou mais forte do que pareço.

Eu não duvidava. Observei-a abrir um vidro novo em folha de esmalte e aplicá-lo em suas unhas recém-limpas. Era um tom vibrante de escarlate, uma cor de boas-vindas para Michael.

— De qualquer forma, chega de falar de mim e do seu pai — ela disse após um momento. — Como vão as coisas entre você e...?

— Archie? Não nos vemos há algumas semanas — eu disse a ela. — Ele tem estado muito ocupado com o trabalho. Ele diz que todo mundo resolveu reformar seus lofts e que todos precisam de caçambas. — Eu tinha me acostumado tanto a dizer aquilo às pessoas ultimamente que era como acionar o piloto automático.

— Bem, você deveria trazê-lo aqui logo, agora que seu pai estará em casa. Eu estava conversando com Wayne sobre ele, outro dia. Você se lembra de que foi ele quem o levou ao casamento? Achei que ele pudesse saber alguma coisa.

— Saber alguma coisa sobre *o quê*? — gaguejei, imaginando a que ela estava se referindo.

— Ah, não me expressei direito, né? Desculpe, eu só quis dizer que estava curiosa. Sou uma abelhuda, na verdade. Desculpe, Dayna, não é da minha conta.

— Tudo bem — eu disse, me acalmando. — E então, o que Wayne disse?

— Ah, nada de interessante. Só que ele parecia ser um cara legal, mas que não o conhecia muito bem. Ele é amigo de um amigo de um...

Ouvimos a chave girar na fechadura e Suzie pulou da cadeira, uma mão sem pintar e a outra se agitando freneticamente para tentar secar o esmalte. Ela nem ligou, no entanto, e correu até o hall para receber o marido.

Meu pai parecia um novo homem. Literalmente, na verdade. Ele estava magro, com o cabelo clareado pelo sol e bronzeado como um árabe. Fazia uma hora que ele havia voltado. O tempo tinha sido gasto em abrir presentes. Pelo jeito, ele tinha gasto todos os seus dólares isentos de impostos em jóias para as duas mulheres de sua vida e nós estávamos faiscando de alegria.

— Você está fantástico — eu disse a ele quando Suzie desapareceu na cozinha. Fazia séculos que não o via tão feliz e saudável.

— Foi ótimo lá — ele disse. — Nunca vi tanto luxo. Tenho que levar vocês duas lá para umas férias. Mas também é bom estar em casa. A gente não dá valor ao que tem até que está a cinco mil quilômetros de distância, não é mesmo?

— Bem, também senti saudade de você, pai.

Ele ficou quieto por um minuto, depois disse: — Me desculpe pelo meu comportamento antes de partir — ele murmurou. — Foi o nervosismo, acho. Sabe, por ser um recém-casado novamente, depois de todos esses anos. Me abalou um pouquinho. — Ele ergueu os olhos e me deu um sorriso. Deus, ele estava bonitão. O bronzeado realmente lhe caía bem. — Você saberá o que quero dizer um dia, Dayna, quando caminhar pelo corredor de uma igreja.

— Eu não contaria com isso — eu disse a ele, melancolicamente. — O único corredor que vou percorrer é aquele dos que têm o sobrenome com a letra H quando for receber meu seguro-desemprego.

— Não fale bobagens. Vai dar certo com esse tal de Archie. E, se não der, você encontrará outra pessoa; e também arrumará um ótimo emprego. Confie em mim, tudo vai dar certo. Para todos nós.

Seus olhos brilhavam e pude sentir o calor de seu sorriso, realmente acreditando nele. Principalmente quando ele escorregou pelo sofá e me deu o maior abraço que eu recebera desde que era uma garotinha.

— Pai, tem uma coisa que eu quero dizer.

— O que é?

— É só que eu, de verdade...

— Aqui está, Michael. Filé com fritas como você nunca viu — Suzie anunciou, saindo da cozinha com uma bandeja sobrecarregada. — Aposto que não te davam isso em Dubai.

E o momento de dizer a meu pai que o amava havia passado. De novo.

Alguns meses depois, no dia 21 de fevereiro, para ser precisa, ocorreu a guinada pela qual eu estava esperando no meu relacionamento com Archie. Lembro a data exata porque era meu aniversário. Nada menos que meu aniversário de vinte e um anos.

Eu havia passado o dia recebendo lindos presentes. Um buquê enorme de Kirsty e Ruby. Meu pai e Suzie tinham aparecido em casa com champanhe e um maravilhoso bracelete de prata que tenho certeza de que não foi meu pai que escolheu. Houve mais flores ainda de Hannah, e Emily apareceu com uma cesta cheia de chocolates caros, velas perfumadas e divinos banhos de espuma. Realmente foi tudo que o vigésimo primeiro aniversário de uma garota *deveria* ser.

A noite seria devotada a Archie. Ele me levaria para jantar em um restaurantezinho italiano em Islington. Não havia nada particularmente incrível nisso, a não ser o fato de ser uma agradável mudança com relação ao peixe com fritas/salsicha com fritas/torta com fritas que ele geralmente comia. Bem no final da refeição, Archie pigarreou e ficou um pouco estranho.

— Hã, Dayna, tenho pensado muito — ele começou.

Ai, meu Deus. Senti que gelava. Ele não vai terminar comigo, né? Ele não pode! *Não no meu aniversário*, gritei por dentro, em pânico.

— Quero lhe pedir uma coisa. Já faz algum tempo que estamos saindo, não é?

— Si-im — respondi lentamente, preparando-me para o pior cenário possível.

— Certo, então, bem, você quer ficar noiva?

Se eu queria ficar noiva?

Será que os bebês choravam? Será que os ursos cagavam na floresta? Será que o amor da Jennifer Lopez realmente não custava nada?

Eu quis sair pulando feito uma doida. Todos os meus temores e paranóias haviam se evaporado em um instante. Eu queria gritar: *Ele me ama! Eu o amo! Eu vou ficar noiva!*

— Hein, Dayna? *Dayna?* No que você está pensando? Porque se você acha que é uma má idéia...

Foi então que percebi que ele estava esperando que eu respondesse.

— Adoraria ficar noiva — eu disse, emocionada. Ele apertou minha mão e sorriu, o alívio se espalhando rapidamente por seu rosto.

Esperei que ele pusesse a mão no bolso e tirasse uma caixinha preta, uma que ele tivesse passado horas agonizando para escolher. Não a caixa, lógico, mas o diamante do tamanho de um Big-Mac dentro dela. Não que eu fosse uma dessas garotas superficiais obcecadas por jóias e que fantasiavam em exibir o tijolo brilhante em seu dedo; eu só queria muito um tijolo brilhante. Apenas algo para marcar a preciosidade da ocasião.

Mas ele não se moveu.

— Maravilha — ele disse, ao contrário. — Você é uma em um milhão, Dayna. Eu e você juntos? Vamos conquistar o mundo.

Nós nos beijamos, então, e eu afastei a diminuta, a minúscula pontada de decepção pela falta de diamantes nos meus dedos. Haveria tempo de sobra para ir comprar um anel, em todo caso. Além disso, toda garota sabe que, a não ser que queira se arrastar novamente até a loja para trocá-lo no dia seguinte, é sempre melhor ir junto com o cara quando ele for comprar um presente para você.

Enquanto ele me levava de carro para casa, tudo que eu queria era passar a noite com ele. Mas não podíamos. Ele tinha que se levantar ao raiar do dia para a entrega urgente de um caminhão novo e eu tinha que me preparar para uma entrevista. Sim, uma *entrevista.* Para um *emprego.*

— Sinto muito por não podermos passar a noite juntos — ele me disse. — Mas quero que a gente se encontre amanhã. Vamos comprar um anel. Eu não iria querer fazer uma coisa errada indo sozinho, né?

AimeuDeus, algum homem poderia ser mais perfeito? Ele era O Escolhido, sem dúvida alguma.

Quando chegamos ao final da minha rua, eu disse: — Você pode me deixar aqui, se quiser.

— Não seja boba. Deixarei você na porta.

— Não, tudo bem, de verdade — protestei. — O apartamento está a menos de cinqüenta metros e nunca há lugar para estacionar.

— São as malditas caçambas — ele sorriu, estacionando na esquina.

Depois de um beijo bastante prolongado, desci do carro e fui para casa. Mas não sem me voltar várias vezes para olhar Archie, que, sempre um cavalheiro, não iria a lugar algum até que me visse chegar à porta da frente em segurança. Eu estava quase lá quando meu celular tocou. Tirei-o da bolsa, olhei a tela e apertei o botão para atender.

— Já está com saudade de mim, Archie? — eu disse.

— Hã-hã — ele respondeu. — Esta noite não deveria terminar agora, sabe?

— Eu sei, mas amanhã não está muito longe.

— Mal posso esperar, amor.

Foi então que aconteceu. Um barulho atrás de mim, um braço me agarrando, apertando com força ao redor do meu peito, uma coisa fria pressionada contra a minha garganta. O pavor me inundou imediatamente e tentei me libertar, mas o braço apenas me apertou com mais força.

— Me dá a porra do telefone, sua vaca, ou corto a porra da sua garganta — uma voz sibilou no meu ouvido. Pude sentir sua respiração quente e úmida na minha bochecha, seu peito pressionado às minhas costas enquanto ele me segurava contra si. Ele imobilizou meu braço direito ao lado do meu corpo, mas o esquerdo estava livre, ainda segurando o celular junto ao ouvido. Eu o estendi e disse: — Leve-o, por favor. Mas me deixe em paz.

Eu sempre havia sido medrosa, mas, honestamente, não soubera o que era medo até aquele momento. Estava cega de medo, congelada de medo, mal respirava. De onde ele tinha saído? O que iria acontecer comigo?

Então ouvi outra voz. — Dayna...? *Dayna!* Que caralho está acontecendo? — Era Archie, ainda na linha. O assaltante me largou, mas não tirou a faca da minha garganta. Continuei congelada enquanto ele me rodeou até me encarar. Olhei para ele pela primeira vez. Um cara negro, não muito mais alto que eu. Quantos anos ele teria? Não tive chance de deduzir porque quando ele estendeu sua mão livre para agarrar meu celular cambaleou para o lado, tropeçando e caindo até golpear um poste.

Levou um segundo para que eu percebesse que a cavalaria havia chegado. Archie tinha vindo correndo do carro e pulado em cima do meu agressor. Fiquei parada e vi, ainda petrificada, os dois se enfrentando. Com um metro e oitenta e três de altura, Archie era maior, mas o assaltante era quem estava segurando uma faca, que agora apontava para Archie.

— Deixe-o ir, Archie — falei com a voz trêmula. — Ele tem uma faca. — O que, agora percebo, era algo bem óbvio.

— Fique aí, Dayna — Archie disse, sem se virar para olhar para mim. — Apenas fique aí.

— Afasta, cara — o assaltante disse com a voz falhando. — Se afasta ou te furo com isto.

Ele sacudiu a faca para Archie, mas meu namorado não iria a lugar algum. — Vá em frente, então, grandalhão — ele rosnou —, experimente.

— Por favor, Archie, deixe-o ir — implorei. Eu só queria que tudo terminasse. Queria que o assaltante se virasse, fugisse pela noite e me deixasse sozinha com meu salvador.

Mas é claro que isso não aconteceu, né? Não, Archie deu meio passo na direção do carinha negro, que imediatamente deu o bote para cima dele com a faca. Levei as mãos aos olhos e gritei, tentando abafar os sons da briga.

Quando finalmente me atrevi a olhar, não pude acreditar no que estava vendo. Eu esperava que Archie estivesse deitado na calçada, sangrando, mas era o assaltante quem estava no chão. Archie em cima dele, chutando-o. No estômago, nas pernas, na cabeça. Seu pé simplesmente voava para frente, conectando-se com qualquer parte do assaltante que por acaso estivesse no caminho. Fiquei olhando, pasma, horrorizada e, tenho um pouco de vergonha de admitir isso agora, exultante. Porque, por mais que eu detestasse qualquer tipo de violência além da simulada no cinema, naquele momento estava contente por ser Archie quem estava em vantagem.

Finalmente, ele parou. Então notei alguma coisa cintilando na mão dele. A faca. Ele também olhou para ela, então a deslizou para o bolso da jaqueta. Atrás dele, o assaltante se levantou cambaleando e se apoiou no poste. Seu rosto estava inchado e ensangüentado. Ele ficou ali por um momento, recuperando o fôlego. Daí se virou e seguiu pela rua, vacilante. Archie não o seguiu. Nós só ficamos olhando, até que ele desapareceu na esquina.

Archie veio até mim, então, e eu colapsei nos seus braços, soluçando. As forças se esvaíram das minhas pernas e a única coisa que me manteve de pé foi seu abraço firme.

— Você está bem, meu anjo? — ele perguntou baixinho. — Ele machucou você?

— Acho que não — resmunguei, entre soluços.

— Vamos, então, vou te levar pra dentro.

Ele passou o braço em volta da minha cintura e me ajudou a chegar à porta da frente do prédio. Quando subíamos lentamente a escada, eu parei.

— A polícia — arfei. — Temos que chamá-la.

— Não precisa.

Como olhei para ele sem entender, ele enfiou a mão no bolso e tirou uma pequena carteira preta. Abriu-a e a levantou. Olhei para o passe de ônibus de estudante que estava por trás da abertura de plástico e, então, para a fotografia no canto — o rosto do meu agressor.

— Aqui está, meu anjo — Archie disse, entregando-me uma caneca fumegante. — Coloquei dois torrões de açúcar. Você está precisando, está em choque. — O destemido homem de aço que tinha salvado minha vida, e que agora era meu *noivo*, havia feito chá para mim. Ele se sentou no sofá e passou o braço em volta de mim. — Não vou deixar você sozinha esta noite, não depois do que aconteceu — ele continuou. — Vou telefonar para o Greg. Ele pode buscar o caminhão para mim. Vou dormir aqui.

Eu me derreti toda em seus braços. Nunca mais queria que ele saísse de perto de mim. Enquanto Archie estivesse comigo, nada poderia me machucar. Eu estava sentindo tantas coisas naquele momento. Ficava enjoada, chorosa e assustada cada vez que pensava no ataque, na faca na minha garganta. Mas também me sentia estranhamente fantástica porque agora estava segura.

— Você é incrível, sabe? — eu disse a ele. — Nós deveríamos chamar a polícia agora. Um animal como aquele não deveria estar solto nas ruas.

— Sei, e o que os policiais vão fazer? — Archie disse, com irritado desdém.

— Vão prendê-lo e...

— E ele se apresentará perante um juiz liberal bunda mole que o condenará a algumas horas de serviço comunitário ou que irá mandá-lo para a terapia porque ele tem "problemas emocionais". Estou lhe dizendo, o sistema está completamente fodido. Onde está a justiça para as vítimas? Aquele degenerado doente poderia ter te matado, Dayna.

Sim, aquele degenerado doente poderia ter me matado. O pensamento me fez explodir em lágrimas novamente. — Jesus, ele *teria* me matado se você não estivesse lá. Aquele desgraçado, desgraçado *filho-da-puta*! — gritei, furiosa. — Qual é o problema com este maldito país, Archie? Por que não podemos dar um jeito nessas pessoas?

— Nós poderíamos se o governo tivesse coragem. Olha, não se preocupe. Aquele merdinha não vai se safar dessa.

— Por quê? Você vai chamar a polícia? — Será que ele estava mudando de idéia?

— É perda de tempo. Não, vou dar um jeito nele. Eu sei onde ele mora, não sei?

— O que você vai fazer? — perguntei, sentindo o medo tomar o lugar da raiva e me lembrando de que ele já havia chutado o cara quase até a morte.

— "Olho por olho", diz a Bíblia. Não há nada de estúpido nisso. Eu e alguns caras com a mesma opinião vamos resolver o caso. Olha, é melhor eu telefonar para o Greg antes que ele vá dormir e pedir para ele cuidar do caminhão.

Ele tirou o celular da jaqueta e, enquanto o observava dar o telefonema, pensei no que ele havia acabado de dizer. Talvez ele estivesse certo. Talvez a polícia e o governo não estivessem fazendo nada para tornar as ruas seguras. Eu nunca havia pensado nisso antes. Mas claramente as ruas não eram seguras, isso eu vira por experiência própria. E, se os políticos não fossem fazer nada, talvez nós tivéssemos todo o direito de tomar as coisas nas nossas próprias mãos.

Ele colocou o telefone de volta na jaqueta e me olhou. — Tive uma idéia — ele disse. — Quero que você vá para a minha casa.

— Esta noite? E a minha entrevista?

— Não, meu amor, para morar. Quero que você se mude para lá. Por que esperar? Afinal, estamos noivos agora. — Ele sorriu para mim e pensei que meu coração fosse explodir. Fraca e abalada como eu ainda estava, quase arrastei minha mala para fora do guarda-roupa e comecei a colocar as coisas dentro dela no mesmo instante.

— Você tem certeza? — perguntei baixinho, querendo me assegurar de ter ouvido direito.

— Absoluta. Nunca gostei muito de você morar aqui.

— Há assaltantes em toda parte, Archie. Mesmo perto de onde você mora.

— Mas este apartamento... — Ele parou de falar, parecendo não saber ao certo como se expressar.

— O que tem de errado com ele?

— Bem, tem outro deles morando aí em cima, não tem?

— Um *assaltante*? — arfei. O que ele sabia sobre James, meu vizinho de cima? Até onde eu sabia, seu único crime era tocar sua música idiota alto demais.

— Não, um *deles* — ele disse.

Olhei para ele, confusa.

— Um *crioulo.*

Fiquei em silêncio, estupefata. Ele havia realmente acabado de dizer aquilo?

E ainda não havia terminado. — Há esses turcos no andar de baixo e eu não gosto nem um pouco do jeito daquela garota do apartamento em frente.

— Kirsty? — eu disse, recuperando o poder da fala. — O que você tem contra americanos?

— Nada, mas tenho muito contra sapatonas. Eu a vi se agarrando com a amiga quando entrei no pub. Nojento. Você também parecia bem incomodada com aquilo, segundo me lembro.

— Eu estava — eu disse —, mas só porque...

— Fico surpreso que você saia com ela. — Ele estava a todo vapor agora e não parecia particularmente interessado no meu ponto de vista. — É uma vergonha, porque até não muito tempo atrás esta era uma área branca. Olhe só agora. São só negros, paquistaneses, esses supostos refugiados, são ciganos na grande maioria. E se isso não fosse suficiente, você tem que agüentar sapatonas e bichas como vizinhos. Essa é a tragédia deste país. Ingleses honestos e decentes estão sendo expulsos de suas próprias casas. E, quando dizemos alguma coisa, nos acusam de racistas. Isso me deixa enojado.

Ele parou. Será que havia terminado ou só dado uma pausa para tomar ar?

— Mas é ser racista, não é? — eu disse debilmente. — Gente é apenas gente e...

— É aí que você se engana. Essa gente não é igual a nós. Você mesma disse: você chamou aquele assaltante desprezível de animal e isso é exatamente o que ele é.

— Sim, mas não porque ele seja *negro* — gritei, ultrajada.

— Escute, meu bem, os negros formam quatro, cinco por cento da população, mas que proporção dos assaltantes são crioulos? Vou te dizer: noventa e cinco por cento, Dayna, *noventa e cinco* por cento. Eu diria que isso já diz tudo o que você precisa saber sobre os negros.

Eu não podia discutir com ele, mas só porque não fazia idéia de quais eram os números verdadeiros. Em vez disso, comecei a chorar.

Ele estendeu a mão e me puxou para si. — Escute, aquele filho-da-puta vai pagar e, depois que você vier morar comigo, juro que nada assim irá acontecer com você de novo.

Mas não era por isso que eu estava chorando. Eu me sentia destruída porque, apenas momentos antes, estava contando mentalmente os andares do meu bolo de casamento. Mas agora estava claro que, se algum dia tivéssemos um casamento todo branco, seria uma referência à cor dos convidados. Meu herói estava se transformando em um racista vingativo e violento bem diante dos meus olhos e eu me senti enjoada.

Então me afastei dele. Não queria que ele me tocasse mais.

— Você vai juntar suas coisas, então? — ele perguntou.

Não respondi. Levantei-me e fui para o meu quarto. Não para fazer as malas, no entanto. Só precisava me afastar dele. Mas ele não percebeu o clima. Estava cheio demais de sua própria importância para notar como eu estava recebendo aquilo. Enquanto fiquei sentada na minha cama, pensando que diabos faria a seguir, ele continuou falando.

— Depois de uma experiência como a que você acabou de passar, a pessoa deve se reerguer imediatamente — ele gritou. — Precisa sentir que está fazendo alguma coisa para revidar. Você deveria ir a uma das nossas reuniões.

Qual? Com a prefeitura? Como aquilo iria ajudar?

— Não fui completamente honesto com você, Dayna — ele disse, surgindo na porta do meu quarto. — Aqueles caras com quem cheguei ao pub algumas semanas atrás não são vereadores. Eu sei, não deveria ter mentido e sinto muito por isso, mas precisava estar seguro sobre você antes de lhe contar.

— O que está acontecendo, Archie? — perguntei, minha cabeça dando voltas.

— Somos ativistas políticos. Esta nação foi um dia bela e orgulhosa, antes que deixassem a escória entrar, antes que tentassem nos transformar em pequenos "europeus". Que *Grã*-Bretanha, que nada! Nós simplesmente nos deitamos e deixamos que os judeus, os negros e os refugiados ciganos nos pisoteassem. Eles estão *rindo* da gente, Dayna. Mas não vamos mais agüentar isso. Temos planos. Estou lhe dizendo: você deveria vir a uma reunião. Irá reconstruir a sua fé.

Era um discurso e tanto e ele falava como Tony Blair — bem, Tony Blair com um bigodinho e uma suástica no ombro.

Não havia volta daquilo.

— É melhor você ir — eu disse.

— Não vou deixar você aqui, não esta noite. Venha para o meu apartamento e...

— Não, vá, por favor — eu disse com mais firmeza.

— Qual é o problema? — Ele parecia espantado. Acho que era a primeira vez que lhe ocorria que talvez não estivéssemos no mesmo planeta.

— Não sei... Apenas preciso de um tempo para pensar. Preciso ficar sozinha.

Eu deveria ter dito a ele o que estava sentindo e tirado tudo a limpo, mas não pude.

— Você vai me colocar para fora depois que salvei a sua vida? — Ele estava furioso, de repente. Não com os negros ou com os gays, mas comigo. — O que está acontecendo?

Hesitei por um momento, então disse: — Estou realmente agradecida pelo que você fez. Mas... olha, muita coisa foi dita... E não tenho certeza... que eu... concorde.

Meu Deus, como aquilo era patético.

— Jesus Cristo, não posso acreditar — ele retrucou. — Você não tem certeza se *concorda*...? Que raio você acha que acaba de acontecer lá fora?

— Não sei, mas isso não significa que...

— Esqueça, Dayna, simplesmente esqueça. — Ele se virou para ir embora. — E na próxima vez em que um filho-da-puta negro puser uma faca na sua garganta, bem, não conte comigo! — ele gritou ao bater a porta.

Meu noivado, por mais curto que tivesse sido, havia terminado.

7 cm

— Acho que a epidural está perdendo o efeito de novo, Emily. Posso sentir... *coisas.*

— Ai, meu Deus, quer que eu vá chamar a Louise? — ela pergunta, espreguiçando-se na poltrona e esfregando os olhos sonolentos.

— Não seja boba. Louise largou o turno há séculos. Logo depois que você voltou a dormir, na verdade.

Ela me olha envergonhada. — Desculpe, mas depois que Max ligou para dizer que tinha aterrissado, fui atacada por outra onda de cansaço. Deus, isso já foi há um tempão. Que horas são?

— Sete e meia. A nova parteira veio me ver pouco antes de você acordar.

— Como você está indo?

— Seis centímetros e meio. Ridículo. Não acho que este bebê queira sair.

— Não o culpo — Emily diz, colocando a mão sobre a minha barriga e acariciando-a gentilmente. Ela a tira rapidamente quando solto um urro pela dor aguda que atravessa meu abdômen. — Me desculpe, Dayna, eu machuquei você?

— Não, não, não foi você. Esta epidural definitivamente está perdendo o efeito. Isto doeu muito. Eu não sentia nada parecido desde... *Aaaaahhhhhh!*

Ela me olha, sem poder fazer nada, quando outro espasmo me acomete.

— Estou assustada — digo a ela, quando a dor diminui.

— Vou chamar alguém — ela diz, virando-se para a porta. Mas esta se abre antes que ela a alcance. A nova parteira, Maureen, entra no quarto. Seu sorriso é rapidamente substituído por um olhar preocupado quando ela verifica o monitor cardíaco, que parece estar levemente temperamental. Eu estava ocupada demais gritando de dor para ter notado.

— O que foi? — pergunto, o medo invadindo a minha voz. — Qual é o problema?

— Vamos ter que apressar um pouco as coisas. Parece que o bebê está um pouquinho ansioso — ela me diz, estampando no rosto aquele sorriso profissional que diz: "Não entre em pânico, não há nada com que se preocupar." É mentira, claro.

Tanto eu quanto Emily gritamos: — O bebê está *ansioso*? — Acho que somos três, então.

— Acalmem-se, não há nada com que se preocupar — mente a parteira Maureen. — É o tipo de coisa que pode acontecer durante um trabalho de parto. Agora, relaxe. Vou romper sua bolsa. Isso deve apressar um pouco as coisas.

Ela desaparece entre as minhas pernas e, segundos depois, um jorro de líquido sobre a cama coincide perfeitamente com a epidural perdendo o efeito de vez. Que diabos esta parteira idiota fez comigo? Porque, de repente, estou com mais dor do que já senti NA VIDA INTEIRA.

Por fim, a dor diminui; eu me viro para ela e digo: — Por favor, *por favor*, vá dizer a eles que mudei de idéia. — Falo rapidamente porque só Deus sabe quando o próximo espasmo irá me atingir. — Quero uma cesariana. Quero dormir. Quero acordar com um bebê e sem qualquer lembrança de... *Aaaaaaaaaaaahhhhhhhhhhh!*

A agonia é inenarrável, indescritível. Onde dói? *Tudo!* Minhas costas, minha frente, o meio e penetrando até o topo da minha cabeça e... *Ai meu Deus*, o canal do parto não está supostamente conectado à... hã... frente? Acho que minha anatomia deve estar completamente errada porque, pela sensação das coisas, este bebê está saindo pelo meu traseiro.

— *AimeuDeus*, minha *bunda*! — eu berro.

Maureen sorri para mim. — Às vezes a sensação é exatamente essa.

Ah, verdade? Bem, tente você, então, deitar nesta cama e ter esta sensação.

A contração passa, meus uivos se detêm e eu caio para trás, suando como uma maratonista na linha de chegada. Maureen aproveita a relativa calmaria como uma chance de me examinar de novo.

— Sete centímetros — ela anuncia orgulhosamente, como se fosse o colo do seu útero que está se expandindo a passo de lesma artrítica. — Muito bem, Dayna. Romper sua bolsa parece ter funcionado.

— Vai terminar logo? — choramingo.

— Não deve demorar, acho. Mas não empurre ainda. Está me ouvindo? O que quer que você faça, *não* empurre.

— *Aaaaahhh... uuuuuhhhh* — respondo com uma voz que não é a minha, mas que acho que está tentando dizer ok.

Emily ficou muda. Seu rosto está pálido e ela está plantada no mesmo lugar. Desconfio que ela não vá engravidar logo.

Não exatamente o Nº 4

Depois que Archie foi embora, naquela noite, não consegui dormir. Fiquei me revirando na cama, alternando-me entre a visão daquele filho-da-puta que havia me atacado e do outro filho-da-puta que havia me salvado dele.

Eu estava assustada, abalada e furiosa. Também me sentia bastante estúpida. Como podia não ter visto os sinais? *Certamente* houvera sinais. Afinal, quando ele entrou no pub, Kirsty levou três segundos para perceber quem ele era — e eles nem sequer haviam conversado. Obviamente, eu havia estado tão cega de amor e/ou era tão burra que não conseguia ver o óbvio. *Havia* coisas que eu tinha escolhido ignorar: sua frieza com a ligeiramente jamaicana Emily e com o totalmente judeu Max; seu horror a qualquer tipo de comida que não fosse peixe com fritas ou café-da-manhã completo *inglês*; as observações jocosas sobre os gays, que claramente não eram tão jocosas assim, e outros pequenos comentários que agora se repetiam em círculos na minha cabeça.

Seria essa a história da minha vida? Será que eu estava destinada a me apaixonar por caras que me seduziriam e, depois, puxariam o tapete sob meus pés? Quem seria o próximo?, me perguntei. Não haveria próximo, decidi. Estava cansada do amor. Eu agora era uma área proibida para homens.

Mas, em vez de fazer com que me sentisse melhor, essa decisão apenas me deprimiu. Eu era uma solteirona solitária e amargurada, só que trinta anos antes do tempo.

Depois de duas horas de sono intermitente, me levantei e me arrumei para minha entrevista. Eu não queria ir, mas não podia simplesmente não aparecer. Eu não era tão pouco profissional assim. Ainda não, pelo menos. Vesti qualquer coisa, passei um pouco de maquiagem, dei uma última olhada no espelho — que estado deplorável! — e saí.

Descendo a escada, encontrei-me com James, do apartamento de cima, que estava indo para o trabalho. Ele morava em cima de mim há séculos, mas quase nunca conversávamos. Quando o fazíamos, geralmente, era eu pedindo-lhe educadamente que abaixasse a droga da música. Engraçado, mas, antes de Archie usar aquele termo pejorativo para se referir a ele, na noite anterior, eu não me dera conta de que ele era negro. É claro que eu havia notado, mas nunca pensara a respeito. Agora estava pensando, no entanto, e entrei em pânico. Não queria que ele achasse que minha irritação com o volume da sua música tivesse alguma coisa a ver com sua cor.

— Oi, James, indo para o trabalho? — perguntei extra jovialmente.

— Humm, sim — ele resmungou. Obviamente, não era uma pessoa matinal. Ou talvez só estivesse surpreso com a minha jovialidade. Seja como for, pressionei.

— Uau, que *ótimo* — eu disse, ainda mais jovialmente que antes. — Aquele CD que você estava escutando ontem à noite...

— Ah, não estava muito alto, estava? Desculpe, desculpe.

— Não, não estava alto o *bastante*. Era absolutamente *brilhante*! — falei com animação. — O que era?

— Hã... Sei lá... Podia ser Van Morrison. Venho ouvindo muita coisa antiga dele ultimamente.

— *Adoro* Van Morrison! — soltei. — Tão emocional. Isso é o mais fantástico da música negra, não é mesmo? Tem tanta *emoção*.

Sinceramente, por melhores que sejam os cantores brancos, eles simplesmente não têm...essa... emoção..., têm?

Eu estava hesitante porque James me olhava do jeito mais estranho do mundo.

— Você sabe que Van Morrison é branco, não sabe? — ele disse após um longo instante.

— Sim, absolutamente, é lógico — guinchei, sentindo o calor do meu rosto em chamas ameaçando queimar a maquiagem.

Meu Deus, acho que nunca me senti tão envergonhada na vida. E agora eu ficaria presa a ele até a estação de metrô. Por sorte, Kirsty estava no hall de entrada do prédio examinando a correspondência, e eu vi nela uma escapatória.

— Quero colocar o papo em dia com a Kirsty — eu disse a James. — Até mais tarde!

— Oi, Dayna, como vão as coisas? — Kirsty perguntou sem erguer os olhos do maço de envelopes em sua mão.

— Ah, nada importante — eu disse, vendo James sair pela porta. Ele até que andava depressa diante da necessidade de fugir de uma louca.

— Então, que papo é este que você quer colocar em dia? — Kirsty continuou.

— Ah... hã... você sabe...

— Você ainda está saindo com aquele cara, o que apareceu no Raglan?

Aaaaarrrrggghhhh! Não só ela conhecia o Archie, mas havia percebido instantaneamente que ele era um homófobo. Eu precisava me dissociar dele, e rápido.

— Não, não, nós terminamos. Eu terminei com ele, na verdade — eu disse apressadamente. — Terminei *completamente* com ele. Não era o cara certo para mim em absoluto. De forma ou modo *algum*.

— Bem, não posso dizer que gostei do jeito dele. Parece que você se livrou mesmo do cara.

— Me livrei absolutamente, totalmente, cem por cento dele, Kirsty.

Será que eu fora longe o suficiente para convencê-la de que não havia um só osso homófobo no meu corpo? Provavelmente. Porém, isso não me impediu de ir ainda mais longe.

— Na verdade, há uma coisa que eu queria lhe falar — eu disse quando ela se virou para voltar a seu apartamento.

— O que é, querida?

— Você e Ruby... Eu só queria dizer que acho que vocês são um casal fantástico, incrível, e que vocês são um exemplo para as demais lésbicas, e que, se você algum dia quiser, tipo, adotar, ou seja lá o que for, e precisar de qualquer ajuda ou referência, ou mesmo de uma babá, bem, eu sou pau pra toda obra. *Pau,* não... Ah, você sabe o que quero dizer.

O olhar que ela me deu não foi muito diferente do que James tinha dado. Então, ela disse: — Você tomou alguma coisa hoje, Dayna? Porque, se tomou, eu quero o telefone do seu fornecedor.

É lógico que a minha entrevista foi um completo desastre. Como poderia ter sido de outra forma, depois do modo como eu havia começado o dia? Eu estava no Salão de Beleza Hampstead Garden, que era pequeno, simpático e muito, muito legal. Eu ficaria mais do que feliz em trabalhar ali, mas não iria rolar. A dona era uma graça, uma senhora muito amável que insistiu para que eu a chamasse de Helen. Porém, ela também era grega. E acho que deve ter ficado um pouco assustada pela maneira como forcei meu amor pelo kebab, pelo charutinho de folha de uva e por Nana Mouskouri na conversa, quando só o que ela queria saber era se eu sabia fazer o tratamento facial da Guinot.

Aquela manhã praticamente estabeleceu o padrão das semanas seguintes. Fiz todo o possível para provar a mim mesma que eu era absolutamente contra a homofobia, contra o racismo e contra qualquer outra noção preconceituosa. Saí mais do que havia feito em um bom tempo, fazendo um tour pelos clubes e bares de Londres e, quanto mais extremos e estranhos eles fossem, melhor. Assim como provar minha tolerância suprema, parte do meu raciocínio era que, se eu me rodeasse do tipo estudante de arte, cheio de piercings, tatuagens, cabelo cor-de-rosa, de preferência gay ou negro, ou, no melhor dos casos, gay *e* negro, seria altamente improvável que me encontrasse com Archie.

Havia outra razão por trás das minhas saídas constantes: o assalto. Eu estava decidida a não ser intimidada. Era como cair da bicicleta, meu pai me disse. Você tem que levantar e voltar para a bicicleta no mesmo instante. Excelente conselho. Eu não iria me tornar uma reclusa, ficar em casa todas as noites... sozinha... no meu apartamento... onde cada barulhinho ou rangido do piso de madeira me fazia pular de susto. Não, era assustador demais ficar em casa sozinha. Muito mais seguro, concluí, era sair por aí. Desde que eu não fosse sozinha.

Desisti de caminhar e de usar os transportes públicos e, em vez disso, gastava uma fortuna em táxis registrados (já que os comuns, *obviamente*, só eram dirigidos por estupradores), e arrastava minhas amigas comigo a todo lugar aonde ia. Emily, Hannah, Kirsty e algumas outras; elas devem ter enjoado de ver a minha cara. Principalmente a coitada da Kirsty. Bem, na minha busca por conhecer gente maluca e excêntrica e provar como eu era cada-um-na-sua, ela era minha guia, por também ser ligeiramente maluca e excêntrica. Foi graças a Kirsty que provei uma série de coisas que nunca havia experimentado. Coisas como sushi, jazz ao vivo, galerias de arte e sexo sem compromisso com um total estranho.

Não, eu nunca tinha tido uma transa de uma noite só antes. Pensava no assunto de vez em quando, mas nunca havia sonhado que isso *realmente* fosse acontecer.

E não teria acontecido mesmo, se Kirsty não tivesse me convidado para ir a uma festa com ela. Era um verdadeiro evento do showbiz no West End, o lançamento de alguma coisa qualquer. Eu não sabia ao certo o quê, mas não me importava porque havia champanhe grátis e canapés e a perspectiva de ver celebridades. Ruby tinha ido viajar por alguns dias e Kirsty detestava ir a esses eventos sozinha, então me convidou para ir junto. — Um monte de gente de design estará lá, muitos sacos importantes para puxar. Vou precisar de você ao fundo. É só você fazer cara de sapatona quando algum deles der em cima de mim; sempre tem um que tenta — ela me disse. *Sapatona?* A nova e supertolerante Dayna poderia fazer aquilo.

Eu realmente caprichei no visual naquela noite. Bem, quem sabe ao lado de que estrela de novela eu poderia estar quando os flashes dos paparazzi disparassem? Cabelo novo, roupa nova e, como eu estava me sentindo um pouco adiposa, entrei numa dieta bastante restrita. Isto é, não comi nada o dia inteiro. Kirsty me olhou de cima a baixo, quando me encontrei com ela na frente do metrô Leicester Square, e disse: — Você está sensacional — o que compensou levemente as terríveis pontadas no estômago de fome que eu estava sentindo.

— Você também está incrível — eu disse, enganchando meu braço no dela e provando, de uma vez por todas, como eu estava à vontade com ela, fosse lésbica ou não. — Obrigada por me convidar para esta festa de hoje. Estou realmente ansiosa.

— Eu também. Deve ser o máximo. Só tem uma coisa, no entanto.

— O quê?

— Por favor, não use seu papo estranho de adoro-todas-as-lésbicas, tá? Não é tão legal assim.

Quinze minutos depois de ter chegado à festa, perdi Kirsty. Ela havia sido arrastada por uma mulher com um chapéu feito de cerca de galinheiro e decorado com flores de plástico — era esse estilo de festa. Não me importei de ficar sozinha. Sentei em um sofá macio na lateral do clube e *observei as pessoas*, só me movendo para pegar champanhe (porque era grátis) e canapés (porque estava *morrendo* de fome) dos garçons que passavam. Havia um DJ debruçado sobre seus aparelhos no outro lado da sala, tocando músicas que eu nunca tinha ouvido, embora eu balançasse a cabeça fingindo que as conhecia. Enquanto bebia e me entupia de canapés, examinei a sala e me perguntei: a) quantos daqueles minúsculos canapés seriam necessários para encher meu estômago?, e b) o que aquela gente toda *fazia da vida*? Todos pareciam tão, bem, não-empregáveis. Quer dizer, se você é do tipo que usa um chapéu de galinheiro, um colete de PVC ou um tapa-sexo de látex cor-de-rosa, não vai conseguir emprego atrás do balcão de um banco, vai?

Olhar para aquelas pessoas estava fazendo com que eu me sentisse um pouco desalinhada. Eu tinha achado o vestido que comprara bastante estiloso, mas agora me sentia como se tivesse entrado na festa errada. Decidi que deveria fazer alguma coisa para me modernizar. Um piercing no nariz ou uma tatuagem, ou talvez umas extensões verdes no cabelo. Tomei essa decisão enquanto entornava minha enésima taça de champanhe e dei graças a Deus por estar sentada, pois ela foi direto para as minhas pernas.

— Já não agüento tanto como antigamente — uma voz anunciou. — Preciso me sentar.

Dei uma olhadela no homem que havia desmoronado no sofá ao meu lado.

Então, olhei de novo.

Então o encarei.

Ele era maravilhoso. Mais bonito do que qualquer pessoa que eu pudesse sequer imaginar. Olhos escuros emoldurados por cílios longos e negros, maçãs do rosto que pareciam asinhas de frango (não sei por que pensei isso, mas é que eram puros ângulos retos), um sólido par de ombros e longas pernas que se lançavam para fora do sofá e pareciam estender-se até o meio da sala. Ele usava um lindo terno preto sobre uma camiseta preta justa. Ele era profundamente, profundamente estupendo.

Abri a boca para dizer alguma coisa, mas as palavras não saíram. Eu as forcei, daí forcei um pouco mais; mas não, não iria rolar. Como minha boca estava aberta, de qualquer maneira, ergui minha taça e tomei outro gole de champanhe — parecia tolo não fazer isso.

— Qual é o seu nome? — ele perguntou, deslizando no sofá para perto de mim.

Eu não conseguia me lembrar. — Qual é o seu? — perguntei, em contrapartida.

— Gabriel. Sem piadas de anjos, tá? — Seus olhos estavam fixos nos meus, mas então se moveram quando ele me varreu de cima a baixo. — Muito bom — ele disse após um instante. — Você adotou o estilo *pós*-pós-moderno.

É mesmo?

— Este pessoal — ele explicou, gesticulando em direção à sala — é apenas pós-moderno. Você está um passo adiante deles. Eu garanto, daqui a um ano, eles estarão todos vestidos como você.

Eu sorri porque tinha quase certeza de que aquilo era um elogio.

— Esse mundo da moda, hein? Um bando de babacas — ele disse com um sorrisão.

Bingo! Agora eu sabia com que tipo de pessoa estava falando.

— Você não fala muito, né? — ele observou, seus olhos brilhando.

Sorri novamente. Ele não precisava saber que eu estava me sentindo zonza demais para formular palavras. Melhor que pensasse que o silêncio fazia parte do meu mistério.

— Acho que está na hora de dar uma relaxadinha — ele disse, preparando-se para levantar.

— Aonde você vai? — perguntei, finalmente falando e mal conseguindo disfarçar o desapontamento.

— Cheirar uma carreira — ele disse. — Vem comigo? — Ele se levantou e me estendeu a mão. E é claro que a tomei e o deixei me guiar pela sala. Bem, se um anjo chamado Gabriel de repente aparecesse na sua frente, você o seguiria, não? Aonde raios ele estava me levando? Cheirar uma carreira! Eu nunca tinha feito *isso* antes. Mas só o que sabia era que queria estar onde quer que ele estivesse. Coca era algo perigoso e assustador e eu tinha certeza de que não queria me envolver com isso, mas tinha ainda mais certeza de que não queria que ele desaparecesse da minha vida. Teria sido uma tragédia.

Nós havíamos atravessado a pista de dança, passado pelos banheiros e virado em um corredor estreito, chegando a uma porta que indicava "privado". — Entre aqui — ele disse, abrindo-a. Ele me fez entrar e acionou o interruptor da luz, iluminando um escritório pequeno. Só havia um arquivo e uma escrivaninha pequena, com um laptop e um telefone em cima.

— Podemos entrar aqui? — perguntei e, de repente, pensei que aquele era o menor dos meus problemas. Eu nem sequer conhecia o cara. Ele podia estar a ponto de me matar. Ele havia fechado a porta, mas a música do clube ainda era ensurdecedora. *Ninguém* poderia me ouvir gritar. O que eu estava pensando? Porque, mesmo que ele não estivesse pensando em assassinato, havia me levado ali para usar *drogas*!

Ele tirou um quadradinho de papel dobrado do bolso do paletó e derramou o conteúdo sobre a superfície de vidro da escrivaninha. E ali estava. Cocaína! Algo sério, assustador, que levava ao vício, à miséria, a tiroteios sem sentido entre gangues...

Mas ela não parecia perigosa. Quando ele pegou um cartão de crédito e a separou em duas linhas retas, parecia refresco em pó. Ou farinha. Ou sabão em pó. Ou açúcar. Ou... você entendeu.

Eu oscilei um pouco, então. Eu estava bastante bêbada, lembra? Tive que me apoiar na parede para me equilibrar, mas Gabriel não percebeu. Ele só tinha olhos para o pó branco. Ele enrolou uma nota de dez novinha em folha, formando um canudinho, e se inclinou sobre a mesa. Depois de uma fungada ruidosa, uma das linhas de pó desapareceu. Ele se endireitou, limpou o nariz com as costas da mão e me deu aquele sorriso deslumbrante de novo. Ele parecia bem. Não parecia a ponto de vomitar, sufocar, colapsar em um ataque ou qualquer das outras coisas causadas por drogas que eu vinha imaginando.

— Sua vez — ele disse, oferecendo-me a nota enrolada.

Olhei para ele. Daí para a linha de pó que continuava na escrivaninha. Daí para ele de novo. Daí para a nota.

Daí... eu cheirei.

Desculpe, mas eu tinha que fazê-lo. Não parecia que ele iria desmaiar e morrer nos próximos minutos e havia um monte de gente que cheirava e eu não tinha acabado de passar as últimas semanas dizendo a mim mesma que precisava viver um pouco, expandir meus horizontes, sair da bolha em que vinha vivendo?

Portanto, peguei a nota, inclinei-me sobre a escrivaninha, pressionei minha narina esquerda com um dedo e inalei profundamente com a direita.

Fiiiuuum!

Foi.

Eu me levantei e senti...

Nada.

Nenhum surto eufórico, nenhuma palpitação, nem mesmo a necessidade de começar um ataque de espirros. Que decepção. Que perda de tempo. Bem, eu disse a mim mesma, pelo menos não paguei pela droga, pelo menos eu...

Parei de dizer qualquer coisa a mim mesma porque, então, bateu. *Com força.* Senti uma explosão de autoconfiança que chegava a ser física. Cada nervo do meu corpo estava sensibilizado, tinindo de excitação e energia sexual, e senti vontade de pular pelo minúsculo escritório e arrancar minha minissaia pós-pós-moderna e puxar Gabriel para os meus braços e...

Jesus! Eu não estava só *pensando* em tirar a roupa e beijar o ser humano mais esplêndido que já pisara no planeta. Eu estava realmente *fazendo isso.* E o que é melhor: ele estava correspondendo.

Aquilo era melhor do que qualquer coisa que já tivesse me acontecido. Talvez fossem as drogas ou a bebida, mas certamente ninguém nunca havia me beijado daquele jeito antes! Ele era fantástico, estupendo, incrível e, de repente, estava praticamente nu. Como diabos aquilo tinha acontecido? E quem queria saber? Ele estava sem calça. Tudo estava indo perfeitamente de acordo com os planos.

Exceto que, de repente, não estava mais.

Puxei o elástico da sua cueca Calvin Klein. Ela estava apertada, mas uma explosão de pura energia de coca me fez abaixá-la até seus calcanhares em uma fração de segundo. Foi então que eu vi: seu *negocinho*.

Só pude ficar olhando. Não porque estivesse impressionada, mas porque era minúsculo. Sinceramente, eu não podia acreditar que algo pudesse ser tão pequeno. Quer dizer, simplesmente não havia *nada* ali. Que diabos se supunha que fizéssemos, porque sexo, com certeza, era mecanicamente impossível.

O que eu fiz, na verdade, foi vergonhoso. Explodi em gargalhadas. Culpa das drogas, da bebida ou, simplesmente, do fato de ser simplesmente muito engraçado. — Me desculpe — soltei entre risadas —, *desculpe*. Ergui os olhos para o pobre homem, então, com a mão cobrindo a boca para tentar sufocar o riso. Ele ficou pálido e colocou a mão sobre a boca também. Ah, pensei por um momento, ele também deve estar achando engraçado. Percebi que estava enganada quando ele dobrou o corpo e vomitou as tripas sobre a escrivaninha.

Aquilo quase me fez parar de rir, mas não completamente. Não, eu só fechei o bico quando a porta se abriu. Recuei, sobressaltada, instintivamente cobrindo os seios com as mãos, embora eu ainda estivesse de sutiã. Um cara negro grandalhão estava na porta. Ele não parecia nada contente. Na verdade, estava furioso. Analisou a cena por um momento: eu seminua, Gabriel sem calça expondo seu piu-piu — que, pensando bem, se parecia muito com o verdadeiro Piu-Piu — e, sobre a escrivaninha, uma poça de vômito fresco. Imaginei que aquilo não fosse nada bom.

— Que caralho está acontecendo, Brian? — ladrou o recém-chegado.

Brian? Quem diabos era Brian?

— Desculpe, Paul — Gabriel resmungou, limpando a boca com as costas da mão. — Devo ter comido alguma coisa estragada. Ela só estava... — Ele fez uma pausa para olhar para mim. — Ela só estava me ajudando a resolver a parada.

— Isso, eu posso ver — Paul zombou. Ele inflou as narinas para mim desdenhosamente e disse: — Vista suas roupas de novo, sua imitação barata de Florence Nightingale.

Imitação barata de Florence *Nightingale*? É lógico que aquilo era a coisa mais engraçada que eu já ouvira e disparou outro ataque de riso.

O cara novo me ignorou e se virou para Gabriel. — Resolva seus assuntos, Brian, e volte lá para dentro. Você tem dois minutos. Vou pedir a uma das garotas que limpe esta sujeira. — Então, ele se foi, batendo a porta com força atrás de si.

Fiz um esforço final e decisivo para sufocar o riso, que foi bastante bem-sucedido. Eu me levantei e tentei me contorcer novamente para dentro do vestido, mas só consegui cair de bunda no chão. Gabriel me ignorou enquanto vestia novamente a calça. Não trocamos uma só palavra até que perguntei a ele: — Quem é Brian?

— Gabriel é meu nome artístico — ele resmungou, desviando os olhos dos meus.

Por estranho que pareça, não trocamos números de telefone.

Kirsty me ligou na manhã seguinte para checar se eu tinha chegado bem em casa.

— Me desculpe por ter abandonado você — ela disse. — Conseguiu se divertir com todos aqueles fingidos?

— Deus, foi... incrível — eu disse a ela conforme as lembranças surgiram em meio à densa névoa da minha ressaca. — Por que você não vem pra cá tomar um café e eu lhe conto tudo?

— Eu adoraria — ela disse —, mas... hã... eu não estou em casa.

Então Kirsty também se dera bem na noite passada.

Pobre Ruby.

Deus do céu, será que ninguém mais tinha moral?

8 cm

— *H*ummm-*aaaahhhhhh!*

Esse é meu novo mantra. Eu o grito a cada dois minutos, que é o intervalo entre as contrações. Mal tenho a chance de recuperar o fôlego entre os espasmos de dor de rasgar o cu (literalmente) que vêm me atacando desde que a parteira Maureen rompeu minha bolsa.

— Vamos, Dayna, continue respirando, apenas *respiiiiiiiiiiiire* durante a dor — diz Emily, fazendo essa respiração exagerada que ela deve ter ido à escola de teatro para aprender.

Deus, eu queria *tanto* dar uma cabeçada nela.

É impossível ficar deitada, então estou de pé, cambaleando pelo quarto e parando apenas para agarrar a cama toda vez que chega outra contração. Maureen me pediu para voltar à cama para que ela possa me manter ligada ao monitor, mas ela não insistiu muito, depois que lhe dei meu olhar mais assassino. Em vez disso, a intervalos pequenos, ela coloca os sensores em mim para checar os batimentos cardíacos do bebê.

O bebê está bem.

Eu, por outro lado, estou no mais absoluto estado de pânico. Que diabos está acontecendo aqui? Uma agonia como esta não pode ser natural. Certamente não é assim que deve ser.

— Só mais um pouquinho, Dayna — Maureen me diz. — Agüente firme.

— Uuuhhh... *Aaaahhhhh...* Não, eu tenho que... fazê-lo... sair.

— Por favor, não empurre. O bebê está quase no fim do canal de parto. *Daí* você poderá empurrar. Prometo a você, eu sei do que estou falando. Não vai demorar muito.

— Você quer que eu telefone para Suzie agora? — Emily pergunta.

— Hummm-*aaaahhhhhh!* — respondo.

Definitivamente o Nº 5

— Você *tem* que conhecer esse lugar — Hannah disse, excitada. — Vou encaixá-la num tratamento grátis. Prometo a você: uma visita e você nunca mais vai querer trabalhar em outro salão.

Ela estava falando sobre seu fabuloso emprego novo, em um fabuloso salão novo, na fabulosa área de Knightsbridge. Chamava-se The Spa Space: dez salas de tratamento, salão de cabeleireiros, sauna, banheira de hidromassagem, tratamentos capilares, todo tipo de bronzeamento, bar de cappuccino, área de relaxamento decorada como uma floresta tropical e assim por diante.

— Sinceramente, você não iria acreditar no tipo de mulheres que vêm aqui. Tão, *tão* ricas. Elas não têm nada melhor a fazer o dia todo do que retocar as unhas dos pés, beber *lattes* e competir para ver quem dá a maior gorjeta. Não sabia que mulheres assim realmente existiam.

Eu me lembrei da clientela do Hotel e não me pareceu tão incrível assim. Quer dizer, tenha dó, que tipo de mulheres ela imaginava que freqüentariam um salão em Knightsbridge? Estudantes? Mães solteiras vivendo de bolsa-moradia (e bolsa-pedicure)?

— Olha, estamos desesperadas para contratar outra esteticista — ela continuou. — Você passaria tranqüilamente na entrevista, com a sua experiência.

— Desculpe, Hannah, mas estou procurando imóveis com a Emily, lembra?

Ela franziu a testa e mordeu o lábio inferior. — Isso não parece estar progredindo muito, né?

— Como assim? — perguntei, sabendo perfeitamente o que ela queria dizer.

— Há quanto tempo vocês estão procurando? Seis meses?

Estava mais para oito, na verdade. Mas eu não a corrigi. — Eu sei, eu sei — eu disse —, mas você não faz idéia de como é difícil encontrar o lugar certo. Ou o aluguel é caro demais, ou a localização é uma merda, ou... Olha, é praticamente impossível.

E, realmente, aquela era a verdade. Nós havíamos olhado dezenas de lugares. Mas tudo que prestava era inacessível. E tudo que podíamos pagar estava caindo aos pedaços. Max estava perdendo a paciência conosco. Ele reclamava que estávamos apenas procurando desculpas para não entrarmos de cabeça no negócio; ele, provavelmente, estava certo. Nós estávamos com medo. Mas ainda éramos jovens. Dissemos a ele que ainda tínhamos anos para começar nosso próprio negócio. É claro que isso só o deixou mais furioso ainda.

Eu não tinha expressado com todas as letras, mas sabia que a empresa Emily&Dayna Ltda. não iria se concretizar. Não tão cedo, pelo menos. O problema era que, enquanto eu perambulava por Londres com corretores de imóveis e fingia que poderia dar certo, ia adiando o momento de arrumar um emprego de verdade. Eu tinha medo demais para olhar meus extratos bancários. Tinha medo de pensar no que restava da herança inesperada do meu pai. Com certeza, não devia ser muito.

— Ei — disse Hannah, animando-se —, eu vi Simon na semana passada. Não sabia que ele tinha se mudado para seu próprio apartamento. Lugar legal, lá.

— Sim, ele se mudou há três semanas — eu disse, mais do que ligeiramente cansada de falar de Simon, o Personal Trainer Qualificado. Mas, então, caiu a ficha. — Espere um pouco, como você sabe que o lugar é legal? — perguntei. — Você esteve lá, por acaso?

— Semana passada — ela disse. — Não fique tão surpresa. Quando um cara desses telefona, a gente vai rapidinho. Meu Deus, como ele está em forma.

Caramba, então Hannah havia voltado à cena. Mas o que me importava? Simon era um safado completo. E só porque ele fazia coisas como vir à minha casa à meia-noite porque eu vira um rato e ele não só tinha que apanhá-lo, como também passar o resto da noite lá, para o caso de haver mais, e daí tinha que sair de manhã cedo para comprar ratoeiras e veneno e ficar lá na noite seguinte também, *só para garantir*, não mitigava o fato de ele ser um total filho-da-puta.

— Olha, por favor, venha fazer uma entrevista. Seria tão legal trabalharmos no mesmo lugar — Hannah implorou.

Mas eu não estava ouvindo. Minha atenção estava na TV instalada no alto, em um canto no fundo do bar. Normalmente eu não me distrairia com um vídeo da MTV, mas esse era diferente. Um cara bonito caminhava por uma praia, triste e sozinho, e enquanto a legenda "Yellow" aparecia na tela, meu queixo de repente caiu até o chão. Fiquei total e absolutamente estupefata, porque o cara na TV era o Chris. Meu ex-namorado! *Cantando! Na MTV!* Ele simplesmente havia conseguido. E, ao ouvir a música, tive certeza de que reconhecia a melodia. Não era a música na qual eu o havia... *rã-rã*... incentivado a trabalhar quando estávamos saindo?

Senti uma variedade de sensações naquele momento. Fiquei impressionada, obviamente — eu o havia subestimado pra caramba, não havia? Também emocionada — eu conhecia um astro pop! Mas também estava triste porque, sejamos sinceros, eu não o conhecia de verdade. Nós havíamos nos encontrado algumas vezes depois do rompimento, mas é difícil continuar amiga de um ex, principalmente um cuja vida é tão diferente. E eu tinha certeza de ter agido corretamente — nós não estávamos destinados a ficar juntos...

Mas, *caramba*, ele agora era um astro pop.

— O que foi, Dayna? — Hannah perguntou. — Parece que você viu um fantasma.

— Eu o conheço — eu disse a ela, indicando a TV com a cabeça quando o volume da música diminuiu e a legenda Coldplay apareceu na tela.

Ela girou a cabeça e se engasgou. — O quê? Você conhece o *Eminem*? — perguntou, excitada, quando o verdadeiro Slim Shady substituiu Chris na TV.

— Não, claro que não. O cara antes deste, ele era... Deixa pra lá.

De repente, eu me senti profundamente deprimida. Todo mundo estava progredindo na vida. Hannah estava trabalhando em um salão pretensioso. Simon tinha uma carreira nova e um apartamento de solteiro. Chris estava na MTV. Até mesmo Archie, que eu não via há meses, provavelmente havia chegado a ser líder do Partido Nazista Britânico, e estaria de olho em Downing Street. E eu? Tanto minha carreira quanto minha vida amorosa haviam estancado.

Talvez eu devesse levantar a bunda da cadeira e fazer alguma coisa a respeito, pensei. Talvez eu devesse fazer uma entrevista no salão de Hannah. Deus sabia que eu precisava do dinheiro e que estava cheia da programação diurna da TV. Quer dizer, uma garota sabe que chegou ao fundo do poço quando consegue formar palavras de sete letras no programa *Countdown*.

Pensei em como poderia contar a novidade a Emily. Eu me via contando a ela que nosso Império de Beleza teria que ficar em segundo plano, e ela aceitando tão bem quanto se poderia esperar, cortando minha jugular com uma faca de bife e gritando: "Morra, sua vaca traidora, *morra*!", quando Hannah me chutou forte por baixo da mesa. Voltei de súbito à realidade e, imediatamente, vi a razão de seu ataque à minha perna. Parados ao lado da nossa mesa, havia dois caras, ambos da banda Blue. Ou de outra banda masculina. Não, não eram de banda alguma, na verdade, mas eram suficientemente bonitos para ficar entre os dez finalistas num concurso de garotos de bandas.

— Bem, estão? — o que usava capuz me perguntou esperançosamente.

— Estão o quê? — perguntei, tentando sorrir em meio à dor do hematoma que se espalhava pela minha canela.

— Ocupados — ele disse, indicando o par de bancos vazios na nossa mesa.

Hannah não estava preparada para se arriscar com a minha lerdeza em responder. — Por favor, sentem-se — ela disse, transformando suas pestanas em leques gigantes.

Eles se sentaram e marcaram o território colocando suas cervejas sobre a mesa. O encapuzado se virou para mim e meu coração trocou de lugar com os pulmões. Bem, algo sério devia estar acontecendo dentro de mim, porque era praticamente impossível respirar. Meu Deus, teria passado tanto tempo assim desde a última vez em que eu estivera tão perto de um cara bonito?

— Trabalhamos logo ali, virando a esquina, por isso a gente vem muito aqui — ele disse. — Nunca vi vocês duas, no entanto. — Ele sorriu divinamente para mim. Mas, também, de que outro jeito ele poderia sorrir? Ele era divino!

— Eu sou Hannah e esta é Dayna — Hannah disse por mim, porque estava claro que a paralisia das minhas cordas vocais estava avançada.

— Prazer em conhecê-las — disse o encapuzado. — Sou Mark e este é Luke.

— É, e antes que você pergunte, nós temos amigos chamados Matthew e John* — Luke acrescentou. — É um inferno quando saímos juntos.

Eu não achei engraçado, mas ri mesmo assim, porque Mark, claramente, achava aquilo hilário.

Eu ainda estava rindo, algumas horas depois, e não era fingimento. Sei lá como essas coisas acontecem, mas Mark, Luke, Hannah e eu havíamos naturalmente nos dividido em dois casais.

Mark e eu tínhamos, de alguma forma, gravitado ao encontro um do outro e eu estava adorando a companhia dele. Ele era doce, gentil,

* Mark, Luke, Matthew e John são os nomes, em inglês, dos quatro evangelistas, Marcos, Lucas, Mateus e João. (N.T.)

generoso, interessante *e* estava interessado em *mim*. E tudo isso despertava a minha desconfiança. Ele simplesmente parecia bom demais para ser verdade. Eu já tivera um monte de experiências daquele tipo, não? Olha só o meu histórico: tanto Simon quanto Archie pareciam perfeitos até que, repentina e chocantemente, não eram. Mesmo Gabriel — que obviamente não contava, portanto esqueça que o estou mencionando — era um bom partido até o momento em que descobri que, em um aspecto crucial, ele não era. Então, onde estava o problema de Mark? Porque eu tinha certeza de que tinha de haver um. Entre assentir atentamente a todos os seus comentários interessantes e rir de suas piadas, eu havia conseguido realizar algumas verificações básicas. — Sim, adoraria ir lá — ele disse quando, inocentemente, mencionei que acalentava a idéia de passar férias na África do Sul. — Foi um dos melhores dias da minha vida quando libertaram Nelson Mandela. — Era provável que não fosse um nazista enrustido, então.

E, quando contei a ele uma história completamente inventada de um amigo inexistente que traiu a esposa com a secretária e, depois, a secretária com a irmã dela, ele ficou absolutamente horrorizado.

— Acho que esse é o pior tipo de traição — ele disse, balançando a cabeça com desgosto.

— Totalmente — concordei, riscando "galinha" da lista de possíveis vícios. Ele podia estar blefando, é claro, mas eu estava preparada para lhe dar o benefício da dúvida. Sua boa aparência o havia feito merecer isso. Vou ser honesta: se ele parecesse o irmão mais baixo e mais feio do Homer Simpson, não teria tido a menor chance.

No outro lado da mesa, Hannah vinha flertando como se tivesse acabado de inventar esse jogo, mas, quando o barman avisou que o bar iria fechar, ela de repente ficou cheia de princípios. Luke só estava se oferecendo para levá-la até o ponto de ônibus, mas ela disse a ele: — É muita gentileza sua, mas não seria certo. Estou saindo com alguém.

Ela se referia a Simon? Sinceramente, se havia um cara pelo qual *não* valia a pena ter princípios... Mas fiquei de boca fechada. Não tive tanto escrúpulo quando Mark me fez a mesma oferta.

Nós nos demoramos no ponto de ônibus e, quando começou a chover, aceitei sua oferta de compartilhar o guarda-chuva como se estivéssemos abandonados em Marte e ele estivesse me dando o último tanque de oxigênio disponível.

Mas nenhuma menção ainda a uma possível segunda vez.

— Aí vem meu ônibus — eu disse, quando o vi se aproximando.

— Posso te ver de novo? — ele perguntou apressadamente.

Siiiiiimmmmmmmm!, pensei, triunfante. — Ok. — eu disse, friamente.

Quando meu ônibus partiu, ele acenou para mim e, enquanto o observava recuar, só o que conseguia pensar era: aí vai o Número Cinco.

Assim que vi o cartaz na vitrine, eu me candidatei. Era o salão de cabeleireiros no final da rua. Kortez Deskoladoz, se chamava, o que meio que diz tudo. Eles precisavam de uma recepcionista/moça do chá/faxineira e eu entrei como um tufão, sacudindo meu CV. — Você é um pouco qualificada demais — a dona torceu o nariz. Também estou um pouco desesperada demais, minha expressão ultra-ansiosa disse a ela. Ela deve ter sentido pena de mim, porque me deu o emprego. Emily ficou furiosa. — O que isso significa a respeito do seu compromisso com *a gente*? — ela gritou.

— Significa que ainda estou totalmente comprometida, é isso — eu disse a ela.

— Ah, é? E como é isso?

— Bem, se eu não estivesse, teria arrumado um emprego de verdade, não teria? Olha, Emily, só aceitei esse emprego a) para dar um pingo de significado à minha vida e b) para conseguir que entre algum dindin. Se eu não quisesse montar um negócio com você, de jeito nenhum iria trabalhar no salão de cabeleireiros do bairro.

— Ora, por que você não disse isso logo de cara? — ela disse, dando um de seus sorrisos de desculpas, o que significava que ela não tinha que, de fato, pedir desculpas. — Vamos mudar de assunto. Como é esse tal de Mark?

— Bom demais para ser verdade — murmurei. Emily ainda não o havia conhecido, mas eu o conhecera bastante bem durante o mês anterior. Havia me encontrado com ele cinco ou seis vezes e começava a pensar seriamente que ele poderia ser O Escolhido. Também estava pensando que TINHA de haver alguma coisa. Quer dizer, ninguém podia ser *tão* bom, podia? Não o tempo todo. E quero dizer, realmente, o tempo *todo*. Eis um dia típico na vida de Mark Fraser:

Toma o ônibus para o trabalho, cedendo o lugar para mulher idosa/grávida/de aparência ligeiramente cansada.

Chega ao trabalho. No Shelter, o centro de caridade para os sem-teto. Sim, ele ganhava uma ninharia para ajudar os necessitados.

Faz pausa para o almoço. Vê um senhor de idade com um andador lutando com as compras. Ajuda-o a atravessar a rua. Então, ajuda-o um pouco mais. Daí, prepara o almoço para o velho.

Fim da pausa para o almoço. A caminho da lanchonete, dá sua última nota de cinco libras a um mendigo.

Volta para o trabalho com fome e passa a tarde ajudando mais pessoas desabrigadas.

Sai às oito (apenas depois de três horas extras não remuneradas).

Vai para casa injetar heroína e transar com um par de prostitutas.

Não, estou brincando. Quando Mark ia para casa, continuava de onde havia parado no trabalho. Ele era voluntário em uma cozinha de caridade, em um orfanato *e* no Hospital Whittington. Também era um Samaritano e não via nada de mais em convencer pessoas deprimidas a não cometer suicídio às três da manhã.

E eu trabalhava no Kortez Deskoladoz.

— Você faz com que eu me sinta uma merda — eu disse a ele na última vez que nos encontramos. Ele havia acabado de me contar sobre um cara que tinha vivido na miséria durante os últimos cinco anos, mas que, graças a Mark, agora estava em um abrigo seguro e, finalmente, pensava em restabelecer o contato com a família. — O que você faz é maravilhoso, Mark.

— É como qualquer trabalho. Você simplesmente faz o que aparece à sua frente. Não vejo diferença, na verdade.

— Ah, tenha dó, existe uma diferença enorme entre tirar os sem-teto da rua e varrer pontas de cabelo tingido de roxinho.

— E as senhoras de cabelo roxinho não se sentem bem melhor depois de uma xícara de chá, um pouco de conversa e um penteado no seu salão?

— Ah, claro, é exatamente uma campanha de Ajude os Idosos no Kortez Deskoladoz. — O que, de fato, não estava tão longe assim da realidade.

— Pare de se subestimar. Você é uma pessoa incrível. Está sempre fazendo coisas para os outros.

— É mesmo? Eu nem sequer ajudo as pessoas que conheço, quanto menos os estranhos. Lembra como eu me livrei de você-sabe-quem?

Eu havia lhe contado tudo sobre Archie. Estranho, mas, depois que meu surto de desgosto com ele havia passado, fiquei consumida pela culpa. Quaisquer que fossem as políticas vis que ele seguisse, ele havia *salvado a minha vida*. E eu o retribuíra terminando com ele e não atendendo seus telefonemas.

— Eu deveria ter pelo menos tentado convencê-lo, não deveria? — continuei.

— Talvez você o veja novamente. Daí pode tentar — Mark disse. — Nunca diga nunca.

— Vê-lo novamente? Deus, espero que não. O cara é um monstro — eu disse, esquecendo, momentaneamente, que estávamos conversando sobre fazer o bem.

Mark riu. — Todo mundo tem ao menos uma qualidade que se salva, Dayna.

— *Todo mundo?*

— Até mesmo Hitler. Ele amava seu cão, sabe, e era realmente gentil com as crianças; bem, pelo menos com as louras de olhos azuis. Falando sério, você gostou do cara o bastante para sair com ele, para início de conversa. E salvar você daquele assaltante foi muito nobre.

Verdade, mas era exatamente por isso que eu vinha me sentindo culpada. — Ele não parecia tão nobre quando estava chutando o cara até dizer chega — lembrei Mark.

— Só estou dizendo que devia haver algo de bom nele e que, ainda que tenha sido superado pelo que era mau, você deve ter visto um lampejo. Afinal, você não é tão superficial a ponto de sair com alguém só porque ele é bonito.

— Não, é claro que não — eu disse, olhando em seus luminosos olhos verdes emoldurados por aquela carinha linda perfeitamente proporcional e tão, mas tão beijável.

— Pena que Hannah e Luke não se acertaram — ele disse, após um momento. — Ele gostou mesmo dela, sabe?

— Ah, e ela também o adorou — eu disse, rápido demais —, mas ela tem esses sentimentos equivocados de lealdade em relação a um cara que a trai sempre que pode.

Eu não entendia o lance de Hannah com Simon. Desde que a conheci, ela sempre fora bastante rígida no que se referia aos homens. Nunca havia sido o tipo romântico de olhos lacrimejantes. Então, por que Simon tinha esse efeito sobre ela? Será que ela pensava que, se insistisse por tempo suficiente, ele reformaria seu jeito traidor e se devotaria a ela? Loucura.

— Eu *jamais* faria isso com uma garota — Mark disse.

— Verdade? Você está dizendo que, se estivesse indo sozinho para casa de noite e uma garota nua te atacasse, vinda das sombras, e tentasse te pegar de jeito, você a rejeitaria?

— Olha, se uma garota nua me atacasse na rua, eu faria com que ela estivesse em um albergue, enrolada num cobertor e tomando chá antes que ela tivesse chance de fazer qualquer coisa. Força do hábito, imagino. — Ele riu.

E eu acreditei nele. Mark nunca me trairia. Jamais. Ele era bom demais para ser verdade...

Exatamente! Bom demais para ser *verdade*. Ninguém podia ser tão perfeito. Tinha de haver pelo menos um segredo sórdido e eu iria encontrá-lo, ainda que morresse tentando.

Eu estava dando a varrida final no Kortez Deskoladoz quando meu celular tocou. A estagiária estava de folga e eu a estava substituindo. Isso significava lavar cabelos — aos montes. Minhas mãos estavam tão enrugadas que eu mal conseguia sentir o telefone. Era meu pai. Não nos falávamos havia algum tempo. Então fiquei contente em ouvir sua voz. A princípio.

— Olha, está um pouco difícil falar no momento — eu disse, vendo a dona me lançar um olhar irritado. Ela não gostava que atendêssemos telefonemas particulares no horário de trabalho. — Posso ligar de volta quando sair?

— Não precisa. É óbvio que você é importante demais para conversar com seu pai. — Havia um tom ríspido em sua voz. Estava claramente procurando briga. E falava arrastado. Estaria bêbado? Nem seis horas da tarde?

— Do que você está falando, pai? — sussurrei. — Estou no trabalho. Não posso mesmo falar. Te ligo dep...

A linha ficou muda. Ele havia desligado na minha cara.

As coisas estavam indo até que bem desde a sua volta de Dubai. Não havíamos *conversado* sobre nada, isso é verdade, mas o bom era que também não havíamos *discutido* sobre nada. Será que ele estava tendo problemas conjugais? Era por alguma coisa que eu tivesse feito? E por que estava bêbado? Ele era um cara sociável e gostava de uma bebida, mas não era um bebum. Coloquei meu celular de volta no bolso e comecei a me preocupar.

Telefonei para ele quando saí do trabalho, mas caiu no correio de voz. Não deixei recado. Estava debatendo se tomava um ônibus direto para a casa dele ou ia para a minha primeiro quando o celular tocou. Era Mark.

— O que você está fazendo neste instante? — ele perguntou.

— Tentando decidir o que fazer com a minha vida — respondi, tentando parecer alegre.

— Bem, não sei quantas opções você tem, mas aqui vai outra: quer ir a um show hoje à noite?

— Sério? Que tipo de show? — perguntei, com a cabeça ainda no meu pai.

— Você sabe, rock.

Uau. Senti como se estivesse vislumbrando um pouco do lado sombrio de Mark e fiquei bem animada. Ok, era apenas um show de rock. Mas até aquele momento eu o via como São Mark, então aquilo foi uma espécie de avanço.

— Adoraria ir — eu disse —, mas preciso fazer uma visita ao meu pai primeiro.

— Eu busco você e levo até lá, se você quiser.

Caramba, ir a um show de rock e apresentar meu namorado a meu (possivelmente bêbado) pai. Aquela estava se revelando uma noite e tanto.

Você nem quer saber quão nervosa eu estava quando Mark e eu paramos na porta da casa do meu pai. Eu só havia levado um namorado para casa, Simon, e tinha sido há anos. Não só isso, mas também percebi que devia estar ficando louca. Ao falar com meu pai, apenas uma hora antes, ele estava bêbado e havia desligado na minha cara. E agora eu queria que ele conhecesse meu namorado? Sim, eu estava profundamente insana. A porta se abriu e eu me encolhi de medo.

— Olá — Suzie retiniu, imediatamente olhando Mark de cima a baixo. — Veio ver seu pai, Dayna? Ele ainda não chegou...

Graças a Deus, pensei.

— ... mas entrem, de qualquer maneira.

Ela nos conduziu até a sala de estar e então desapareceu na cozinha para nos preparar uma bebida e, conhecendo-a, uma variedade de dez sanduichinhos diferentes.

— Fique à vontade, Mark — eu disse. — Vou ver se Suzie precisa de ajuda.

Encontrei-a tirando gelo de uma forma e colocando-o em copos.

— Tudo bem? — perguntei.

— Tudo ótimo — ela respondeu, abrindo um pacote enorme de batatas fritas Kettle.

— Agora me diga a verdade. Eu a conheço bem demais. Qual é o problema?

Ela virou e me olhou, então. — É assim tão óbvio?

Lancei-lhe um olhar e ela deu uma risadinha abafada.

— Nós tivemos algumas brigas — ela disse —, mas não há nada com que se preocupar.

Eu não estava engolindo aquilo. — Ele ficou esquisito de novo, não ficou? — perguntei. — Como ele fez antes de ir para Dubai? Ele me ligou hoje só para implicar comigo por causa de nada e...

Parei porque Mark havia aparecido na porta da cozinha. — Me desculpem por interromper, mas é melhor a gente ir andando, Dayna — ele disse.

Vi o alívio se espalhando pelo rosto de Suzie quando ela percebeu que não teria que conversar comigo sobre assuntos difíceis. — Aonde vocês vão? — ela perguntou. — Algum lugar legal?

— É só um show — Mark disse a ela.

— Um show de *rock* — eu sorri, sentindo-me bem rock'n'roll.

— O tipo de coisa a que eu costumava ir anos atrás — ela disse. — Ouvi uma música linda no rádio hoje. Uma melodia tão bonita. Como se chama...? "Yellow", é isso. Você já ouviu?

— Sim, é ótima — disse Mark. — Do Coldplay. Eles são o máximo no momento.

— Anda, vamos, Mark — eu disse, não querendo dar ênfase demais ao fato de Chris estar no auge do sucesso enquanto eu estava estancada segurando uma vassoura no Kortez Deskoladoz.

Deixei que Mark fosse na frente até o carro enquanto eu me demorava um pouco à porta com Suzie.

— Ele é *adorável* — ela disse —, absolutamente lindo. Pode trazê-lo aqui sempre que quiser. Michael adoraria conhecê-lo.

Lancei-lhe um olhar.

— Não se preocupe com seu pai, Dayna — ela me disse, apertando afetuosamente o meu braço. — Não há nada com que se preocupar. Tudo irá passar logo, você vai ver.

Não sei a quem ela estava enganando, no entanto. Não a mim e, certamente, não a si mesma.

O local do evento não era nenhuma Wembley Arena. Era um teatro pequeno em Shepherd's Bush, um lugar ao qual eu nunca fora. O pátio estava fervilhando de gente, todos jovens, de jeans e meio rock'n'roll. Por sorte, eu também havia me vestido adequadamente. Colocara um jeans Levi's rasgado de forma moderna e desencavara uma velha camiseta preta que eu esperava que parecesse propositalmente puída, mas que, na verdade, era apenas velha.

— Uma bebida? — Mark perguntou enquanto íamos ziguezagueando até o bar.

— Sim, quero uma cerveja, obrigada — respondi no piloto automático. — Na verdade, apague isso. Que seja uma Coca Light.

Eu havia me lembrado do meu pai bêbado e tive o repentino pensamento que, se essas coisas fossem hereditárias e eu tivesse que combater esse miserável DNA alcoólatra, seria melhor começar já.

Mark pediu duas Cocas Light e eu me perguntei se ele estaria me acompanhando apenas por educação; mas, é claro, ele teria de dirigir, não teria? Então, olhando ao redor, percebi que não estava vendo muito álcool sendo consumido. Todos pareciam estar bebendo Coca-Cola, limonada ou suco de laranja. E será que aquilo na mão daquele cara era soda com limão? Muito estranho.

Mark tomou meu braço e disse: — Venha, vamos entrar. Logo vai começar a ferver.

Uau, pensei, *isso é tão rock'n'roll!*

Ele me guiou até o auditório e, de repente, fiquei impressionada. *Assentos na primeira fila!* Não era essa área que se conhecia como setor do gargarejo? O lugar no qual as tietes se juntavam, esperando que um dos caras da produção as escolhesse e as levasse à coxia, onde elas se tornariam o brinquedinho do guitarrista na festa depois do show? É claro que eu não queria que isso acontecesse comigo, mas só estar ali já era excitante e um pouquinho perigoso.

— Lugares fantásticos, Mark — eu disse.

— É, meu pai promove esses shows, então conseguir entradas nunca é problema.

O que ele tinha acabado de dizer? Seu pai estava na indústria musical? A noite estava ficando ainda mais legal a cada minuto que passava.

— Ele está aqui hoje? — perguntei, pensando na festa nos bastidores, em conhecer a banda, ir para Los Angeles num jatinho particular...

— Hã-hã — Mark disse, interrompendo minha fantasia —, ele deve estar nos bastidores, em algum lugar.

— Quem é que vamos assistir mesmo? — Ele me dissera no carro, mas eu não tinha prestado atenção. Agora, no entanto, era toda ouvidos. Agora que sabia que tínhamos um *contato.*

— A banda se chama Trinity.

— Ah, como a mulher do filme *The Matrix.* Adorei ela naquele filme.

— Hã, sim — Mark disse vagamente; acho que ele não havia assistido a esse filme. — Seja como for, eu já os vi algumas vezes. Foi meu pai quem os descobriu, na verdade. Eles compõem todas as suas músicas e tudo mais. Você vai adorar... Bem, espero — ele acrescentou nervosamente.

— É lógico que vou adorar! Por que não iria? — Sua apreensão estava *me* deixando nervosa também. Será que aquele grupo iria tocar rock pesado demais ou coisa parecida? Você sabe, o tipo de banda que rejeita velharias chatas como melodias em favor de solos de guitarra ensurdecedores de vinte minutos e de vomitar nos fãs da frente, ou seja, em mim?

— Não, você vai simplesmente adorá-los — ele disse, percebendo meu incômodo. — Eles sabem bem como fazer rock e o melhor é que duas libras de cada ingresso vão diretamente para a epidemia de AIDS na África.

— Isso é fantástico — falei efusivamente. Fiquei levemente surpresa, a princípio, porque sempre tivera a impressão de que duas libras de cada ingresso, em geral, iam direto para o nariz do baterista. Mas então me lembrei do Live Aid e da campanha do Sting para salvar a floresta tropical e de alguma coisa que Chris Martin dissera na Radio One (sim, eu havia sintonizado na entrevista dele, não pude evitar) sobre comprar sabão em pó certificado pela Fair Trade ou algo parecido. Claro, toda aquela história de ajudar a combater a AIDS era o máximo. Rock'n'roll total! *Uhu!*

Aquilo era incrível. Eu estava combinando um show de rock com uma ação válida, pelo menos uma vez na vida, e mal podia esperar que o show começasse. Olhei ao meu redor por um momento e dei uma checada no resto da audiência. Todos pareciam estranhamente calmos e, de certa forma, distintos. Não exatamente quilômetros de pele exposta e tatuada, ou cabelos moicanos espetados, nem camisetas manchadas de cerveja com mensagens depravadas. Não tive tempo de me demorar nisso, no entanto, porque o braço de Mark me envolveu e eu me aconcheguei nele, sentindo-me feliz e à vontade. Adorei a forma como meu ombro cabia justamente sob sua axila e como seu lindo cabelo encaracolado cheirava a xampu e, se eu olhasse para a minha direita, podia ver os lábios mais deliciosos que eu iria beijar assim que ele terminasse de rezar o Pai-Nosso...

O *Pai-Nosso*!?

Mas que...

Confusão total.

Antes de tudo, uma lembrança bizarra da época do catecismo e de mim pensando por que cargas d'água dizíamos "Sangue de gato seja o vosso nome". Depois a percepção de que não era apenas Mark, mas também um homem em cima do palco, em frente ao microfone e conduzindo a platéia inteira na oração.

Fiquei seriamente assustada.

"Mas, espere aí", eu perguntei a mim mesma, "a exatamente quantos destes espetáculos você já assistiu? A nenhum, precisamente", respondi. Então, como eu poderia saber qual era a etiqueta? E não fora aquilo que Madonna tinha feito em *Truth or Dare*? Se era legal o bastante para a Madge...

— Aquele é meu pai — Mark sussurrou quando as luzes diminuíram de intensidade.

— Quem?

Ele indicou com a cabeça o homem que havia liderado a todos (bem, todos menos a mim) na oração e que agora estava deixando o palco. Aquele era o *pai* dele? Parecia um administrador de escritório. Ou seja, sua aparência era exatamente a que se esperaria de um pai de meia-idade. Ele não parecia um promotor da indústria musical. Minha confusão se aprofundava, mas não houve chance de me orientar, porque grandes holofotes finalmente iluminaram o palco e houve uma explosão de aplausos e gritos. Ajustei meus olhos à claridade e, sim, lá estava a banda Trinity. Estranhamente, havia cinco caras e eles se pareciam realmente com uma banda de rock, ainda que de forma um tanto quanto caretinha. Eles, com certeza, não haviam sido influenciados por Marilyn Manson, o que, provavelmente, era algo bom. Vestiam jeans e camisetas e o cantor usava até mesmo um boné de trás para a frente, a calça de cintura baixa e tudo mais.

Mas também estava tocando um pandeiro.

Isso, por si só, não era particularmente ruim — eu tinha certeza de que John Lennon devia ter chacoalhado um daqueles algumas vezes — e a música não era ruim. Não era um som digno de entrar nas paradas de sucesso, mas também não era horrível.

Não, nada disso era problema... Mas havia algo estranho naquilo tudo, algo que eu não conseguia identificar... ao menos até que o cara do pandeiro começasse a cantar. Levei quase o primeiro verso inteiro para perceber, mas, quando chegou a parte do coro, as coisas ficaram bastante claras. Ele, definitivamente, não estava cantando sobre sua mulher ou sua Harley Davidson ou de onde viria sua próxima dose de droga. A despeito de estar cantando loucamente como um Ozzy Osbourne, as palavras que saíam de sua boca eram: "Deus é bom, Deus é ótimo, Ele é bom para você, Deus!".

AimeuDeus (por assim dizer), Mark havia me trazido a um show religioso.

Eu estava rodeada por tietes de Jesus, centenas deles e todos estavam ensandecidos. Sinceramente, eu já tinha ido a shows do Take That e do *NSYNC e a histeria fora apenas ligeiramente pior que aquilo.

Olhei para Mark, com hesitação. Achei, por um ridículo momento, que ele estivesse tão estupefato quanto eu; talvez ele também não esperasse aquilo. Mas, não, ele estava adorando, não havia a menor dúvida.

Eu me perguntei se aquela primeira música seria uma exceção. Talvez agora que a banda já tivesse cumprido sua obrigação com Jesus, voltasse a terrenos mais conhecidos e cantasse sobre sexo e drogas. Mas não foi assim. Foi canção após canção após canção sobre Deus, Deus e mais Deus. Todos ao meu redor estavam gritando e aplaudindo, enquanto eu continuava entorpecida. Estava presa em um mundo que nem sequer sabia que existia. Quando é que aquilo iria terminar? Talvez nunca e eu ficaria presa ali por toda a eternidade.

— Eles são incríveis, não? — Mark gritou no meu ouvido cinco ou seis canções depois.

— São... são absolutamente... — "Absolutamente o quê?", eu me perguntei. Como eu disse, estava entorpecida.

— Qual é o problema, Dayna? — Mark perguntou, sentindo que algo ia mal.

Ah, de que adiantaria? Eu não podia pedir-lhe que deixasse seu amado Trinity e me levasse para casa e não podia simplesmente ir embora sozinha; não iria fazer isso com ele. Decidi trincar os dentes e ir até o amargo fim daquilo.

— Nada! — gritei. — Nada mesmo! Eles são absolutamente incríveis!

Acabei me rendendo, então. Me submeti ao poder do Rock Divino e comecei a gritar e cantar junto com o resto do povo. Eu não estava de muito boa vontade, admito, mas fiz o melhor que pude. Só dei um pequeno fora, soltando um grito particularmente alto e agudo de *U-hu!* no exato momento em que a música ficou mais baixa para que o tecladista tocasse um delicado tilintar. Todo mundo me olhou como se eu fosse única. Não no bom sentido, obviamente; era mais como "Tomara que seja a única idiota por aqui".

Rangi os dentes durante um quarto (ou seria quinto?) pedido de bis e então, por sorte, acabou. Trinity finalmente deixou o palco e, a despeito dos gritos insanos dos fãs, não retornou. Havia terminado! Eu poderia ir para casa e...

— Venha, Dayna — disse Mark, agarrando minha mão. — Há uma festa nos bastidores. Vamos lá conhecer os caras.

Parecia que não havia terminado, afinal.

Minha primeiríssima festa pós-show complementou a total esquisitice daquela noite. Não havia assistentes de palco, açucareiros cheios de cocaína e nem sequer uma bebida alcoólica. E o mais estranho de tudo foi que, antes que o filme plástico fosse removido das bandejas de lanches, o pai de Mark fez uma *oração de graças.* Jimi Hendrix, Michael Hutchence e Sid Vicious devem ter se revirado na tumba.

Enquanto observava Mark visivelmente radiante diante da emoção de conhecer seus heróis, tentei definir minha postura com respeito à questão divina. Eu nunca havia pensado seriamente naquilo, mas agora era a única coisa na minha mente. Pensei que ainda queria Mark em minha vida, mas será que também queria Jesus nela?

Por mais adorável que ele fosse, eu não conseguia digerir tudo aquilo. Para ser honesta, talvez eu pudesse conviver com a fé de Mark se ela fosse um pouco mais... hã... normal. Você sabe, do tipo que se expressa de forma privada em uma igreja agradável e tranqüila numa manhã de domingo enquanto o resto do mundo (particularmente eu) ainda está na cama. Mas, não, sua fé era do tipo que saía um pouco dos limites, balançando-se e cantando com aquela estranha forma de vamos-nos-embebedar-de-Deus. De repente, Mark não parecia muito diferente das testemunhas-de-Jeová que você vê rapidamente ao abrir a porta de casa antes de fechá-la com força, nem das gangues de Hare Krishnas cor-de-laranja que cercam a gente na Oxford Street. Era um pouco efusivo demais para o meu gosto.

Perguntei a mim mesma se eu me importava com aquilo tudo. Se realmente mudava alguma coisa?

Tenho que dizer que a resposta foi sim, mudava.

A seguir, fiz uma coisa terrível. Não terminei de fato com Mark. Mas também não continuei saindo com ele. A visão dele se transformando em um maluco hippie no show ficara gravada nas minhas retinas e não queria me deixar em paz. Era perturbador demais e eu não podia suportar a idéia de vê-lo novamente. Mas também não podia enfrentá-lo com a verdade. Ele era legal demais, droga de homem, e eu não podia magoá-lo daquele jeito. Portanto, simplesmente fui deixando as coisas esfriarem, o que foi ridículo e desonesto e covarde e bem meu estilo.

Ele me ligou. Um monte de vezes, na verdade. Fui lhe dando uma desculpa esfarrapada após a outra. Ele era persistente, mas não era burro e, no final, entendeu o recado. Os telefonemas cessaram e eu me senti péssima. Ele era um cara tão legal — tranqüilamente o mais legal que eu já conhecera — e não merecia aquele tratamento.

Eu honesta e verdadeiramente não me importava com quais fossem as crenças de uma pessoa. Todos nós acreditamos em algo, imagino, ainda que fosse na "Maldição da Revista *Hello!*". Mas, de agora em diante, Mark teria que seguir sua religião sozinho.

Mark tinha sido o mais próximo da perfeição a que eu conseguira chegar. Ele era praticamente um santo. E eu o havia dispensado porque não conseguia lidar com o fato de que, vez ou outra, ele gostasse de encher a bola de Jesus. Azar o meu, suponho, e eu tinha quase certeza de que iria queimar no inferno por aquilo.

No entanto, fiz uma coisa boa, como resultado de ter conhecido Mark: saí novamente com Archie. Espere um pouco, escute primeiro o que tenho a dizer. Foi apenas para um drinque e não aconteceu absolutamente nada.

— Quer ir tomar uma cerveja? — ele havia perguntado alegremente, como se não houvesse qualquer bagagem emocional entre nós. Pensei em recusar, então me lembrei do discurso de Mark sobre "todo mundo ter algo de bom".

— Ok — eu disse.

O que eu achava que iria conseguir? Mudar trinta anos de preconceito e transformá-lo em um liberal fracote? Na verdade, sim, esse era exatamente meu objetivo. Estávamos em um pub perto do meu apartamento e eu realmente o ataquei. Desconfio que ele estivesse a fim de uma transa em nome dos velhos tempos, o que jamais iria acontecer, e minha abordagem direta o pegou de surpresa.

Não consegui coisa alguma, no entanto. Ele tinha resposta para tudo e, geralmente, consistia em uma estatística que ele, provavelmente, tinha inventado; e como ele as tirava do nada, eu não tinha como argumentar contra elas. O outro problema era que, embora ele estivesse completamente errado sobre tudo, sabia muito mais sobre política do que eu, o que me deixava em certa desvantagem. Mas você tem que me dar algum crédito por ter tentado. Mark teria ficado orgulhoso de mim, se não estivesse, naquele momento, rezando pela minha alma perdida.

— Você está tão equivocado, Archie — eu disse, secando meu copo e preparando meu golpe final. — Todas as pessoas têm seu lugar no mundo.

— *Exatamente* — ele disse. — Seu lugar no *mundo*. Não neste maldito país.

— Você sabe o que eu quero dizer. Você não pode simplesmente apreciar as diferenças entre as pessoas em vez de odiá-las por causa delas?

— Você me entendeu mal, Dayna. Eu aprecio as diferenças entre as pessoas. Foi por isso que gostei de você. Você não era igual a ninguém que eu tivesse conhecido antes.

— Obrigada — cantarolei, apenas por um instante esquecendo a minha missão. — Mas não adianta nada respeitar somente algumas pessoas. Não se pode discriminar. Você tem que *expandir* essa boa-vontade — eu disse, *à la* Marka — A *todo mundo*.

— Olha, não sou nenhum monstro, sabe — ele declarou, indignado. — Respeitarei as diferenças de qualquer um, desde que não sejam esfregadas na minha cara. As pessoas têm que ficar com seu grupo. Não fomos feitos para nos misturar. Estou te dizendo, os judeus entenderam isso há muito tempo. Eles exigiram sua própria terra, não exigiram? Mas eles não gostam nada quando nós...

Eu me desliguei enquanto ele tentava se descrever como o homem mais racional e tolerante da Inglaterra, alguém que amava os negros, os judeus e os asiáticos, desde que eles estivessem à distância mínima de um vôo internacional.

"Uma pena", pensei, porque, se você não escutasse o que ele dizia, ele era realmente lindo de se olhar.

8,5 cm

— Vim o mais depressa que pude, querida — Suzie diz, ofegando, ao entrar correndo no quarto. — Quarenta minutos, de porta a porta. Nada mal, hein? Meu Deus, espere um pouco... *Aaahh!*... Desculpe, eu só precisava desabafar isso. Estou *tão* emocionada. Olhe só para você! *Incrível!* Como você está se sentindo?

— Hummm-*aaaahhhhhh!* — respondo.

— Há algo coisa que eu possa fazer? Quer que eu pegue alguma coisa para você?

Como não estou em condições de responder com nada mais coerente que outro grito, Emily responde por mim. — Não se preocupe, Suzie, nada há que você possa fazer. Mas é bom que você esteja aqui.

Eu concordo e meu berro ligeiramente mais baixo de agonia o confirma. À medida que a última contração diminui, focalizo o olhar em Suzie e tento sorrir. Mas meu rosto se congela quando tenho a visão de alguém hesitando ligeiramente atrás dela. Ele olha nervosamente por cima do ombro de Suzie.

É o Mark!

— Como você soube em que quarto nós estávamos? — Emily pergunta a Suzie.

— Ah, escutei os gritos lá do estacionam... — Aquele olhar furioso dos olhos semicerrados de Emily a faz parar de supetão. — Quer dizer, eu encontrei com a parteira aí fora. Ela disse que você está quase lá, Dayna!

Ela se atira para me abraçar, mas recua, encolhendo-se, quando meu corpo enrijece para outra contração. O intervalo entre elas diminuiu para segundos e a vontade de empurrar agora é intensa. Mas a parteira Maureen me disse para agüentar só mais um pouco. Só mais um centímetro, ela disse, e eu evitaria, assim, quaisquer *cortes* ou *rompimentos* desnecessários. Toda essa agonia e mais *isso* com que me preocupar. Jesus Cristo do cacete!

E falando em Jesus... *Mark!*

Quero falar alguma coisa.

Mas não consigo. Estou. Ocupada. Demais. GRITANDO!!

Se Maureen não voltar aqui logo, estarei bem fodida. Onde diabos ela se meteu? Ah, sim, foi garimpar uma platéia. — Vou chamar a Jo — ela disse, antes de sair. — Ela é uma das parteiras e pode me ajudar, agora que estamos na reta final. Ah, e o Dr. Singh está com uns alunos de medicina, só uns seis ou sete. Ele gostaria de lhes demonstrar um parto... Você não se importaria, não é?

Não, imagine, pode trazer todo mundo, eu disse a ela. Por que não chama também as faxineiras e os caras da manutenção? E o John Motson, para fazer os comentários para o DVD. Por que diabos eu me importaria? Sinceramente, não ligo a mínima, porque no momento existem coisas muito mais importantes com que me preocupar, como por exemplo...

Aaaaaaahhhhhhhhhhhhhhhh!!!

Sim, como, por exemplo, isso.

Aulas de pré-natal? Não me faça rir! Ficar sentada de pernas cruzadas nos colchonetes de exercício, com as mãos embalando serenamente a barriga, praticando a *respiração.* Que tipo de preparação é essa? Cadê o exercício de como colocar para fora uma bola de boliche? Ou de como cagar uma melancia? Ou de como fazer um elefante passar pelo buraco de uma agulha? Ou...

Você está conseguindo visualizar o drama?

Acho que as pessoas neste quarto estão.

O rosto de Mark está branco como cera.

Emily virou uma estátua humana.

As contorções no rosto de Suzie tentam, sem sucesso, acompanhar as minhas.

Virgens de parto, todos eles.

De grandessíssima ajuda, eles estão se revelando.

Nº 6

Eu adorava meu emprego novo. Tá, eu sei que havia adorado todos os empregos novos que já tivera na vida (exceto, obviamente, o do Kortez Deskoladoz), mas ADORAVA este. Graças a Deus, porque adorá-lo era a única coisa que compensava o fato de, depois de eu tê-lo arranjado, Emily não querer falar comigo durante quatro semanas. — Você realmente decepcionou o Max — ela disse, fazendo beicinho. "Ah, coitadinho dele", pensei, "tenho certeza de que irá superar a decepção". Mas aí ela me atingiu, dizendo: — E você realmente decepcionou a *mim*. O que é que eu vou fazer da vida agora?

— Hã, arrumar um emprego? — sugeri.

— Max não quer que eu seja apenas a funcionária de alguém. Ele diz que é degradante. É por isso que ele queria que eu abrisse um negócio.

— Abra um negócio, então.

— Mas não posso fazer isso sozinha. Preciso de *você*.

— Vamos, Emily, esse lance do negócio jamais daria certo — eu disse, decidindo, por fim, ser honesta com ela. — Nós não estamos preparadas para esse tipo de coisa. Acho que só estávamos fazendo isso por Max.

— Como você pode dizer isso? — ela protestou. Em voz bem alta. — Ele só estava fazendo isso por *nós*. Ele só queria dar à nossa vida um significado, um propósito e...

— Não, ele só queria dar a si mesmo algo de que se gabar — eu disse, sendo possivelmente mais honesta com ela do que havia pretendido. — Ele só quer poder dizer: "Oh, olhe só para mim, eu não sou esperto? Apenas vinte e sete anos e já abri um negócio para a minha namorada e a amiguinha dela."

Ela saiu pisando forte do meu apartamento, depois disso. E se recusou a falar comigo durante semanas.

Não importa, porque eu *adorava* meu trabalho. Adorava o fato de estar colocando dinheiro no banco, para variar. Adorava minhas clientes chiques e suas gorjetas enormes, gordas. E adorava trabalhar com Hannah. Sim, acabei indo trabalhar em Knightsbridge, no Spa Space. Nossa chefe era fantástica. Ela se chamava Mila ("Pronuncia-se *Miiiiiii*la, querita" — ela era da Romênia) e também era a proprietária do lugar. Toda segunda, que era o dia mais tranqüilo, ela fechava o salão às cinco da tarde para uma sessão de relaxamento das funcionárias. Com drinques e petiscos nos refestelávamos na sauna e na hidromassagem e fazíamos tratamentos umas nas outras. Que idéia brilhante! Quem teria pensado numa coisa dessas? Só mesmo um gênio *new age* do Bloco Oriental, e eu a *adorava* por isso.

Minha cliente favorita vinha pelo menos uma vez a cada quinze dias e sempre pedia para ser atendida por mim. Eu estava trabalhando no Spa Space há seis meses e aquele era seu enésimo tratamento. Nós conversávamos sobre tudo e, hoje, enquanto eu aplicava uma máscara de lama em seu rosto, o assunto era sua menopausa.

— Você já passou pela menopausa? — eu estava espantada. — Achei que não acontecesse antes dos cinqüenta ou por aí.

— Bem, querida, fiz cinqüenta no ano passado, não fiz? — Suzie me lembrou.

— Ai, meu Deus, tinha esquecido completamente. Aceite isso como um elogio. Você está incrível. De jeito nenhum parece ter cinqüenta anos.

— São esses tratamentos faciais, meu bem. Você tem mesmo o dom para este trabalho.

A Sociedade de Valorização Mútua Suzie & Dayna. Se você tivesse me falado, apenas alguns anos antes, que seria assim, eu teria rido na sua cara. Mas ali estava: eu adorava a minha madrasta. Assim como por todo o resto, eu ficava emocionada pelo fato de ela viajar a Knightsbridge a cada duas semanas só para me mostrar seu apoio.

— Você deveria ficar contente por eu ter passado pela *transição* — ela continuou. — Agora você pode ter certeza de que não vou lhe dar um irmãozinho ou irmãzinha monstruosos.

— Não sei se isso teria sido tão ruim assim.

— Verdade? Você consegue, sinceramente, imaginar seu pai com um bebê?

— Bem, Michael Douglas conseguiu e meu pai é mais novo do que ele... Mas você tem razão, não, não consigo imaginar, para ser sincera. A propósito, como ele tem se comportado ultimamente? Meu pai, quero dizer, não o Michael Douglas.

Fazia algum tempo que eu não o via e estava querendo perguntar.

— Você supõe que eu fale, com esta máscara aqui? — ela murmurou.

Ela estava certa. Requeria-se silêncio total, a não ser que ela desejasse ter trincas estilo chão rachado em seu rosto.

— Relaxe — eu disse. — Vou deixar você em paz. Volto daqui a cinco minutos.

Acendi uma vela perfumada, reduzi a intensidade das luzes e fechei a porta silenciosamente atrás de mim. Mas, enquanto preparava um café, pensei em Suzie e meu pai. Seria a relutância de Suzie em falar sobre ele decorrente da máscara facial ou apenas uma simples relutância em falar dele?

Eu vinha me aproximando bastante de Suzie com suas sessões de beleza regulares, mas parecia ter perdido contato com meu pai. Disse a mim mesma que não era culpa minha. Os últimos seis meses haviam sido caóticos, com a adaptação ao emprego novo e o fato de que era obrigatório que eu fosse à loja Harvey Nicks em todos os meus momentos livres. Resolvi, naquele instante, realizar todas as promessas que havia feito a mim mesma de passar mais tempo com ele.

Mas, então, conheci o Cristian.

No período de calmaria sem namorado depois de Mark, cheguei a uma resolução. Decidi que não seria mais conquistada pelas aparências. Simon, Chris, Archie, Mark, mesmo a maravilha rapidíssima que foi Gabriel, todos haviam sido decididamente lindíssimos. E, no fim, todos eles provaram ser errados para mim. Estava claro que formavam um padrão e, quando se tratava de caras bonitões, eu era uma idiota em série. De agora em diante, no entanto, jurei que a aparência seria irrelevante. O próximo homem por quem eu me apaixonasse teria que possuir beleza *interior.* E se ele se parecesse com um suíno, não teria importância alguma, porque ele seria bonito *por dentro.* E, embora eu não tivesse um namorado desde sabe Deus quando, essa decisão me fez sentir bem de verdade. Finalmente, eu havia desvendado a *questão homem* e, de agora em diante, seria só sopa no mel.

Então, como era a aparência de Cristian? Imagine uma cruel e deturpada combinação de Danny DeVito, Andrew Lloyd Webber e Ken Dodd, e acrescente uma camada da gordura do Pavarotti. Captou a imagem? Bem, Cristian era mais ou menos o oposto disso.

Pois é, de grande valia foi a minha resolução. Mas, vamos lá, me dê uma chance. Eu estava ocupada demais combatendo um infarto fulminante detonado pela visão divina que ele era para me lembrar de uma coisinha tão boba como uma resolução.

Eu o conheci em umas das sessões de relaxamento das segundas-feiras. Eu estava fazendo luzes no cabelo. Tinha quadradinhos de papel-alumínio pendurados, aparentemente de forma aleatória, por toda a minha cabeça e estava embrulhada numa daquelas Capas de Morcego típica dos salões de cabeleireiros; ou seja, não estava no meu melhor momento. Enquanto esperava que o alarme de tempo soasse, estava a quilômetros de distância, curtindo um tour pela *linda* e *aprazível* casa de Jamie e Louise Redknapp, em Cheshire. Isso mesmo, eu estava lendo a revista *Hello!*. Nem sequer notei quando ele se sentou na cadeira vazia ao meu lado.

— Como é que vai ficar quando tirarem o papel-alumínio? — ele perguntou.

Dei um pulo. Uma voz masculina no Spa Space era algo praticamente inédito, principalmente nas noites de segunda, quando ficávamos só as garotas. Levantei os olhos da minha revista e o analisei pelo espelho. *Uau*. Um metro e oitenta de pura tentação. Olhos escuros em pele morena, e sobre eles cachos desalinhados de cabelo escuro. E seu rosto não era simplesmente moreno, era... indescritivelmente bonito.

— E então, como vai ficar? — ele insistiu.

— Hummm, um cruzamento de Jennifer Aniston com, hã, a garota irlandesa da banda Girls Aloud — eu disse a ele. Sem saber exatamente, eu dera a ele a mesma descrição que dera à cabeleireira.

— Você se refere à Nadine? — ele disse.

Como é que eu iria saber? Eu era a garota com papel-alumínio na cabeça, lembra? Tenho certeza de que os produtos químicos usados por cabeleireiros temporariamente extirpam seus neurônios e, durante o tratamento, você não sabe nada, a não ser que esteja impresso na página da revista à sua frente.

— A própria — eu disse a ele com autoridade.

— Há quanto tempo você trabalha aqui? — ele perguntou.

Jesus, até mesmo seu sotaque era estranhamente bonito. Uma espécie de mistura entre Thierry Henry e alguém menos francês.

— Uns seis meses — eu disse, tentando soar tão sexy quanto ele, mas meu sotaque do norte de Londres não estava realmente dando conta.

— Mila nunca me falou de você.

Olhei para ele sem expressão. Será que ele era sócio dela? Ou seu namorado?

— Mila é minha mãe — ele disse.

Mãe? Não podia ser. Ela não parecia ter idade suficiente para isso. Mas, espere um pouco, a mulher tinha um salão de beleza; era seu trabalho não parecer velha.

— Quantos anos você tem? — perguntei antes de conseguir me controlar.

— Isso é falta de educação, não é?

— De jeito nenhum. Só é falta de educação se você pergunta a uma mulher, e mesmo assim, só se ela for bem velha — gaguejei, desejando rebobinar a conversa ao início.

Então, vi Hannah. Ela estava sentada sob uma grande palmeira plantada num vaso, uma taça de vinho na mão. Estava papeando com uma das garotas, mas olhava para mim, lançando flechas com os olhos.

— Então, o que você está fazendo aqui? — perguntei a ele rapidamente.

— Vou levar Mila ao teatro. Pensei em vir buscá-la. Não venho aqui tanto quanto gostaria.

— Você não a chama de mãe? Ou algo parecido?

Não me pergunte por que eu estava lhe fazendo perguntas tão estúpidas quando só o que realmente queria era flertar desavergonhadamente. Assim como Hannah, as demais garotas pareciam estar olhando para nós. Percebi, então, que, se eu não fizesse alguma coisa rápido, ele também as perceberia e veria que, ao contrário de mim, elas não estavam usando Capas de Morcego e não tinham uma cabeça que parecia pronta para ir ao forno.

— Não, eu a chamo de Mila — ele disse, sério. Seus olhos estavam sorrindo, no entanto.

— Oi, Cristian. — Era Hannah, surgindo a meu lado, sem esperar que ele a notasse. Ela era toda lábios e peitos, que se estreitavam no vão entre mim e Cristian. — Há séculos que não te vejo — ela disse (voz rouca).

— Não, eu estava dizendo agora mesmo para a... — Ele fez uma pausa e olhou para mim.

— Dayna — eu disse a ele (voz igualmente rouca).

— Eu estava dizendo a *Dayna* que não tenho a chance de vir aqui tanto quanto gostaria. Adoro este lugar. Tão tranqüilo... *relaxante*.

Só o que eu conseguia ouvir era o CD do Snoop Dogg no aparelho de som e as risadas estridentes das garotas, bebendo lá na frente.

— Você chama isso de relaxante? — perguntei quando o som agudo do alarme de tempo se cruzou com o som agudo das risadas.

— Talvez não numa segunda à noite — Cristian disse, levantando-se.

— Ah, você já vai embora? — Hannah soprou (voz mais rouca humanamente possível), seus lábios cheios formando um beiço sem nem precisar de colágeno.

— Infelizmente, tenho que ir, ou Mila e eu nos atrasaremos. Mas, Dayna — ele disse, desviando-se da Beiço de Truta —, eu simplesmente preciso saber.

— Saber o quê? — perguntei, roucamente.

— Se você vai mesmo ficar parecida com um cruzamento da Jennifer Aniston com a Nadine Coyle. Você me telefona amanhã para dizer?

Os olhos de Hannah se esbugalharam tanto quanto seus lábios, o que é dizer muito.

— Ok — eu disse a ele, com uma voz que havia perdido qualquer pretensão de ser rouca. Era mais o tom monótono de um zumbi submetido a lavagem cerebral, como se eu tivesse caído sob o poder dele para todo o sempre.

Eu telefonei para ele no dia seguinte. Fui bastante tranqüila, no entanto, e não liguei logo de manhã. Esperei até a tarde. Até meio-dia e um, para ser exata.

— Por favor, diga que sim, *por favooooooor*? — Simon implorou.

— Não posso, Simon. E pare de implorar. É degradante. Além disso, se eu for, parecerei ridícula e isso fará com que você também pareça ridículo. Deve haver centenas de outras pessoas que você pode convidar.

— Há mesmo e já as convidei. E todas disseram *sim*. Não acredito que a única pessoa que me rejeitou seja aquela que conheço há mais tempo.

— Quem? — perguntei.

— *Você!*

— Ah — eu disse.

Simon queria que eu o ajudasse a se tornar uma estrela de TV. O canal ITV havia autorizado um novo reality show de boa forma. Dez semanas de treinamento e a vencedora teria um biquíni tamanho 40 esperando-a em uma praia nas Ilhas Maurício ou algum lugar parecido. Os produtores estavam procurando personal trainers que colocassem em forma os traseiros de toucinho de suas vítimas escolhidas, e o nome de Simon havia surgido quando conversaram com o gerente da academia dele. Eu podia ver por quê. Seu corpo sempre fora um templo, mas agora era um monumento catalogado e tombado. Haviam marcado um teste no qual ele deveria fazer uma sessão de treinamento com um grupo de pessoas com vários níveis diferentes de habilidade para demonstrar como ele trabalhava bem com todo público, desde os super em forma até os supermolóides. Ele já havia recebido o ok de seus colegas de academia e de seus contatos no mundo das artes marciais. Agora estava no meu apartamento tentando recrutar a mim, a supermolóide.

— Vai ser ótimo para a minha imagem ter alguém como você lá — ele continuou, não tendo ainda terminado de implorar.

— E você supõe que isso vá me fazer dizer sim?

— Bem, você sabe que não consegue fazer muita coisa — ele disse, burro demais para perceber como estava perto de levar um soco na cara. — E se eles virem que eu sou paciente e contagiante com você, sabe, gente inútil, ficará provado que sou o cara certo para o programa deles. Por favor, Dayna.

— Deus, você sabe mesmo como ganhar uma garota, não?

— Não perdi o jeitinho, perdi?

— A resposta é: vá se danar, Simon. Por que você não pede para Beth?

— Quem?

— Jesus, você não consegue nem se lembrar do nome delas?

Eu não podia acreditar naquele cara. Ele vinha ao meu apartamento, bebia meu chá, esculachava meu nível de condicionamento físico (tá, nós dois sabíamos que eu nem sequer tinha condicionamento físico, mas isso não vinha ao caso) e então não se lembrava do nome de suas namoradas quando eu tentava, sutilmente, usá-las contra ele.

— Você está falando da Beth? — ele perguntou, concentrando-se muito.

— *Sim*, Simon. Desculpe, em vez de chamá-la de Beth, eu deveria ter sido mais clara.

— Deus, como é que você sabe dela? — ele disse, não captando o sarcasmo.

— PORQUE VOCÊ ME CONTOU! — gritei. — Você me conta sobre todas as garotas com quem transa.

— Não *todas* — ele disse timidamente.

— Bem, eu sei de Sally, Anna e Hannah... Caroline, que pegou você com Grace... ou foi Grace, que pegou você com...

— Espere um minuto, Grace é a velha coroca que passa roupa para a minha mãe — ele disse, num tom que sugeria que eu havia insultado profundamente a honra que ele não tinha. — Que diabos te faz pensar que...? Ah, sim, sim, eu sei de onde você tirou isso. Eu lhe contei sobre a filha dela, não foi? *Michelle*... foi ela quem me pegou com... Caramba, quando foi que lhe contei isso tudo?

— Na última vez em que saímos para tomar alguma coisa — lembrei-o. E, por "alguma coisa", eu queria dizer café. O corpo de Simon era, como todos os templos que se prezam, uma zona sem álcool.

— Sim, Michelle — ele refletiu. — Garota legal. Grandes seios. Ei, você não está mais saindo com garotas, está? Acho que ela toparia facilmente se você quisesse vir junto, uma noite dessas.

Eu me segurei para não bater nele porque não queria que pensasse que eu era homófoba. Mas também não queria que pensasse que eu algum dia cederia à sua fantasia de sexo a três. Então eu disse: — O que você quer dizer com isso? — o que me mantinha em território neutro.

— Só estou brincando. Não precisa ir arrancando a calcinha — ele disse. — Se é que você está usando. Essa calça está *muito* apertada. — Estaria ele insinuando que eu havia engordado ou que eu estava demoniacamente sexy? Eu estava pendendo mais para a segunda hipótese quando ele acrescentou: — Mais razão ainda para você vir ao meu teste. O exercício lhe faria...

Então, pisei no pé dele.

— Ei, cuidado com meu metatarso, sua idiota!

Embora ele estivesse me torrando a paciência, devo admitir que me animei um pouco. Eu lhe ensinara tudo o que ele sabia sobre o corpo humano e ele havia provado ser um aluno digno.

— Então a resposta é não? — ele disse, esfregando o pé.

— Sim, é não, infelizmente. É só isso?

Ele me olhou sem jeito. — Tem essa outra coisa que eu queria lhe pedir... Mas tudo bem, não é import...

— Não, vá em frente, me conte — eu disse, meio intrigada.

— Bem, é um pouco delicado... Mas a gente se conhece há anos, certo? E é para isso que servem os amigos, certo? E eu faria o mesmo por você, certo?

— Desembucha, Simon.

— Ok, bem, essa garota com quem eu venho saindo, a Sally... Eu já te contei sobre ela?

— Contou.

— Então, ela pode ser um pouco desconfiada às vezes...

"Hummm", pensei, "do que será que ela poderia desconfiar?"

— ... e eu meio que prometi que sairíamos no sábado, mas também disse que levaria Corinne... Eu já te contei sobre Corinne?

— Não, mas continue.

— Eu disse que a levaria a Brighton para passar o fim de semana, e estava pensando se eu poderia dizer a Sally que você é minha irmã e fingir que você e eu...

— Não, de jeito nenhum.

— Espere, você nem sabe o que eu vou dizer. Eu só quero que você...

— Não me importa. Não vou mentir por você de novo.

— O que você quer dizer com "de novo"? Nunca lhe pedi para mentir antes e nem sequer é mentir. É só...

— Não me importa. Não vou fazer isso, então nem me peça, está bem?

Eu não sabia ao certo por que estava sendo tão teimosa. Por que não queria ajudar o cara? Será que era porque eu me sentia genuinamente ultrajada em nome de todas as garotas que ele estava enganando? Ou era porque ouvir sobre todas aquelas garotas com quem ele estava transando me fazia lembrar de como ele havia me traído? Ou era apenas porque ser reduzida ao papel de sua "irmã" fosse ligeiramente humilhante?

— Então, a resposta é não? — ele perguntou, pela segunda vez naquela noite.

— Infelizmente.

O rosto dele se enrugou. — Jesus, isso vai ser um pesadelo — ele suspirou depois de um momento. — Por que a vida tem que ser tão complicada?

— Porque você a faz assim, Simon. Por que você faz isso? É só porque pode?

— Sei lá. — Ele deu de ombros. — Simplesmente acontece.

— Você nunca pensa em sair dessa, em não fazer só porque pode?

Ele não respondeu. Ele parecia estar fazendo algo que era raro nele. Parecia estar pensando.

Mas eu não podia esperar a noite inteira. — E então? — insisti.

— Sei lá... simplesmente não consigo dizer não — ele me disse. — Simples assim.

— Mas *por quê*? O que vai acontecer se você disser não? Você vai morrer?

Ele não captou o sarcasmo. — Deve ser como os fumantes, sabe? — ele disse.

— Não sei, não. O que você quer dizer?

— Bem, parece um pouco estranho, mas eu simplesmente tenho que fazer. O tempo todo. Com tantas garotas diferentes quanto seja possível.

— Isso não é estranho, Simon. — Eu ri. — Se chama ser maníaco por sexo.

Mais uma vez, Simon não captou o sarcasmo. — Pois é, é isso mesmo — ele concordou seriamente. — É como um vício. Sou viciado em sexo. — Conforme disse aquilo, um peso enorme pareceu ter saído de cima dele. Era como um alcoólatra se apresentando em sua primeira reunião do AA.

Eu já tinha ouvido falar em compulsivos sexuais; havia o Michael Douglas e, menos famoso, o marido da Halle Berry (que sempre foi conhecido como o marido da Halle Berry), e a idéia me irritava. Quer dizer, quanta hipocrisia! Quando um cara era um cachorro tarado sem vergonha que não conseguia manter o zíper fechado, ele tinha uma *doença* e merecia nossa *solidariedade*. Se uma garota fosse um pouco mais abusada, ela era, pura e simplesmente, uma vagabunda.

Mas, por alguma razão, eu não consegui ficar brava com Simon e apenas ri.

— Não tem graça nenhuma, sabe — ele se enfezou. — Acho que preciso de ajuda.

— Como assim, de um médico ou algo do estilo? — perguntei, ainda zombando.

— Talvez... Mas também dos meus amigos — ele resmungou, deslizando pelo sofá e escorregando o braço por trás de mim até sua mão ir parar no meu ombro.

Dei-lhe um violento empurrão. — Nem pense nisso, Simon. Para seu governo, eu tenho namorado.

— E daí?

— Existe uma palavra, Simon: fidelidade. Você deveria procurá-la no dicionário.

— E quem é ele, então?

— O nome dele é Cristian — eu disse com orgulho —, e ele é adorável.

— Há quanto tempo você está saindo com ele? — E fiquei satisfeita em notar que ele parecia um pouquinho magoado.

— Ah, três, quatro meses — eu disse com ares sonhadores. — Melhor namorado que já tive, na verdade.

E eu não estava dizendo só para ser malvada. Acreditava naquilo piamente.

Ah, Cristian... Cristian, Cristian, *Cristian.*

Que homem adorável ele era e, possivelmente, o melhor namorado do mundo.

Primeiro encontro: nos encontramos no bar do Dorchester, onde ele me disse que, com meu cabelo recém-listrado, eu realmente havia me tornado um híbrido perfeito de Jen e Nadine, o que nós dois sabíamos que era mentira, mas que era *exatamente* a coisa certa a dizer e que me levou a ir ao apartamento dele e...

Ao começo de um lindo, maravilhoso, quase-perfeito relacionamento, na verdade.

Quatro meses e ele não havia me desapontado em nenhum aspecto. E Deus sabe, eu vinha procurando por uma falha. Mas não havia sinal de nada. De preconceito, intolerância ou de pertencer a algum partido político pouco confiável. Nenhum problema médico não declarado, como, por exemplo, compulsão sexual. Nenhum sinal de que estivesse pensando em começar uma banda no futuro próximo ou em estudar, digamos, história antiga na faculdade. E se ele acreditava em Deus, era de forma normal, saudável, do tipo ninguém-tem-nada-com-isso. Portanto, ele era perfeito.

Cristian era meu namorado-troféu. Um colírio para os olhos. E a forma como se vestia... Ele tinha aquele tipo de visual que o observador leigo poderia pensar que fora obtido ao vestir casualmente as primeiras peças de roupa encontradas de manhã, mas que, na verdade, requeria horas de planejamento e preparo. E, embora suas roupas parecessem necessitar de uns pontos de agulha e linha, ou talvez apenas uma boa passada a ferro, de fato eram necessários toda a habilidade e toda a dedicação de estilistas italianos altamente talentosos para que se parecessem com lixo velho e amarrotado. Lixo extremamente caro, por sinal.

Cristian podia se dar ao luxo de vestir-se bem. Ele era filho de Mila e, claramente, Mila tinha grana. Tudo produto do negócio da beleza.

E eu que sempre pensei que os romenos ganhassem seu dinheiro lavando pára-brisas nos sinais. Bem, tenho que admitir que isso era um pensamento racista vergonhoso digno apenas de Archie. Cristian não vivia só das mesadas de Mila. Ele tinha sua própria fonte de renda e participação em vários negócios diferentes; nenhum duvidoso, pelo que eu podia ver.

Nenhum dos meus namorados anteriores havia me proporcionado tanta diversão quanto Cristian. Nenhum deles tinha sido tão rico, é claro, mas nenhum deles tampouco havia tido tantas conexões quanto ele. Seus amigos eram empresários da internet, DJs, promoters de boates e publicitários famosos. E, quando eles se reuniam em seus redutos exclusivos, restritos a sócios, não ficavam falando só de trabalho, como a única outra pessoa bem-sucedida que eu conhecia. (Max, quem mais?) Eles conversavam sobre campanhas de arrecadação de fundos e sobre "fortalecer o Terceiro Mundo através de sua emancipação da dívida externa" e outras coisas que me enchiam de admiração. Aquelas eram pessoas *ricas* com *consciência social*! Era como ser amigo de uma porção de Bonos, com alguns Sir Bobs de quebra. Melhor impossível, né?

Emily mal podia acreditar na minha sorte. — Você é tão *sortuda* — ela me disse, roxa de inveja. — Como é que você consegue um namorado delicioso com a personalidade perfeita e um círculo social bacana?

— Mas você tem Max. Tenha dó, o cara acabou de te pedir em casamento.

Isso mesmo, eles haviam ficado noivos. O diamante no dedo de Emily era suficientemente grande para quitar a dívida nacional.

— Humm — ela disse. — Ele ainda não me perdoou por não ter te convencido a respeito do Plano de Dois Passos.

— O que é isso? Parece um novo tipo de dieta.

— Passo Um: aderir ao plano de negócios de Max. Passo Dois: tornar Max muito rico *e* Empresário do Ano, assim capacitando Max a ser nomeado sócio muito antes do previsto e, por conseguinte, tornando Max ainda mais podre de rico.

Nem mesmo no Japão ela havia sido tão cínica com relação a ele. Eu meio que concordava com ela, mas achei que deveria fazê-la ver o lado positivo de seu noivo. — Vamos, Emily, você não o amaria nem a metade se ele não fosse bem-sucedido.

Ela não disse nada, então mudei de assunto. — Como vai o curso? — perguntei.

— Estou odiando. Me sinto a Carol Smillie sem o sorriso e, como ela é uma descerebrada sem nenhum talento, não me resta muita coisa de que me gabar.

Ela estava fazendo um curso de decoração de interiores. Uma dessas coisas que mulheres de meia-idade sem qualquer habilidade visual decidem fazer como uma última tentativa de encontrar algo para colocar em seu cartão de visitas antes de morrerem. A pobre Emily só tinha vinte e quatro anos, então eu podia entender o que ela estava sentindo.

— Estou cansada de falar de mim — ela disse. — Me fale sobre o Cristian.

— Bem, ele acabou de conseguir entradas para a gente ir àquele negócio do Fatboy Slim...

— Não me refiro a essas coisas. Quero saber os podres.

— Não há nenhum.

— Tem que haver. Ninguém pode ser *tão* maravilhoso assim.

— Você o conheceu. Você sabe que ele é — eu disse a ela, cheia de confiança.

— Que nada, não engulo essa. Ele deve ter pelo menos um vício.

Mas ele *não tinha*. Ele era isento de qualquer vício. Era um cara perfeito pra cacete. Só um exemplo: um domingo, eu dei o cano nele no almoço, no último minuto, porque tinha que, hã, visitar meu pai (isto é, tomar um drinque rápido com Mark, que, por ser o cristão bondoso que era, tinha me perdoado por tê-lo abandonado e com quem eu estava feliz em manter uma amizade, desde que não falássemos sobre Deus). Cristian sentiu tanta falta de mim que cancelou seus planos para a noite com os amigos para me levar ao mais novo restaurante da moda da cidade, que nem sequer havia aberto oficialmente.

Cristian foi também o cara que reservou um camarote — um camarote inteiro só para mim e para ele! — no show *Mamma Mia* só porque eu disse a ele que "Dancing Queen" era uma música gostosa para dançar. Ele foi o cara que me mandou rosas todos os dias durante uma semana porque eu disse a ele que nunca ninguém havia me mandado flores antes. Ele me levou para jantar no Ivy quatro sábados seguidos porque eu havia reclamado que nunca tinha visto uma pessoa famosa (além de Chris, que não contava, porque ele não era famoso quando eu saía com ele). Nós vimos Davina, aquele cara indiano que apresenta o noticiário no Channel Four, Simon Cowell e Parky nas duas primeiras vezes que fomos! Parei de olhar depois disso. Já havia me tornado tipo: "Ah, sei, sei, o que você vai pedir de entrada?"

Eu poderia continuar... Mas que cara maravilhoso!

Tá, aquela história das flores todos os dias ficou um pouco como os rostos famosos no Ivy, no final. Você sabe como é. No primeiro dia em que toca a campainha e é o cara da Interflora escondido atrás de um jardim inteiro, você diz: "Ah, meu Deus! Que lindo!", e passa uma hora arrumando as flores em vários potes e panelas porque só tem um vaso minúsculo. Daí, no segundo dia, você diz: "Ah, flores de novo", e sorri internamente, em vez de externamente, e se pergunta onde diabos vai colocá-las dessa vez. Depois disso, você já está: "Deixe-as aí mesmo, eu tenho que correr, minha torrada está queimando", e elas terminam morrendo na sua porta porque: *a)* você não tem onde colocá-las e *b)* você não agüenta mais ver as malditas rosas.

Eu não ia lhe contar isso porque parece maldade, mas você entende meu ponto de vista, não? Kirsty certamente entendia. — Você poderia, por gentileza, dizer para aquele demente parar com as flores? — ela rosnou uma manhã. — Sua porta está parecendo a porra de um templo. Fala sério, fico achando que você morreu e ninguém me contou.

Mas esqueça isso. É uma queixa mínima, totalmente insignificante. Não, Cristian era um verdadeiro diamante. E ele me adorava também! Até Mila parecia achar que estava tudo bem. — Fico muito feliz por vocês tois — ela me disse um dia. — Ele gosta muito te você, sabe?

— Eu também gosto muito dele — eu disse rapidamente.

— Continue gostanto, querita. Eu tetesto vê-lo triste. — Ela disse isso com um sorriso caloroso, mas Tony Soprano também sabia dar sorrisos cálidos. Será que eu estava detectando uma tendência mafiosa?

— Nunca! — eu disse a ela e estava sendo sincera. Por que eu iria deixá-lo triste? Ele era a melhor coisa que já me havia acontecido.

Tá, eu tinha me encontrado algumas vezes com Mark e não havia contado a Cristian; mas não significava nada, então por que eu contaria? Eu também havia saído com Archie uma ou duas vezes, mas foi só porque achei que estava finalmente tendo progresso com sua regeneração. Eu tinha colocado um CD do Blue e mencionado que um deles era negro, e ele não jogou nem o CD nem a mim para fora do carro. Nada disso, ele *aumentou o volume.*

Ver ocasionalmente meus ex não era repercussão de nenhum sentimento negativo por Cristian. Ao contrário. Eu só o fazia porque estava tão feliz e satisfeita que vê-los não representava qualquer risco.

Só havia um aspecto negativo em namorar Cristian: sair com o filho da chefe significava que eu tinha determinadas concessões. Eu podia sair mais cedo sempre que ele quisesse. Ou podia chegar ao trabalho às dez e meia, se houvéssemos chegado tarde em casa na noite anterior. E eu podia tirar o dia de folga se ele tivesse planejado me levar a algum lugar. Bastava um telefonema para sua mãe e eu estava livre como um passarinho. Não parecia ser um aspecto negativo em absoluto, na verdade, até eu perceber que as outras garotas não estavam muito contentes com aquilo. Pode me chamar de insensível, mas demorei um pouco para captar a mensagem.

— Vamos fazer as unhas hoje à noite, Hannah? — perguntei a ela enquanto arrumávamos tudo nos preparando para uma segunda-feira de relaxamento. — Mila vai receber um representante de vendas com novas amostras que parecem ser ótimas.

— O que aconteceu? — ela retrucou. — Cristian não vai te raptar e levar para Hollywood esta noite? Você vai mesmo trabalhar um dia *inteiro*?

Deixei a coisa assentar por um momento enquanto esvaziava um cesto de lenços de papel amassados.

Hannah também não disse nada.

A pessoa que disse que o silêncio vale ouro devia ser surda.

— Olha, Hannah — eu disse —, sinto muito se tenho sido um pouco folgada ultimamente, mas, você sabe, eu meio que me empolguei com a história toda e... — fui parando de falar. Meu comportamento realmente não tinha muita defesa e eu sabia disso. Se eu fosse Hannah, também teria ficado ressentida.

— Ah, não se preocupe com isso. Vá em frente. Por que você deveria trabalhar tanto quanto o resto de nós, hein?

— Mas eu só pensei que, se Mila não se importava, bem, você sabe... E eu *vou* repor essas horas... um dia. — Meu Deus, eu soava ridícula até a meus próprios ouvidos.

— E por que você faria isso? — ela disse. — Ei, você é praticamente *da família*. Logo, a sua mãe e a mãe dele serão amigas e você entrará como sócia nos negócios. Mal posso esperar para ter você como chefe. Me pergunto se você vai se lembrar de que fui eu quem lhe arrumou o emprego aqui.

Fiquei me perguntando por um momento de que ela estaria falando, então a ficha caiu. Ela não sabia que a minha mãe estava morta. Ela devia estar falando de Suzie. Eu sempre marcava seus horários como Suzie Harris, então imaginei que fosse uma dedução fácil.

— Não tenho mãe — eu disse a ela. Eu não queria sua solidariedade. Só não queria que ela confundisse os fatos da minha vida. — Minha mãe morreu quando eu tinha quatro anos.

— Ah, mas eu pensei... — Eu nunca a vira tão sem jeito.

— Suzie é a nova esposa do meu pai; minha madrasta, suponho.

Ela não conseguia mais olhar para mim e apenas ficou remexendo uma caixa de bolas de algodão. Uma parte de mim pensou que era bem-feito para ela, mas outra parte pensou que eu deveria dizer alguma coisa para tirá-la daquele constrangimento. Mas não disse.

Eu me sentia péssima. Todas as garotas deviam ter passado os últimos meses falando mal de mim e agora o que eu havia feito fora dar-lhes mais uma coisa sobre o que falar. Eu era a Senhorita Sem Mãe. Eu me sentia vazia e fria, e a última coisa de que precisava era de uma sessão de relaxamento ali. Peguei minha bolsa e fui embora.

Não gostava da idéia de ficar sozinha em casa, então fui direto para a casa do meu pai. Fazia tempo que não ia lá e achei que umas calorosas boas-vindas na forma da frase "Olá, estranha" levantariam meu ânimo. Encontrei meu pai e Suzie sentados ao lado dos restos fumacentos de um churrasco, uma garrafa pela metade de vinho branco entre eles. Parecia que o astral estava alto. Exatamente o que eu precisava, pensei. Talvez eu e meu pai tivéssemos uma conversa de coração para coração. Ou talvez pudéssemos ficar sentados ali e nos sentir próximos.

Até parece.

— Você está com cara de bunda que levou umas palmadas — ele disse como cumprimento. — O que foi?

— Nada importante. Só estou cansada — eu disse, exausta. — O trabalho foi uma merda hoje.

Lá se foi a idéia de compartilhar meus sentimentos. Mas quem eu tinha tentado enganar? Quando é que meu pai e eu havíamos *conversado*?

— Caramba, nós não a vemos por semanas a fio e, então, só porque a torneira de água quente não está funcionando, ou seja lá qual é seu problema, você vem aqui para reclamar — ele retrucou. — Sinceramente, Dayna, você é egoísta demais.

Suzie interrompeu, então. — Michael, não seja assim. Você a ouviu, ela teve um dia ruim. Você não faz idéia de como ela dá duro naquele lugar.

— Faça-me o favor. Ela não saberia sequer identificar o que é um dia duro de trabalho.

— Isso não é justo — disse Suzie.

— Ah, e você agora é especialista em trabalho duro, hein? — ele disse, voltando seu rancor para a esposa. — Quando foi a última vez que você saiu de casa para ganhar dinheiro?

Ela respondeu se levantando e tirando os pratos da mesa ruidosamente.

Quando ela foi para dentro, eu me virei para ele e disse: — Você é inacreditável, sabia? Você pode ficar com cara feia sempre que quiser e tudo bem, mas, se qualquer outra pessoa estiver um pouco para baixo, você cai de pau. E por que se virou contra Suzie? O que foi que ela fez para merecer isso?

— Eu sabia — ele disse, dirigindo-me um sorriso amarelo e frio. — Eu sabia que você tinha vindo aqui para brigar.

— Eu não vim, não! — gritei, indignada.

— Não me venha com essa. Eu sei muito bem como você funciona. Conheço você melhor que ninguém.

— Isso é mentira — eu gritei. — Você não me conhece nem um pouco.

— Ah, eu sei que você é egoísta, você é mimada, você é...

— Chega! Vocês dois, parem com isso! — Suzie tinha reaparecido na porta da cozinha, agarrando um pano de prato em seus punhos cerrados. — Isto é absolutamente ridículo.

— Não, Suzie, deixe-o terminar — eu disse. — Vá em frente, pai, o que mais eu sou?

— Esqueça — ele disse, fechando-se repentinamente. — Deixe tudo pra lá.

Ele se virou para a direção oposta a nós duas, optando por olhar furiosamente para o pôr-do-sol. Eu já tinha visto essa cena antes. Ninguém poderia tirar mais nem uma palavra dele durante o restante da noite. Peguei minha jaqueta e atravessei a casa. Suzie me seguiu e, quando abri a porta da frente, ela disse:

— Sinto muito por isso. Ele tem estado bastante mal-humorado ultimamente. É esse novo trabalho que ele está fazendo. Instalando a rede elétrica numa loja em Queensway. Parece que está dando tudo errado. Ele vem para casa desse jeito toda noite.

— Não peça desculpas por ele — eu disse. — Ele é assim mesmo.

— Sinto muito, Dayna.

— Não, Suzie. Eu é que sinto muito. Por você.

Ignorei as mensagens na minha secretária eletrônica durante as semanas seguintes. Eram só de Suzie, de qualquer forma. Meu pai estava caracteristicamente silencioso. Quem se importava? Eu não queria mesmo falar com ele. Hannah também não estava falando muito comigo. Não tenho certeza se era por constrangimento, por ter dado um fora, ou porque ainda estava irritada comigo por tomar liberdades no trabalho. Mais uma vez, eu não me importava. Simon, que geralmente telefonava pelo menos uma vez por semana com um pedido ou outro, também estava quieto. Provavelmente não queria falar comigo porque eu o havia desapontado com seu teste idiota. Ótimo. Eu não precisava dele me enchendo a cada cinco minutos, de qualquer maneira. Além de Suzie, o único outro telefonema que recebi foi de Mark. Ele queria saber se eu gostaria de me unir a seu programa de voluntariado no hospital. Normalmente, sendo a pessoa totalmente generosa que eu era, teria dito que sim, mas alguém estava batendo à minha porta e eu tinha que atender.

Cristian era a única coisa boa na minha vida e eu iria aproveitá-lo pelo tempo que quisesse e o resto do mundo que se danasse. Eu mostraria a meu pai o que era realmente ser egoísta. Ele ainda não tinha visto nada.

Eu sabia que seria necessária alguma coisa especial para me tirar da minha depressão, e a festa de noivado de Emily seria absolutamente especial.

Parece que Emily havia superado seu recente azedume e, se você esquecesse o fato de que Max era ligeiramente obcecado por dinheiro e um pouquinho possessivo e controlador, eles realmente formavam um casal maravilhoso. Se você passasse a noite olhando para eles, de preferência através de suaves lentes cor-de-rosa, só veria doçura. Max se preocupava com Emily carinhosamente, colocando o braço de forma protetora ao redor de seus ombros, completando sua taça de champanhe e plantando beijinhos leves em sua bochecha. Tá, você poderia dizer que era tudo um pouco controlador e possessivo demais, mas naquela noite optei por não ser cínica.

Eles haviam passado por muita coisa e ainda agiam como um casal de pombinhos. Na verdade, enquanto eu tivera vários namorados sérios e me esforçava em conquistar o próximo, Emily apenas havia estado com Max. Portanto, eu tinha um bom pressentimento: eles iriam vencer as probabilidades; seria realmente até que a morte os separasse.

Eu também tinha um bom pressentimento com relação a mim e Cristian. Ele era o primeiro namorado que eu já tivera que estava no mesmo nível financeiro que Max, e nós fazíamos um monte de coisas a quatro. Eu adorava o fato de que minha melhor amiga e eu tínhamos namorados maravilhosos, ambos com excelente gosto e ambos com cartões de crédito para sustentá-lo. Na verdade, sempre que pensava no assunto, não podia acreditar na sorte que tínhamos.

Havia apenas um pequeníssimo aborrecimento que eu empurrava para os confins da minha mente. Era tão insignificante que não sei nem por que estou mencionando. Na verdade, esqueça, vamos voltar à festa...

Está bem, então... é o seguinte: de vez em quando, teria sido legal se Cristian me deixasse pagar alguma coisa. Não parecia incomodar nem um pouco a Emily o fato de que sua vida inteira fosse financiada pelo Banco Max, mas esse ponto me incomodava muito e eu não gostava daquilo. Sentia como se estivesse sempre me aproveitando de outra pessoa. Tornou-se algo tão sério que eu tinha que tomar cuidado com o que falava. Bastava fazer um comentário inocente sobre gostar de um relógio numa revista e, no dia seguinte, ele estaria no meu pulso. Uma vez, uma frase à toa sobre um casaco numa vitrine ser "bem legal" levou à aparição de um entregador da UPS na minha porta com um pacote da Joseph nos braços. Sim, *Joseph.* Custou seiscentas libras ou coisa parecida e eu só o havia *achado legal.* Mas o que eu poderia dizer sem parecer horrivelmente mal-agradecida?

No começo foi maravilhoso. A generosidade dele me deixava sem fôlego. Mas eu não queria me sentir em dívida o tempo todo e tentei pegar minha carteira mais de uma vez. — Não seja boba — ele dizia. — Adoro comprar as coisas para você e não quero que desperdice seu dinheiro comigo. Afinal de contas, tenho tudo que quero. Tenho você. — Não era espantoso? Simplesmente tive que ceder e aprender a conviver com aquilo. Afinal, Emily parecia ter conseguido, de alguma maneira.

Max, é claro, havia pago pela festa inteira e Emily nem ao menos piscara. Eles a iriam realizar no San Carlo, um restaurante italiano da moda no norte de Londres, tão bom que era freqüentado pelos famosos. Quem precisava do Ivy, diante disso? No entanto, não havia celebridades na festa naquela noite, porque Max havia fechado o restaurante inteiro. Era sábado à noite, então só Deus sabe quanto aquilo lhe havia custado.

Cristian e eu nos sentamos à nossa mesa observando Max receber os convidados e os olhos de Emily ofuscarem o diamante em seu dedo. Senti um calor de alegria crescer dentro de mim, em parte pelo champanhe, em parte de felicidade por minha amiga.

— Poderíamos ser os próximos — Cristian disse quando o feliz casal se misturou aos convidados.

— Como assim? — ofeguei, querendo que ele tirasse o braço de cima dos meus ombros. Não que eu quisesse que ele me soltasse porque seu braço estava me sufocando; só estava quente lá dentro e eu estava sufocando com seu braço em volta de mim. Há uma diferença sutil.

— Preciso te dizer algo, Dayna — ele disse, olhando nos meus olhos e tomando minhas mãos, que de repente haviam ficado escorregadias de suor.

— O quê? — perguntei, pensando em onde diabos estariam os garçons, não porque quisesse desesperadamente que alguém nos interrompesse, mas porque queria desesperadamente um copo de água.

— Eu te amo. Te amo muito, muito — ele disse. — Há séculos venho querendo te dizer. Que te amo... E que quero que se case comigo.

Bem, o que você acha disso?

O homem dos meus sonhos estava dizendo que me amava.

E que queria se casar comigo.

Eu só queria que não estivesse tão quente ali dentro.

— E então? — ele disse.

— O quê?

— Bem, só estava pensando... se você, sabe, também me ama?

É claro que amava! Ele era o homem dos meus sonhos, não era?

— É claro que te amo, seu bobo! — eu disse a ele e tentei fazer com que não parecesse algo que estivesse dizendo ao cachorro da família. — *Amo* estar com você — acrescentei, para garantir.

— Você não sabe como fico feliz com isso — ele disse, colocando a mão no bolso, tirando alguma coisa e colocando-a na mesa à minha frente. Puta que pariu! Eu nunca tinha visto uma daquelas antes. Uma caixa azul-turquesa da Tiffany. Em carne, osso e turquesa.

— Vamos, abra — disse Cristian.

Então, abri.

Meu Deus, era enorme. Um diamante como aqueles que a J-Lo usou quando ficou noiva do Fulano, do Beltrano *e* do Sicrano; eu me refiro aos três, reunidos em um só, de alguma forma. Era tão grande que certamente deixaria o de Emily para trás.

— Guarde isso, rápido — sussurrei.

Ele pareceu confuso e magoado. — Você não vai colocá-lo?

— De jeito nenhum! — eu disse. — Não posso ofuscar Emily em sua própria festa de noivado.

"Essa foi *ótima*", pensei.

— Você é tão sensível — ele disse, fechando caixa e deslizando-a novamente para dentro do bolso. — Podemos anunciá-lo na semana que vem.

Anunciar *o quê*?

E então ele me beijou e a sala girou. Devia ser de tanto amor, pensei. Ouvira dizer que podia te deixar zonza... atordoada... ligeiramente nauseada... precisando desesperadamente de ar frio e fresco. Eu tinha que sair dali.

Eu me afastei dele e levantei.

— Aonde você vai? — ele perguntou.

— Só preciso de um pouco de ar — eu disse. — Está *tão* quente aqui dentro.

— Vou com você.

— Não! Fique aqui. Quer dizer... Eles vão cortar o bolo a qualquer instante. Preciso que você pegue um pedaço pra mim.

"Essa foi *realmente* ótima", pensei.

— Ok — ele disse, incerto.

— Volto num minuto.

Eu me virei e atravessei a multidão de convidados e não parei até estar lá fora, na calçada. Sinceramente, não estava pensando em ir embora. Só queria andar em volta do quarteirão e colocar um pouco de ar para dentro dos pulmões. Mas havia um táxi preto estacionado bem em frente ao restaurante, com meu nome escrito nele. Na verdade, não era meu nome. Havia sido reservado para Roger Gladwell, que pensei que deveria ser um dos amigos de Max, da City. Disse ao motorista que era a Sra. Roger e pedi que ele me levasse para casa.

No momento em que cheguei lá, eu me senti a maior idiota do mundo, é claro. O que tinha me passado pela cabeça, para fugir de Cristian? Liguei imediatamente para seu celular. Bem, fiz um café, enchi a banheira, tirei minha roupa de festa, vesti um roupão e chinelos, arrumei um pouco a casa e, daí, liguei imediatamente para ele.

— Sinto muitíssimo, Cristian, não sei o que me deu — eu disse. — A coisa toda foi um pouco forte demais.

— É por causa da sua mãe? — ele perguntou. *Aleluia*! Eu havia contado a ele sobre Hannah e meu pai e ele tinha ficado todo preocupado comigo desde então.

— *Sim*. É isso. Minha mãe. Só estou me sentindo um pouco, você sabe, emocionada. — E eu estava achando que aquilo devia ser a verdade. Bem, que outra razão poderia haver para o meu comportamento? Eu não fazia a menor idéia.

— Você precisa resolver esse assunto com seu pai — ele me disse. A ligação estava ruim e sua voz estava falhando.

— Você tem razão. Farei isso — eu disse, subitamente não sentindo vontade de conversar. Cansaço, imagino.

— Não, estou falando sério. Não é muito tarde. Telefone agora mesmo e converse com ele. E depois me ligue de volta. Chego aí num segundo, se você precisar de mim.

— Obrigada.

— Sério, qualquer coisa que você precise, basta chamar. Você sabe que eu faria qualquer coisa por você, Dayna. Eu te amo muito.

"Olha", eu estava pensando, "se você quer que eu resolva isso com tanta urgência, desligue a porra do telefone".

— Na verdade, vou para aí agora mesmo. Apenas para estar ao seu lado enquanto você fala com ele. Só para dar apoio mora...

Então, eu o perdi. A ligação estava terrível. Ou pode ser que eu tivesse acidentalmente apertado o botão vermelho.

Fiquei sentada ali por alguns minutos, segurando o telefone na mão e pensando no que ele dissera: *você precisa resolver esse assunto com seu pai.* Meu pai e eu havíamos passado a vida toda assim: discutindo, mas sem conversar. Esse havia sido nosso padrão. Nós tínhamos uma briga, um dos dois saía bufando e pisando duro, nós dois dávamos um tempo e, depois, nos encontrávamos de novo e agíamos como se nada tivesse acontecido. As crianças podem fazer esse tipo de coisa no parquinho, mas, supostamente, éramos adultos. Logicamente, eu havia chegado a essa conclusão várias vezes antes; Cristian não tinha sido nenhum gênio em evidenciá-la. O problema era que eu sempre adiava para o dia seguinte a resolução do assunto. Então, no dia seguinte, eu me distrairia com um novo emprego ou meu pai viajaria a Dubai ou eu conheceria um cara novo ou ele ganharia uma grana nos cavalos... sempre haveria algo. Não dessa vez, entretanto. Já era quase meia-noite, eu estava cansada, tivera o final de noite mais estranho do mundo, havia um banho quente me esperando e, ah, uma porção de outras desculpas para adiar o telefonema para o meu pai, mas, mesmo assim, disquei seu número.

— Oi, pai, sou eu.

— *Dayna?* O que foi? Aconteceu alguma coisa?

— Estou bem. Está tudo bem. Só precisava conversar com você.

— À *meia-noite*? Conversar sobre *o quê*?

Deus do céu, ele não iria facilitar, não é?

— Você sabe, sobre as coisas... — eu disse, subitamente pensando que era uma péssima idéia. Aquele idiota do Cristian!

— Olha, Dayna, não tenho a noite inteira. De que diabos você está falando?

Eu tinha que fazer aquilo. Respirei fundo e me atirei. — Pai, realmente me incomoda muito o fato de que vivemos brigando.

— Bem, é que você é uma criatura teimosa. Para você, tudo é motivo de briga.

— Que mentira! — gritei, indignada, pronta para uma briga ali mesmo. Mas, não, eu precisava ser madura quanto àquilo... *calma* e *madura.* — Olha, pai, talvez nós dois sejamos um pouco inclinados à discussão — argumentei, gentilmente.

Ele não respondeu.

— Talvez sejamos parecidos demais para nosso próprio bem — acrescentei.

Fiquei escutando-o respirar por um momento. Então, ele resmungou: — Você não se parece comigo. É sua mãe, cuspida e escarrada.

Aquilo me deteve. Menções à minha mãe tinham sido tão raras na minha vida quanto diamantes da Tiffany. Mas, por mais perplexa que eu estivesse, tive que aproveitar o momento. — Esta é uma das coisas sobre as quais quero conversar — eu disse. — Nós nunca conversamos sobre a mamãe, não é?

— Isso já foi há muito tempo, meu bem.

— Sim, mas os sentimentos não desaparecem — eu disse, as emoções brotando dentro de mim ao mesmo tempo em que as palavras saíam.

Escutei sua respiração pesada novamente e ele também parecia estar um pouco engasgado.

— Só acho que deveríamos conversar mais sobre ela — insisti.

— Ela era uma mulher maravilhosa. Há muita coisa que dizer sobre ela, suponho — ele disse, parecendo estranhamente relaxado, de repente.

— Eu só gostaria de tê-la conhecido melhor. Como ela era, pai?

— Como eu disse, maravilhosa. Linda, paciente, gentil... Deveria ter sido eu a partir, sabe. Ela não merecia aquilo. Não a sua mãe.

— Não diga isso. *Ninguém* merece ter câncer.

— Talvez... Só sei que ela não merecia. E ela também não merecia a mim.

— Isso não é verdade.

— Como você sabe? Que diabos você sabe sobre mim e a sua mãe? Você era pouco mais que um bebê quando ela morreu — ele disse agressivamente, parecendo novamente irritado.

Deus, se eu era uma criatura teimosa, era óbvio de onde tinha herdado aquilo. — Bem, eu quero saber, pai — eu disse, conseguindo heroicamente não lhe retribuir a agressão. — Acho que você deveria me contar mais sobre ela.

— É... Talvez devesse mesmo — ele disse, acalmando-se. — Talvez não à meia-noite e dez, no entanto.

— Você conversa muito sobre ela com a Suzie?

— Vocês duas andaram conversando? — ele perguntou com desconfiança.

— Sim, um pouco. Sobre várias coisas.

— Não consigo entender isso. Você não podia nem vê-la quando a conheceu, mas olhe só vocês duas agora. Amigas íntimas.

— Bem, foi por culpa minha. Eu não lhe dava nenhuma chance. Mas estou muito feliz por tê-la conhecido. Você é um homem de sorte, pai. Suzie adora você.

Ele não falou nada por alguns instantes e, quando o fez, afastou o foco de si. — E o seu namorado? Quando é que vamos conhecê-lo?

— Logo, espero — eu disse, sentindo uma pontada repentina de culpa.

— Ele leva a relação com você a sério? — meu pai perguntou.

— Sim... Ele leva, sim — respondi, pensando que era impossível ser mais sério que as jóias da coroa da Tiffany.

— Humm — meu pai murmurou. — Acho que você e eu somos mais parecidos do que gostaríamos de admitir.

— Como assim?

— Não somos muito bons com a velha questão do compromisso, não é? Olha quanto tempo levou para que eu me assentasse com Mitzy. E você passa por mais empregos e mais namorados do que é saudável para você.

Aquilo me atingiu, mas continuei calma. Principalmente porque ele estava certo. — Bem, também o estou levando muito a sério — eu disse a ele. — Ele é bastante especial, pai. Estamos... — interrompi;

aquela não era hora de contar para ele, não à meia-noite e quinze. Eu me contentei em dizer: — Nós estamos muito unidos.

— Fico contente em saber, querida — ele disse, bocejando sonoramente.

— Foi muito bom conversar com você — eu disse. — Nós deveríamos fazer mais isso.

— Olha só, por que você não vem até aqui amanhã? Mitzy pode preparar um de seus almoços especiais de domingo e eu posso procurar algumas fotos da sua mãe. Acredite ou não, há algumas que você nunca viu.

Senti lágrimas finalmente jorrarem dos meus olhos e escorrerem pelo rosto. — Eu adoraria, pai, de verdade... Mas preciso me encontrar com Cristian — eu disse, sentindo novamente a pontada de culpa. — Fiz uma coisa meio estúpida hoje e... Bem, eu deveria vê-lo.

— Por que você não telefona para ele agora? Não deixe que as coisas se corrompam. Se ele é tão especial assim, você não vai querer botar tudo a perder, como geralmente faz. Só estou brincando. Não precisa me atacar.

Mas, pela primeira vez, eu não quisera fazer isso.

— Que tal na segunda-feira? — eu disse. — Posso ir aí depois do trabalho, se você quiser.

— Excelente idéia. É meu último dia nesse trabalho terrível de instalação elétrica na loja, portanto terei algo que comemorar... E, Dayna, obrigado por ter ligado. Na próxima vez, porém, tente fazê-lo antes das dez, ok?

— Está bem, pai... Eu amo...

Tarde demais, a linha já havia ficado muda. Mas eu me sentia bem. O telefonema havia sido um verdadeiro passo à frente. E haveria muitos telefonemas mais como aquele. A partir de segunda-feira. Deus do céu, eu disse a mim mesma, gostaria de ter feito isso há muito tempo. Mas antes tarde do que nunca, imagino.

Segui o conselho do meu pai e telefonei imediatamente para Cristian. Bem, tomei meu banho, fui para a cama, dormi dez horas, tomei o café-da-manhã e, então, telefonei imediatamente para ele.

Passamos o domingo inteiro juntos. E não tive palpitações nem uma vez sequer, nem mesmo quando ele pegou o anel e disse que me amava de novo... O que achei um pouco estranho, porque não se supõe que o coração fique um pouco alvoroçado quando o homem dos seus sonhos lhe pede (de novo) para casar com ele? Bobagem. É claro que não. Você simplesmente diz a ele que também o ama e respira fundo porque ele está te beijando e você sabe que aquilo pode continuar por um bom tempo.

Outra coisa engraçada: o beijo continuou por tanto tempo que, quando finalmente reemergimos, o assunto do casamento parecia ter sido esquecido. Será que ele entendera meu "eu também te amo" e o beijo como um sim? Parecia um pouco grosseiro perguntar, para ser sincera; então, não perguntei.

Suzie me ligou no trabalho na tarde da segunda-feira.

— Oi, Suzie — eu disse, contente em ouvir sua voz. — Meu pai te disse que vou à sua casa hoje à noite? Quer que eu leve alguma coisa?

— Acho que é melhor você se sentar, Dayna — ela disse.

A gente pode pressentir as más notícias de imediato, não é mesmo?

— Qual é o problema?

— É seu pai. — A voz dela estava fraca; ela mal podia manter a calma. — Ele sofreu um acidente.

Senti meu estômago revirar.

— O que aconteceu? Onde ele está?

— Ele... atingiu um cabo elétrico. Estamos no hospital St. Mary's, em Paddington. É melhor você vir para cá.

— O que *aconteceu*, Suzie?

Ela não respondeu.

— *Suzie?*

— Não é nada bom, Dayna. Apenas venha para cá.

O trânsito estava terrível, o maldito taxista queria parar para xingar todos os motoristas que estavam estragando seu dia. A viagem até o hospital pareceu levar dez anos. Na verdade, só levou vinte minutos.

— UTI, *UTI*, onde diabos fica a UTI?!

Gritar não estava adiantando nada. Uma lista inanimada dos departamentos pregada à parede não iria me dizer onde ficava a unidade de terapia intensiva. Um enfermeiro que passava me ouviu, no entanto, e ficou com pena de mim. — Quem você veio ver? — ele perguntou, conduzindo-me por um corredor que parecia estender-se infinitamente.

— Meu pai — balbuciei. — Ele sofreu um acidente.

— Você precisa tentar se acalmar, meu bem — ele me disse gentilmente. — Você fará muito mais por ele se estiver calma.

Mas a calma não era uma opção. Eu precisava chegar até ele. E rápido. Que diabos havia acontecido? E até onde iria a porra daquele corredor?

O enfermeiro me levou à recepção na frente da UTI. Outra enfermeira e um homem de jaleco branco estavam atrás do balcão, conversando. — Esta jovem veio ver o pai — disse meu acompanhante.

— Qual é o nome dele? — a enfermeira perguntou.

Mas eu não estava ouvindo. Já tinha encontrado o que procurava. No final do corredor, onde ficavam os quartos. Suzie, parecendo muito pequena e alquebrada. O melhor amigo do meu pai, Bill, usando roupas imundas de trabalho, o rosto branco de pó de gesso que apenas realçava a palidez mortal por baixo. Seu braço estava sobre os ombros de Suzie e parecia ser a única coisa que a mantinha de pé. Havia um médico com eles. Foi uma cena que me encheu de um pânico renovado.

Corri até eles, um grito ensurdecedor dominava minha cabeça. *Por favor, não deixe que isso aconteça, não agora, não quando meu pai e eu acabamos de começar do zero.* Parei de supetão. Suzie ergueu os olhos para mim e os desviou rapidamente, seu corpo se contorcendo quando um soluço de romper o coração se libertou e ressoou por todo o corredor. Bill estendeu a mão livre e tomou a minha. Mas eu recuei e olhei para o médico.

— Você é a filha do Sr. Harris? — ele perguntou.

Assenti freneticamente.

— Talvez devêssemos entrar — ele disse, indicando a porta de um escritório pequeno.

— Não quero entrar aí! — gritei. — Apenas me diga onde está meu pai. Eu quero vê-lo.

— Sinto muitíssimo, Srta. Harris. Nós fizemos absolutamente tudo que podíamos pelo seu pai, mas no fim seus ferimentos se mostraram letais. Infelizmente, ele faleceu há dez minutos.

Não me lembro de muita coisa depois disso. Apenas detalhes soltos que permaneceram comigo. Lembro das minhas pernas perdendo as forças e da enfermeira que apareceu atrás de mim, aparentemente do nada, segurando-me e praticamente me carregando para dentro do escritório. Quando me fez sentar, notei como ela era pequenina. Lembro de ter me perguntado como alguém tão pequeno podia ter força suficiente para aquilo. Lembro da mulher que parou no corredor e ficou olhando pela fresta da porta. Ela tinha um bebê preso a um suporte em seu peito. *Vida nova*, lembro de ter pensado. Por que ela estava me encarando? Será que pensava que poderia ajudar? Ou apenas queria algo para contar aos amigos depois? Lembro-me de ter focalizado numa mesinha de centro vazia num canto enquanto o médico me explicava o que havia acontecido. O que ele disse? Só me lembro de fragmentos: "... Choque elétrico severo... queimaduras de segundo e de terceiro grau... parada cardíaca... várias tentativas de ressuscitá-lo... sinto muitíssimo..."

Lembro-me das lágrimas no rosto de Bill escorrendo em listras leitosas através do pó de gesso e me lembro também de sua raiva. Ele não conseguia parar de andar de um lado para outro. — Foi a porra de um pesadelo desde o começo, esse trabalho... Era nosso último dia... Íamos ganhar um bônus por terminar a tempo... Nosso *último* dia, porra... Eu disse para ele ir mais devagar... Ele não tinha como ver o cabo... "Não se arrisque, Mikey, não vale a pena"... eu disse a ele, Dayna... *Não vale a porra da pena*, eu disse... Ele nunca se arriscava no trabalho, seu pai, *nunca*...

E eu me lembrei da última vez em que vira meu pai. Como poderia esquecer?

— Posso vê-lo? — perguntei ao médico.

— Não é uma boa idéia, Dayna — disse Bill.

— Ele foi severamente queimado — o médico explicou. — É muito impressionante.

— Eu quero vê-lo — insisti. — Eu *preciso* vê-lo.

O médico estivera certo, embora pudesse ter usado um termo mais forte do que *impressionante.* Eles ainda não haviam tirado meu pai de sua cama na UTI. O cheiro me atingiu assim que entrei no quarto. Uma mistura terrível de cabelo chamuscado e carne queimada. Senti que se alastrava pelas minhas narinas. Aquele fedor me acompanha desde então. Se fecho os olhos, posso senti-lo agora mesmo. O truque é não fechar os olhos.

Meu pai estava coberto poı um lençol. Estranho, mas, até o momento em que o médico o descobriu, a experiência toda havia sido surreal, como se eu estivesse em algum tipo de sonho lúdico ou como se um milagre estivesse a ponto de acontecer, no qual o relógio voltaria atrás no tempo e meu pai teria outra chance e colocaria sua furadeira um centímetro à esquerda ou à direita e...

Mas não. Quando o médico retirou o lençol do rosto do meu pai, tudo se tornou realidade. Seu cabelo estava todo queimado, e o rosto era uma massa fervente e inchada de bolhas cor-de-laranja, vermelhas e negras. Só que não era ele. Apenas sua carcaça vazia, chamuscada e irreconhecível. Meu pai havia partido.

Perdi o controle, então. Saí correndo do cubículo em que meu pai havia morrido e encontrei Suzie. Agarramo-nos desesperadamente uma à outra por muito, muito tempo.

As pessoas querem ajudar, mas não têm o poder de fazer a única coisa que você gostaria que fizessem. Não podem fazer o relógio voltar atrás, podem? Nos dias que se seguiram à morte do meu pai, todo mundo queria dar apoio. Mas, seria melhor dizerem alguma coisa que servisse de consolo ou ficarem caladas, já que dizer alguma coisa poderia me afligir ainda mais? Eu podia vê-las agonizando e, se não estivesse sentindo tanta pena de mim mesma, eu teria me apiedado delas.

Mas os amigos com os quais eu já sabia que poderia contar foram brilhantes. Isto vai parecer um daqueles discursos intermináveis do Oscar. Você sabe, a lista de pessoas-sem-as-quais, que deveria parecer espontânea, mas que obviamente fora preparada com antecedência pelo relações-públicas do artista, enquanto este treinava para chorar.

Não posso evitar, no entanto. Aí vai.

É claro, havia Suzie, sem a qual nada — o funeral, os advogados, as infindáveis xícaras de chá e lencinhos de papel e conversas pela noite adentro — teria sido possível. Ela esteve ao meu lado, mas eu também estive ao lado dela, acho. Vínhamos nos aproximando mais nos últimos meses, mas naquele momento desesperado no hospital houve uma conexão indescritível. Só ela poderia saber como eu me sentia porque ela estava sentindo a mesma coisa. O vínculo não diminuiu.

E obrigada a Kirsty. Ruby havia aceitado o emprego no norte, mas Kirsty sacrificou três visitas no fim de semana só para ficar do outro lado do corredor, caso eu precisasse dela.

Todas as garotas no Spa Space foram fantásticas, até mesmo Hannah, com quem eu mal havia trocado uma palavra desde que ela brigara comigo. E Mila foi a patroa enviada por Deus. — Tome todo o tempo que precisar, querita — ela disse. — Quanto estiver pronta para voltar, volte. Nem um tia antes, ok?

E Emily, minha amiga mais antiga. Ela não fez nada de mais. Exceto ir à minha casa todos os dias. E fazer minhas compras. E fazer a limpeza. E dizer aos vendedores de janelas anti-ruídos para irem se danar. E, é claro, ela disse à floricultura que não havia problema, quando eles entenderam mal suas instruções e enviaram um arranjo de flores que dizia *Michelle*, em vez de *Michael*.

E havia Simon. Você já conheceu algum cara que soubesse exatamente o que dizer e o que fazer nos piores momentos *e* que tivesse simancol, enquanto isso? Não, nem eu. Simon, que Deus o abençoe, era um merda. Ele não seria mais desajeitado se houvesse freqüentado a Academia Real de Artes Dramáticas e feito um curso intensivo de Como Atuar Embaraçosamente em Situações Extremamente Embaraçosas.

Ele apareceu na minha casa um dia depois do meu pai morrer, de cabeça baixa, um maço de flores compradas no posto de gasolina em uma mão e um ursinho de pelúcia na outra. — Meu Deus, Dayna, eu... hã... Jesus, não consigo acreditar. Que caralho, me desculpe por, hã, dizer palavrão e tudo, mas você sabe, é que eu não consigo... — ele resmungou sem erguer a cabeça. Então, ele empurrou o urso na minha direção e acrescentou: — Isto é para você. Achei que pudesse te animar.

Tomei-o de sua mão sem saber se ria ou chorava.

— E essas flores — ele disse, entregando-as.

Emily, minha assistente particular, pegou as flores e as adicionou ao Festival de Flores de Chelsea, que se acumulava na cozinha.

— Em todo caso, já vou embora — ele disse, mudando o peso do corpo de um pé para outro. — Como eu disse, eu estou, você sabe, devastado. Seu pai é... desculpe, quero dizer *era*... ele era um grande homem e, hã, bem, se você precisar de alguma coisa, hã, você sabe...

Eu tinha que tirá-lo daquela agonia. — Eu sei, Simon. Obrigada.

— Quando será o enterro? Eu gostaria de prestar minha homenagem, se não houver nenhum problema — ele disse, repentinamente agindo com coerência porque estava falando sobre aspectos práticos em vez de emoções.

— Na próxima terça-feira — minha assistente lhe disse. — Eu lhe darei os detalhes. É só me telefonar na segunda.

— Bom, isso é bom, eu, hã, humm...

— Adeus, Simon — Emily disse, acompanhando-o até a porta e fechando-a atrás dele.

Eu me senti bastante mal. Ele só queria mostrar que se importava. Não era culpa dele o fato de ser emocionalmente analfabeto. Pulei do sofá, saí correndo pela porta e o alcancei no meio da escadaria.

— Simon, só queria te agradecer direito.

— Claro. Sem problema.

— Você está bem? — perguntei.

— Sim, sim, tudo bem — ele disse, parecendo surpreso com a pergunta. — Você sabe, estou triste, mas nem a metade do que... você sabe...

— Não me referia a isso — expliquei. — Me referia à vida em geral. Como vai o lance da ITV?

Ele se empertigou um pouco, encontrando-se inesperadamente em terreno seguro. — Sim, excelente. Fiquei entre os três finalistas. Tenho que voltar lá para a um último teste.

— Que maravilha — eu disse, tentando fazê-lo sorrir. Aquele era um avanço gigantesco para ele e boas notícias são sempre bem-vindas, não é mesmo? — Quando vão te filmar?

— Na terça que vem — ele disse, seu rosto murchando quando caiu a ficha.

— Escute, não se preocupe. Meu pai jamais iria querer que você perdesse uma chance única como essa — assegurei a ele, pensando que aquilo era uma bobagem sem tamanho. Que importância meu pai teria dado ao fato de Simon aparecer na TV se soubesse que iria morrer? — E eu também não quero que você perca essa chance — acrescentei. — Falando sério, vá e deixe todo mundo de queixo caído. Assim, teremos alguma coisa boa sobre o que conversar depois que meu pai... depois do...

Eu não podia dizer mais nada, tampouco Simon. Ele só conseguiu olhar para os próprios pés e resmungar "caralho" quando me virei e voltei, lacrimejando, para meu apartamento.

O que posso dizer sobre o enterro? Foi tão horrível quanto os enterros geralmente são, imagino. Males necessários, coisas que devemos enfrentar. Suzie se agüentou bastante bem. Sua irmã estava hospedada com ela, o que me surpreendeu. Pensei que elas se odiassem. Funerais e casamentos, não é? Aproximam as famílias durante os mais breves instantes. Até que surja o momento seguinte de proximidade forçada na forma de outro funeral ou casamento. Pelo menos, é assim que vejo. Posso estar enganada. Afinal, o que é que eu sei sobre famílias?

Cristian veio, claro... Ele não foi mencionado no meu discurso do Oscar? Ele foi uma verdadeira rocha e acho que talvez não lhe tenha dado o devido valor. Ele estivera presente durante toda a semana precedente ao funeral e ficou ao meu lado o dia todo, seu braço sempre nos meus ombros, forte, me dando apoio, consolando-me e, depois de algum tempo, me irritando um pouco. Olha, eu já tinha gente suficiente me dando tapinhas, abraçando e me segurando na minha Hora de Necessidade sem precisar dele pendurado em mim. Não, isso não é justo. Eu estava absurdamente agradecida por todo o amor que ele estava me demonstrando e o fato de eu afastar seu braço de mim a cada cinco minutos se devia simplesmente ao estresse da ocasião.

No todo, até que mantive o controle no dia. Realmente não queria me desequilibrar na frente de todos os amigos do meu pai e dos meus. Lágrimas eram aceitáveis, mas eu não queria nenhuma histeria exagerada. Fiquei bem orgulhosa de mim, na verdade. É incrível o que se pode enfrentar contando com nada mais que suas próprias reservas de força e um bom frasco de calmantes.

Meu pai sempre dissera que queria ser enterrado ao lado da minha mãe. Eu havia questionado como Suzie receberia aquilo e, quando estávamos planejando o funeral, me preparara para fazer algum tipo de acordo: uma cremação ou sei lá. Mas, não, ela insistiu que aquilo era absolutamente a coisa certa a ser feita.

Foi nesse momento que eu perdi o controle. O enterro. Quando vi a lápide da minha mãe e o caixão do meu pai baixar à terra ao lado dela, foi a primeira vez em que compreendi por completo: ambos haviam me abandonado. Aquela percepção me atingiu como um trem de carga e senti meu corpo desmoronar. Eu estava sem fôlego, soluçando em silêncio, e foi somente Cristian me sustentando por um lado e Suzie, pelo outro, que me mantiveram em pé. O que me fez retomar o juízo foi o que vi em meio às lágrimas: pessoas, dezenas de pessoas em volta da sepultura. Eu havia passado o dia inteiro tão concentrada em minha própria dor que era a primeira vez que percebia quanta gente havia ali. Todos pelo meu pai. Ele teria ficado muito orgulhoso e, naquele momento, também senti um jorro de orgulho. Ao enxugar os olhos, notei uma pessoa em particular. Ali, atrás das demais, quase fora do campo de visão, com o colarinho do casaco levantado, os olhos baixos. Era Simon.

Pareceu demorar milênios até que chegasse o dia do enterro e eu me sentia como se estivesse presa numa espécie de limbo enquanto o esperava. Então, de repente, já havia passado. Tudo estava terminado e fui forçada a olhar adiante, para o espaço imenso e vazio à minha frente que era o resto da minha vida. O que eu deveria fazer? Simplesmente retomar de onde havia parado? A perspectiva me aterrorizava. Nunca havia me sentido tão só e tudo o que queria era voltar para o limbo da espera.

— O que devo fazer, Mark? — choraminguei, melancolicamente.

Mark? Sim, ele tinha vindo ao meu apartamento mais ou menos uma semana depois do enterro. Eu o havia visto algumas vezes desde que meu pai morrera. Ele foi fantástico. Conseguiu me dar a quantidade perfeita de apoio sem ser sufocante e sem agir com condescendência, nem me dizer aquele tipo de clichê do tempo-cura-tudo-é-o-que-seu-pai-teria-querido-ele-teve-uma-vida-boa que eu vinha escutando com freqüência demais.

— Você só pode contar com seus próprios instintos, Dayna — ele explicou. — E não com o que as pessoas te dizem. Quando for a hora certa de voltar ao trabalho, de sair e se divertir ou o que seja, acredite em mim, você saberá. E então começará a sentir outras coisas novamente, não apenas esta tristeza horrível.

Ele passou o braço por cima dos meus ombros e me segurou e eu fiquei pregada ao chão, curtindo a sensação do seu corpo junto ao meu e... Meu Deus, ele estava *certo.* Eu estava sentindo algo e, pela primeira vez, não era apenas tristeza horrível.

— Gostaria de poder fazer mais para te ajudar — ele sussurrou.

— Não faça nada. Apenas fique onde está — eu disse a ele.

Não me mexi durante séculos. Não até que a sexualidade se esvaísse e eu começasse a sentir minha perna esquerda formigar.

Na verdade, Mark estava mais certo do que poderia ter imaginado. Três meses quase exatos depois da morte do meu pai, meus instintos me disseram o que eu tinha de fazer. Foi o dia em que minha vida finalmente entrou de novo em marcha, e eu realmente não havia previsto aquilo.

Era um domingo e eu estava na casa do meu pai. Na verdade, agora era somente a casa de Suzie. Ela havia preparado almoço para nós. Não seu costumeiro assado gigante, mas uma sopa de tomate caseira. Comida para a alma.

— Venho arrumando algumas coisas do seu pai — ela disse enquanto lavávamos a louça. — Apenas alguns álbuns velhos e pequenas coisas da sua mãe que ele havia guardado. Obviamente, você deveria levá-los, mas, se não estiver preparada para olhar agora, não se preocupe. Posso guardar tudo aqui pelo tempo que você quiser.

— Não, quero dar uma olhada — eu disse a ela ansiosamente. — Quando falei com meu pai, no sábado antes de... você sabe...

Ela assentiu.

— Ele mencionou que queria me mostrar algumas fotos que eu nunca tinha visto.

— Bem, coloquei todos os álbuns em uma caixa — disse Suzie. — É provável que estejam lá. A propósito, nunca lhe contei isto, mas você não imagina como fiquei contente por você ter telefonado para ele naquele sábado. Ele ficou muito feliz com o telefonema.

— Também fico feliz por ter ligado. Não suportaria se minhas últimas palavras para ele tivessem sido de raiva — eu disse, pensando no meu "eu amo você" que ele não chegou a ouvir ao desligar o telefone.

Cinco minutos depois, eu estava sentada no chão da sala de estar, rodeada pelo passado. Álbuns de fotografias que já tinha visto mil vezes antes, mas que não me importava em olhar novamente. Fiquei triste e um pouco chorosa, mas não de forma sombria. Era bom olhar fotos de nós três ou apenas da minha mãe e do meu pai juntos. Nós fomos uma família de verdade, uma vez, ainda que apenas por um período curto.

Suzie estava sentada no sofá, observando-me em silêncio. — Como você está se sentindo? — ela perguntou após algum tempo.

— Estou bem. Me sinto bem fazendo isso — eu disse a ela. — Não há nada de novo aqui, a propósito. Não sei sobre o que meu pai estava falando.

Enfiei a mão na caixa e tirei o último álbum. Era outro já conhecido, mas havia um envelope pardo surrado por baixo dele. Peguei-o. Era pesado e continha o que pareciam ser mais fotografias. Abri o envelope e despejei as fotos no carpete. Sorri, porque, pelo jeito, eu encontrara o que meu pai havia mencionado.

Era uma miscelânea, fotos tiradas em épocas diferentes enquanto minha mãe ainda estava viva e algumas minhas e do meu pai tiradas nos anos subseqüentes à sua morte. "Típico de um homem", pensei com um sorriso. Todos os álbuns haviam sido organizados pela minha mãe, que havia feito o trabalho de forma meticulosa. As fotografias estavam em ordem, com as datas e com pequenos comentários escritos, caso quem estivesse vendo não reconhecesse, por exemplo, a Coluna de Nelson, na Trafalgar Square, ao fundo. Deixadas nas mãos do meu pai, no entanto, as fotos simplesmente foram enfiadas num envelope velho.

Olhei-as com calma. Como eu nunca as vira antes, cada imagem continha um novo frescor, como se aquelas três pessoas estivessem sendo apresentadas a mim pela primeira vez.

— Ela era tão linda, a sua mãe — Suzie disse, olhando para mim. — E você se parece tanto com ela.

Sim, ela era linda, pensei, e, sim, acho que me pareço com ela.

A última fotografia era uma daquelas tiras de quatro fotos que se tiram nas cabines de fotos automáticas. Era do meu pai ostentando seu corte de cabelo espetado com mullet, do início dos anos 80. Ele não estava sozinho, mas também não estava com a minha mãe. Quem era aquela morena espremida na cabine junto com ele, rindo, acariciando sua bochecha, beijando sua orelha? Meu pai havia tido um monte de mulheres na vida, mas, que eu soubesse, ele nunca guardava lembranças; e ela não era uma das que eu reconhecesse. Virei a tira de fotos, não esperava encontrar nada, certamente não a mensagem que estava rabiscada em azul.

"Obrigada pelo fim de semana mais sexy da minha vida! Beijos, Lynda"

Havia também uma data. Olhei para ela, sentindo a vida se esvair de dentro de mim. Eu sabia qual era a data de falecimento da minha mãe — ela havia sido gravada a ferro na minha memória — e aquela era de três semanas antes.

— O que foi, Dayna? — Suzie perguntou.

Eu não conseguia falar. Apenas lhe entreguei a tira. Ela olhou, aparentemente sem entender. Mas por que aquilo teria feito qualquer sentido para ela?

— Foi tirada pouco antes que a minha mãe morresse — consegui dizer, após uma longa pausa. — Aquele *filho-da-puta* sem coração. — Lágrimas doeram nos meus olhos, mas não eram de pesar; apenas uma raiva amarga e ardente. — Como ele pôde fazer isso, Suzie? Ela estava *morrendo*!

— Você não imagina o quanto eu sinto — Suzie disse, a cabeça se reclinando.

Havia alguma coisa no fato de ela não conseguir olhar para mim... E, então, a ficha caiu.

— Você sabia disso, não sabia? — disse, ofegante.

Ela assentiu sem erguer a cabeça. Ainda incapaz de me olhar nos olhos.

— Você *sabia* — repeti, a descrença recaindo sobre mais descrença.

Finalmente, ela olhou para mim. Deslizou do sofá e se ajoelhou à minha frente no chão. — Quando seu pai e eu começamos a namorar a sério, eu disse a ele que teríamos que ser sinceros um com o outro. Isso era algo que eu nunca tivera em meu primeiro... Não vem ao caso. Era apenas algo que eu precisava ter com seu pai. Eu podia ver que ele era um homem complicado. Ele não queria falar, mas falou. No fim.

Ela fez uma pausa. Aquilo era claramente difícil para ela, mas eu não estava com ânimo para facilitar as coisas.

— Continue — retruquei.

— Olha, não existe uma forma fácil de te contar isto. Michael não foi um bom marido, não para a sua mãe. Bem, você viu as fotos, então sabe disso. Juro que eu não sabia que elas existiam, a propósito. Nunca mexi nesse envelope.

Acho que acreditei nela, mas me recusei a dar-lhe qualquer sinal disso.

— Enfim, ele me disse que houve outras mulheres — ela continuou. — Várias. Na maioria, casos de uma noite só... Essa Lynda foi diferente, no entanto. Sua mãe descobriu sobre ela quando você era um bebê. Ela o pôs para fora de casa, mas ele implorou para ela aceitá-lo de volta. É óbvio que ela aceitou, mas ele não mudou. Ele começou a ver Lynda de novo um pouco antes da sua mãe ser diagnosticada.

Eu ouvi tudo, sem dizer uma palavra. Quem era esse homem de quem ela estava falando? Sempre pensei que o fato de ele ser mulherengo fosse um antídoto para a solidão de ser pai solteiro. Mas esse homem — meu *pai*, aparentemente — era do tipo que as pessoas ridicularizavam no programa do Jerry Springer: HOMEM TRAI ESPOSA MORIBUNDA. Ele não prestava... e era um completo estranho para mim.

— Ele se sentia péssimo a respeito disso, Dayna, de verdade — Suzie me disse.

— Ah, coitadinho — retruquei. — Mas ele não se sentiu tão mal quanto minha mãe, conectada às máquinas no hospital, sabendo que havia passado os últimos dias de sua vida casada com um merda.

— Ele foi realmente devorado pela culpa — Suzie disse baixinho. — Eu sei que você não consegue ver isso agora, mas havia muita coisa boa no seu pai. Ele faria qualquer coisa pelas pessoas com as quais se importava. E você viu no enterro quanta gente o amava. Todos aqueles discursos maravilhosos no velório. Eles não foram falsos. Vieram do fundo do coração.

Eu me lembrava dos discursos. Palavras bonitas e cheias de lágrimas de Bill, Owen, Wayne, de outros... Eles fizeram fila para elogiá-lo. Todos eles homens, olha só que engraçado.

— Não sei como você pode defendê-lo — eu disse. — Meu Deus, não sei como pôde se casar com ele se sabia sequer a metade disso.

— Eu o amava — ela me disse baixinho. — Eu o amava muito, muito mesmo.

— Eu o *odeio* — eu disse, sabendo realmente o que era o ódio pela primeira vez na vida.

— É claro que odeia, meu bem. As coisas que ele fez... Serão muito difíceis de perdoar. Mas você perdoará, acredite em mim.

— Como você pode dizer isso? — gritei. — Como diabos pode saber?

— Porque ele era seu pai e a amava loucamente... E porque foi isso que eu fiz.

Eu não fazia idéia do que ela estava falando, mas ela não esperou que eu perguntasse.

— Tem mais uma coisa — ela disse. — Eu ia te contar. Era só uma questão de achar o momento certo. É algo que provavelmente sairá no inquérito, entende...

Deus, o inquérito — algo que nós duas vínhamos temendo. Aconteceria dentro de apenas algumas semanas.

— ... e é melhor você ouvir de mim.

Meu estômago estava se revirando. Que diabos eu iria descobrir agora?

— Na noite antes de morrer, ele não voltou para casa e chegou tarde ao trabalho naquela segunda-feira. Bill e o restante da equipe ficaram furiosos com ele. Era o último dia de trabalho e ele estava colocando em risco o bônus. Era por isso que ele estava correndo, fazendo tudo de qualquer jeito e... Cristo, você sabe o resto. Tudo isso virá à tona no inquérito.

Ela enterrou o rosto nas mãos, incapaz de continuar. Foi minha vez de sentir pena.

— Então ele estava te traindo também — afirmei de forma direta. — Quando você descobriu?

— Eu já tinha meio que desconfiado. Ele não ficava muito em casa, não é mesmo? Obtive os detalhes com Bill alguns dias depois. Ela também não era a única...

— *Jesus.*

— Não acho que nenhuma delas tenha sido importante para ele — ela acrescentou, tentando deter uma torrente de lágrimas. — Ele me amava, eu *sabia* que ele me amava.

Lembrei-me de Simon me dizendo algo semelhante: o fato de haver tantas mulheres demonstrava como eram insignificantes e que eu era a única que ele amava. Bem, aquilo também havia sido um monte de merda. Simon me fizera de capacho. E meu pai havia feito de idiotas minha mãe, Suzie *e* a mim.

Mas meu pai me havia feito um favor enorme, na verdade. Agora eu podia sentir um monte de coisas positivas como raiva, ressentimento e ódio, que eram muito melhores do que tristeza e perda.

— Fico feliz de ter descoberto tudo isso — eu disse a ela. — Porque agora eu posso seguir com a minha vida e não pensar nele nem mais um instante sequer.

Dez minutos depois, Suzie havia se recuperado o suficiente para tentar preparar um chá. Fiquei na sala de estar, os álbuns de fotos ainda espalhados à minha volta. Apanhei um deles e o vi com um novo olhar. Eu me detive numa fotografia de nós três. Minha mãe, meu pai e eu no Regent's Park, o sol brilhando, sorrisos de "diga X" iluminando os rostos. Era uma das minhas fotos favoritas de nós três e eu conhecia cada detalhe dela. Mas juro que parecia diferente dessa vez. A foto havia mudado. Agora eu podia ver a falsidade nos olhos do meu pai, o desespero nos da minha mãe e a ignorância feliz nos meus.

Olhar para a foto revirou meu estômago e eu virei rapidamente as páginas até chegar a uma foto minha e da minha mãe. Eu era uma coisinha, talvez três meses de idade, e minha mãe me segurava perto de seu rosto, apertando sua bochecha contra a minha, cobrindo-me com seu amor puro e imaculado.

Ao olhar para nós duas, tive um momento de clareza.

Decidi, então, que iria me tornar mãe.

Ainda parecia a melhor idéia que eu já tivera quando voltei a meu apartamento naquela noite. Eu seria a melhor mãe do mundo.

Compraria todos os livros sobre criação de filhos, embora não fosse precisar deles porque eu sabia que seria naturalmente boa. Meu bebê seria uma menina — eu simplesmente *sabia* — e se pareceria comigo e, portanto, com a minha mãe. Eu retomaria no ponto em que a minha pobre e traída mãe havia sido obrigada a deixar, e minha filha cresceria e seria perfeita: bonita, inteligente, completamente adaptada e profundamente autoconfiante. Ela não precisaria de nenhum homem que a validasse. Ah, e se tornaria um modelo para todas as mulheres, uma verdadeira santa, provavelmente.

E, claro, eu já tinha tudo resolvido na cabeça.

Só o que precisava fazer, então, era engravidar.

Peguei o telefone e disquei o número de Cristian sem nem parar para pensar.

Dizem que as mudanças são uma das principais causas de ataques cardíacos. Eu não estava achando nem um pouco estressante, no entanto. Não que eu estivesse me mudando, exatamente. Só estava transferindo a metade das minhas coisas para a casa de outra pessoa. Eu estava colocando gás total no plano que havia elaborado na casa de Suzie e dando um importante (meio) passo adiante. Você sabe, aquele ponto em um relacionamento em que vocês estão se dando tão bem que você toma a decisão transformadora de morar a maior parte da semana na casa do namorado, enquanto mantém o próprio apartamento para aqueles dias raros em que possa precisar do seu espaço. Portanto, claramente, não era que eu estivesse menos do que cem por cento segura de que Cristian e eu fôssemos dar certo juntos; era só que eu não queria me ver desalojada caso, por alguma razão completamente imprevisível, não desse certo.

A mudança fora idéia de Cristian. Bem, eu não poderia me convidar a (meio que) mudar para a casa dele, não é? "Acho que você deveria vir morar comigo", ele me disse decididamente, acariciando meus cabelos enquanto olhava profundamente nos meus olhos.

Adorei a idéia. E quem não adoraria? Ele era maravilhoso, generoso e gentil e não se importava nem um pouco que minhas maquiagens e artigos de beleza já estivessem colonizando seu banheiro. Além disso, ele tinha uma vista para Primrose Hill, uma máquina de cappuccino, uma banheira de hidromassagem e uma faxineira que vinha duas vezes por semana. Eu só gostaria que ele parasse com aquela mania de acariciar meus cabelos. Já estava me sentindo o próprio Totó.

— Eu adoraria — anuí e sacudi a cabeça como uma garota de comercial de xampu, obrigando-o a se afastar e levar sua mão para longe consigo.

— Você passou o diabo nessas últimas semanas — ele me disse. — De agora em diante, vou tomar conta de você. Meu Deus, eu te amo tanto, Dayna.

— Aahh — eu disse, dando-lhe um longo beijo, o que significava que eu não tinha de dizer que também o amava. Bem, quantas vezes por dia uma garota pode dizer a um cara que o ama?

— Vamos fazer isso agora mesmo — ele me disse, decidido.

— Hã, ok, vamos — concordei, igualmente decidida.

No dia seguinte, ele telefonou para me dizer que um homem com uma caminhonete viria buscar minhas coisas. Olha, meu pensamento inicial foi: "*Caramba*, espere só um minuto! Por que tanta pressa?" Afinal, eu havia concordado em me mudar, mas desde quando "agora mesmo" queria dizer "no dia seguinte"? Mas então me acalmei e pensei naquilo de forma racional. Eu estava passando cada vez mais tempo na casa dele, não estava? E transferir algumas coisinhas para lá não consistia exatamente num compromisso *total*, consistia? E, na verdade, o que havia de tão errado assim num compromisso total, de qualquer forma? Meu pai não havia me mostrado como a incapacidade de se comprometer era destrutiva? (Meio que) me mudar era definitivamente a coisa certa a fazer. Cristian era louco por mim e eu era louca por ele. Do meu jeito.

Comecei imediatamente a arrumar minhas coisas.

Uma hora depois, a campainha atrasou minha decisão final sobre que mala usar. É verdade, eu ainda não havia começado a de fato preparar as malas, mas não é verdade que o dilema da mala fosse uma tática protelatória. Como prova da minha intenção, minhas roupas estavam espalhadas por cima do sofá. Era apenas uma questão de decidir quais eu levaria e quais deixaria ali.

Abri a porta para Simon. Era a primeira vez que ele me visitava desde o incidente das flores e do urso de pelúcia. — Por que você não está trabalhando? — perguntei a ele.

— Dia de folga. Que bagunça é esta? — ele disse ao examinar a sala.

— Só estou arrumando minhas coisas. Sabe, fazendo uma limpeza. Tenho que fazer... agora que eu... — Parei de falar, não totalmente certa de como dizer a ele que iria me mudar.

— Agora que você é... uma... órfã? — ele perguntou nervosamente, sem dúvida morrendo de medo de ser forçado a ter *aquele* tipo de conversa.

Eu ri. — Não — expliquei —, quero dizer agora que vou morar com Cristian.

— *Quem?*

— Tenho certeza de que te falei sobre ele. Ele é o cara com quem estou namorando.

— Então, é sério entre vocês dois?

— Não, imagina — eu disse involuntariamente, logo em seguida acrescentando: — Quer dizer, sim, muito sério. Bem, o suficiente para levar algumas coisas para a casa dele. Nada demais.

Eu precisava suavizar a coisa, sabe, assim como, ao mesmo tempo, deixar bem claro que era sério. É o que as garotas fazem quando estão falando com seus ex-namorados sobre um novo amor. É uma linha tênue, mas definitivamente factível. E é preferível a dizer a ele que eu estava pensando em ficar grávida o quanto antes e planejando meu futuro inteiro com o cara.

— Certo — ele disse, só um pouco ressentido. — E eu achando que você ainda devia estar triste por causa do seu pai. Só vim porque a minha mãe disse que eu deveria dar uma olhada em você, mas, ei, parece que você está indo muito bem.

Ah, ele até podia perfeitamente levar a vida como se estivesse numa eterna festa no Clube da Última Transa, mas estava tentando fazer com que me sentisse culpada só porque eu tinha um (singular) namorado.

Aí perdi a paciência. — Você é mesmo muito cara-de-pau, Sr. Amantes Múltiplas — zombei.

— Como assim?

— Me diga uma coisa: qual é o número exato de mulheres que você está administrando no momento? Não tem nem idéia, tem? Você perdeu a conta há anos. E não se *atreva* a me dizer como devo sofrer pelo meu pai.

— Eu não estava fazendo isso. Só quis dizer que...

— Não tenho nada pelo que me sentir culpada. Ao contrário de você. E ao contrário do meu maldito pai.

— Espere um pouco, do que você está...

Ele estava a ponto de descobrir o poder total do Furacão Dayna.

— Você e ele, farinha do mesmo saco, vocês dois, gêmeos separados ao nascer. Ele sempre teve carinho por você e finalmente entendi por quê. Quer que eu te conte?

Não acho que, na verdade, ele quisesse, mas não falou nada. Ele havia ficado mudo de perplexidade.

— Você é um filho-da-puta igualzinho a ele, é por isso — gritei. — Ele também não conseguia manter o zíper fechado. Ele não fazia a menor idéia do que significam lealdade e confiança, nem você.

Eu me acalmei um pouco, depois de ter terminado o ataque de fúria.

— Você não pode dizer essas coisas do pobre homem — ele disse após um momento. — Ele está morto. Não pode se defender.

— *Não existe defesa!* — gritei. — Ele traiu a minha mãe quando ela estava *grávida*. E então, porque isso obviamente não tinha sido suficientemente *desprezível*, ele o fez de novo quando ela estava *morrendo*. E daí ele se sentiu tão *péssimo* com o que havia feito, *tããão* atormentado pela culpa, que fez tudo de novo com Suzie!

Deus, eu assustei até a mim mesma com aquela explosão. Simon parecia arrasado, como eu nunca o vira antes. Ele não parecera tão mal nem no dia em que o escurracei por ter me traído.

Sinceramente pensei que tivesse terminado, porém mais palavras jorraram, portanto ficou claro que não havia.

— Você vai viver sua vida inteira deixando atrás de si uma trilha de destruição, mas não vai nem ligar, vai? Por que deveria, quando está se dando bem sete noites por semana com sete mulheres diferentes? Viciado em sexo, o cacete! Isso não passa de uma desculpa ridícula por ser um merda mentiroso e egoísta.

Se me arrependi das palavras assim que elas saíram da minha boca? Sim. Se fiz alguma coisa para mitigá-las, como dizer: "Me desculpe, Simon, não sou eu mesma no momento, é só a dor falando"? Fiz nada. Apenas fiquei ali e olhei feio para ele

— Jesus, eu não sabia que você podia ser tão cruel, Dayna — ele disse quando se recuperou o suficiente para falar.

"Nem eu", pensei.

— Ah, vá se foder — eu disse.

Assim que ele foi embora, chorei todas as lágrimas que havia segurado desde a minha tarde na casa de Suzie. Eu sabia exatamente o que tinha acabado de fazer, é claro. Meu pai era o alvo da minha raiva, mas, como ele estava permanentemente indisponível, eu tinha que me contentar com Simon.

Eu deveria ter telefonado para ele e pedido desculpas, mas não o fiz. Em vez disso, rapidamente solucionei o dilema da mala e arrumei minhas coisas. Uma hora depois, eu já havia partido.

Christian me levara à inauguração de um clube exclusivo em Mayfair. Havia sido praticamente impossível conseguir entradas para a inauguração. Pessoas comuns, como jogadores de futebol da liga principal, estrelas de cinema e a modelo Jordan, tiveram que comer o pão que o diabo amassou para conseguir as suas. Cristian, é claro, conhecia um cara que conhecia um cara e só havia precisado discar um número.

Estávamos sentados a uma mesa de canto na área VIP separada por uma corda. As garçonetes me tratavam como uma pessoa muito importante, sem dúvida, e não como Dayna Harris, a garota que não tinha muito de que se gabar. Era ótimo sair novamente. Já fazia algum tempo. Eu estava me deixando flutuar, a batida hipnótica da música me carregava sem qualquer esforço. Ou seriam os coquetéis de champanhe que estavam me carregando? O álcool também estivera fora da minha agenda, junto com a minha vida social, e a bebida estava indo direto para a minha cabeça.

— Você parece feliz — Cristian disse.

"Mais para bêbada", pensei. — Muito feliz — disse.

— Eu também. Mal posso esperar para nós dois termos um bebê, Dayna. Penso nisso o tempo todo. Ter uma miniatura sua na minha vida completaria tudo. — Ele estava acariciando meus cabelos de novo. Não era de admirar que estivessem sempre oleosos ultimamente, pensei.

Dei minha sacudida de comercial de xampu. — Eu *sei* — eu disse, em meio ao movimento, sentindo sua mão se afastar como por mágica. — Vai ser o *máximo*!

Eu meio que me arrependi de ter contado a ele sobre o plano do bebê. Não por ter mudado de idéia. Deus, não. Eu teria um bebê e Cristian, sendo parte integral do plano, precisava absolutamente saber. Eu só me arrependi porque, agora que ele sabia, não parava de falar no assunto, geralmente enquanto acariciava meu cabelo, e eu me sentia só ligeiramente sufocada e um pouquinho pressionada. Odiava a mim mesma por isso e pus a culpa dos meus sentimentos inteiramente no gene da fobia ao compromisso que havia, obviamente, herdado do meu pai. E que tinha de ser combatido.

E uma vez que eu aprendesse a amar a atenção constante e doce de Cristian, iria lidar com o problema do anel da Tiffany. Não que fosse um problema. Era absolutamente maravilhoso. Mas não havia sido mencionado desde a morte do meu pai. Cristian era incrivelmente sensível e eu sabia que o assunto não surgiria até que eu estivesse preparada. Mas eu estaria preparada. *Logo.* E então o anel iria definitivamente para o meu dedo.

Devagar, devagar, no entanto.

Enquanto isso, iria apenas curtir morar com ele. Mudar-me para sua casa havia sido uma decisão *mais* do que correta. Ele não ficava muito lá, é claro. Na maior parte do tempo, estava fora, fazendo suas negociatas juntamente com seus colegas de negociações. Não que ele precisasse do dinheiro; era só que ele adorava fazer com que suas idéias se realizassem e ganhar rios de dinheiro em conseqüência. E eu sei que passei anos criticando Max por ser assim, mas era diferente com Cristian. A diferença principal era que eu amava Cristian. Do meu jeito. E eu não amava Max de jeito nenhum.

Como Cristian passava muito tempo fora, tive que me acostumar à minha própria companhia. A vista de Primrose Hill ajudava. E a banheira de hidromassagem. E o aparelho de som de £ 5.000. E eu havia aprendido sozinha a fazer sete tipos de cappuccino diferentes. Teria sido legal se Emily pudesse passar mais tempo comigo, mas ela agora era uma mulher de carreira. Mais ou menos. Um dos colegas de Max havia lhe pedido para decorar seu apartamento novo, uma enorme estrutura vazia nas Docklands. Ele dera a ela carta branca e um cheque em branco. Era um trabalho fantástico. Para uma decoradora. Deduzi que Max havia pago a seu amigo para dar o trabalho a Emily simplesmente para fazê-la levantar a bunda chorosa do sofá. Não, eu nunca disse isso. Emily conseguiu o trabalho por causa de sua visão e dom para a decoração. Ela havia me mostrado algumas de suas idéias. Aparentemente, a madeira MDF havia ocupado o lugar do granito, divisórias de gesso tinham assumido o lugar do mármore e que se danasse o minimalismo, porque o algodão florido estava de volta e, dessa vez, não aceitaria rédeas. Quando ela terminou, achei que o amigo de Max moveria um processo judicial para reaver sua casa vazia. Não, eu também nunca disse isso.

O clube já estava cheio quando chegamos, mas, àquela altura da noite, bombava. Alguns amigos de Cristian haviam se juntado a nós e eu tinha me desligado. Não que estivesse entediada com seus planos para a "microglobalização etnossensível" (e quem ficaria?). Não, eu só estava curtindo flutuar na minha pequena nuvem de embriaguez e observar as pessoas bonitas de Londres.

Não que a vista do bar fosse particularmente atraente. Havia uma briga começando. Dois homens estavam se atacando, e rapidamente se transformaram em quatro. Uma garota gritou, o som cortou a música, e a conversa na nossa mesa se deteve.

— O que está acontecendo? — Cristian perguntou.

— Uma briga — respondi.

— Uma briga? *Aqui?* Meu Deus, melhor irmos embora.

Senti sua mão agarrar meu braço, pronto para me levar de volta à velha e tediosa segurança.

Eu o soltei e disse: — Não, eu quero ficar.

Estendi o pescoço para ver. As pessoas pareciam estar se amontoando umas sobre as outras e não estava claro quem ou quantos estavam envolvidos. Então, ouviu-se um ruído de estilhaço. Vi um lampejo fugaz de vidro quebrado cortando o ar e, de repente, a cena toda foi obscurecida por homens de preto que chegaram em grandes quantidades e se apinharam sobre os briguentos. Eles eram bons — num clube como aquele, a segurança não poderia ser diferente — e a confusão toda terminou tão rápido quanto havia começado. Três dos envolvidos foram levados embora, mas um, o maior e mais agressivo, continuou no bar. Ele era o que tinha o copo de cerveja quebrado na mão e o sacudia ameaçadoramente para os dois homens de preto parados à distância de um braço, esperando pela oportunidade de desarmá-lo. De repente, eles assumiram o comando, o homem foi atirado ao chão e um dos leões-de-chácara havia colocado o joelho nas costas dele e torcia seu braço para trás. *Uau*, isso foi bom, pensei. Morra de inveja, Vin Diesel. O outro leão-de-chácara ainda estava de pé. Ele segurava o copo em uma das mãos. A outra estava sobre seu rosto. Mesmo a dez metros de distância, eu podia ver sangue escorrendo pelos vãos entre seus dedos. E, mesmo a dez metros de distância, eu podia ver que era Simon.

Eu me levantei de um salto.

— Aonde você vai? — Cristian perguntou, sua mão agarrando meu braço de novo.

— Ao banheiro — eu disse rapidamente.

— Mas e a briga? É perigoso demais — ele disse, a mão agarrando com mais força.

— Não seja bobo. Já terminou — eu disse, torcendo o braço para soltá-lo e correndo pelo clube. Após um momento, olhei ansiosamente para trás, mas não podia ver nossa mesa devido à multidão que voltava à pista de dança, o pânico esquecido. Tampouco podia ver Cristian me seguindo. Havia conseguido fugir. E, por alguma razão tola, aquilo realmente parecia uma fuga.

Olhei para a frente, na direção do bar, onde vi Simon ser conduzido por um dos barmen para uma porta na lateral. Rapidamente, eu os segui e me encontrei num corredor e, depois, no que parecia ser uma sala de funcionários. Simon estava sentado numa cadeira de plástico cor-de-laranja, segurando um guardanapo de papel contra a bochecha enquanto o barman vasculhava um minúsculo estojo de primeiros socorros. Ambos olharam para mim.

— Desculpe, sala reservada para funcionários — o barman disse. — Se você está procurando pelos banheiros, ficam...

— Que diabos você está fazendo aqui, Dayna? — Simon interrompeu.

Não respondi. — Meu Deus, Simon, o que foi que aquele idiota fez com você?

Ele levantou o guardanapo e me mostrou um corte vertical de aproximadamente quatro centímetros de comprimento.

— Está feio — eu disse. — Você precisa tomar pontos aí.

— Que nada, é só um arranhão — ele retrucou, lançando-me um sorriso. — Faz um tempão que eu queria uma cicatriz aí. O cara me fez um favor.

O barman apareceu ao lado de Simon com algumas bolas de algodão e um tubo de creme anti-séptico Savlon; não era um enfermeiro treinado, portanto. — O cara que te cortou... um dos colegas dele joga no Chelsea — ele disse. — Só na reserva, mas isso sairá na primeira página do *Sun* de amanhã. Os editores vão dar uma incrementada. — Ele se inclinou sobre Simon e tentou direcionar o tubo aberto de Savlon para o corte, perguntando-se onde deveria apertá-lo.

Antes que ele causasse mais estragos, eu disse: — Eu farei isso, se você quiser voltar ao trabalho.

— Tem certeza? Obrigado. Detesto ver sangue.

Depois que ele se foi, Simon disse: — E então, o que você está fazendo aqui?

Ele parecia ignorar o sangue que ainda escorria do corte. Eu não, entretanto. — Esse guardanapo idiota não serve para nada — eu disse. Desamarrei a echarpe Hermès da minha cintura, onde estivera fazendo o papel de um cinto casual, porém caro, no meu vestido casual, porém mais caro ainda, ambos presentes de Cristian. — Tome, use isto — eu disse, dobrando a echarpe numa tira e pressionando-a contra o corte.

— Ai! — ele recuou.

— Desculpe.

— Deixe que eu faço isso — ele disse, afastando a minha mão e levando a seda de cores berrantes ao corte.

Ambos ficamos em silêncio por um momento. Ouvi a música que vinha pelo corredor e entrava na sala e me lembrei da última vez em que estivera com um homem numa sala privada de um clube da moda. Ri à lembrança.

— Qual é a graça? — Simon perguntou.

— Nada. Olha, você realmente deveria tomar uns pontos neste corte.

— Não precisa — ele disse. — Você não me disse: o que está fazendo aqui?

— Eu poderia te perguntar a mesma coisa.

— É um emprego, não é? Não posso me dar ao luxo de recusar trabalho.

— Mas e a academia? E o que houve com a idéia de se tornar uma estrela de TV?

Ele baixou os olhos até seus pés.

— Simon? — insisti.

— Eu botei tudo a perder no teste — ele resmungou. — Daí o pessoal da academia ficou pê da vida. Disseram que isso refletia neles porque tinham me indicado para o lance da TV, esse tipo de besteira.

— E então, eles te *despediram*?

— Praticamente. Acho.

Eu me senti péssima. Ele havia estragado uma oportunidade única em sua vida porque tivera que ir a um enterro. E nem sequer teve a satisfação de saber que *eu* sabia que ele tinha comparecido. Então eu me senti pior ainda porque me lembrei de tê-lo tratado pavorosamente mente na última vez em que o havia visto. Eu tinha que pedir desculpas *imediatamente.*

— Simon, eu gostaria de me...

— Dayna, *aí* está você! — Era Cristian. — Procurei você por toda parte — ele disse. — Você desapareceu há séculos.

— Foram só alguns minutos — respondi, sorrindo de forma tão radiante que ele jamais poderia saber o quanto estava me irritando.

— Eu só estava preocupado. Com a briga e tudo mais. — Ele olhou para Simon. — Você está bem, cara?

— Sim, tudo bem... *cara* — Simon resmungou. Então, ele olhou para mim. — Ficarei bem... Se você quiser... você sabe...

Eu sabia.

Cristian tomou novamente o meu braço e, dessa vez, deixei que ele me conduzisse. Ao voltarmos para a mesa, ele disse: — O que foi tudo aquilo?

— Ah, ele estava sangrando. Bastante. Eu não podia deixar de ajudar, não é? Não com meu treinamento médico.

— Treinamento *médico*?

— Você já viu os livros que eu tive que estudar na faculdade? Acredite, sou praticamente uma médica. Enfim, eu tinha que deter o sangramento, não é?

— Com a sua *echarpe*? — ele disse. E fez uma pausa antes de perguntar: — Você o conhece?

Fiz uma pausa antes de responder: — Não... não conheço, não.

E não estava realmente mentindo. Os eventos recentes não haviam provado que nunca se *conhece* verdadeiramente uma pessoa?

Tive minha chance de pedir desculpas a Simon alguns dias depois. Ele ligou para o meu celular para dizer que queria devolver minha echarpe. — Eu normalmente não me importaria com um pedaço velho de náilon ou sei-lá-o-quê — ele disse —, mas parece ter sido um pouco caro. — Ele não fazia nem idéia.

— Por que você não vem aqui tomar um café? — sugeri.

— Na casa do seu namorado? — ele perguntou.

— Não, quase nunca fico lá — exclamei ao contemplar a gloriosa vista de Primrose Hill. — Venha ao meu apartamento.

— Ok, eu te vejo em uma hora.

Nunca na vida tinha me mexido com tanta rapidez. Cheguei lá dez minutos antes dele. Tempo suficiente para abrir as janelas e arejar o lugar; dar um pouco da sensação de local habitado.

— Aquele no clube era Cristian, então? — ele perguntou assim que se colocou à vontade. Estatelado no sofá, pés sobre a mesinha de centro, lata de biscoitos no colo. Justamente como nos velhos tempos. Olhei para o corte em seu rosto. Estava fechado por alguns pontos falsos de esparadrapo e criando casquinha, mas ele tinha razão: a cicatriz lhe cairia bem.

— Aquele era Cristian — confirmei.

— Ele gosta de um gel no cabelo, hein? — ele disse.

Não respondi.

— Então, Dayna, deixe-me ver se entendi direito. Você não tem ido trabalhar desde... Você sabe. Você apenas fica no apartamento de Cristian o dia inteiro fazendo cappuccinos. É isso?

Como diabos ele sabia? Será que andava me vigiando de Primrose Hill com binóculos de longo alcance? Não, é claro que não. Ele andava conversando com aquela desgraçada da Hannah.

— Bem, Mila disse que não havia pressa — respondi casualmente. — Meu emprego está em aberto indefinidamente.

— Mila é a mãe dele, certo?

Deus, havia alguma coisa que ela não tivesse contado a ele? Claro que não. A capacidade de Hannah para a fofoca era lendária. Ele provavelmente sabia o tamanho do chapéu de Mila e a medida das calças de Cristian.

— É, sim — eu disse —, mas ela também é minha chefe e...

— Mas ajuda o fato de ela ser também a *mãe* dele. Olha, não estou querendo brigar. É muito cômodo mesmo. Eu ficaria com o Cabeça de Gel, se fosse você.

— Simon! Não seja maldoso. Ele é um cara fantástico. Ele é gentil, generoso e realmente interessante. E gosta de futebol. — (Bem, eu não queria fazê-lo parecer um punheteiro afeminado, né?) — E ele é um *entrepreneur.*

— Eu conheço essa palavra — ele disse. — É punheteiro em francês, não é?

— Cale a *boca*! Um *entrepreneur* é um... Deixa pra lá. Ele é um cara ótimo.

— É, parece mesmo.

— E nós nos amamos.

— Fico muito feliz por vocês.

— E eu vou ter um bebê.

Ele cuspiu farelos de biscoito e saiu chá por seu nariz. — Você está *grávida*?

— Não, ainda não. Mas vou ficar. Quero ter um bebê.

— O bebê *dele*?

Humm, boa pergunta.

Não, não era hora para ter dúvida. Não quando estava com Simon avacalhando o Homem dos Meus Sonhos. — Sim, um bebê *dele* — eu disse com muita, muita firmeza.

— Mas, Dayna, tenha dó.

— O quê?

— Ele é um babaca!

— Vá se danar, Simon! — Eu disse isso gritando para deixar absolutamente claro que não concordava com ele nem um pouco. — Ele é *fantástico*. E me *ama*. Ele *jamais* me magoaria, o que é muito mais do que eu posso dizer de você.

— O que você quer dizer com isso? — ele perguntou, parecendo genuinamente ofendido. — Eu nunca te magoaria. Sempre me desdobrei para fazer as coisas para você.

— Sim, é verdade, me desculpe — falei, pela primeira vez dizendo a coisa certa no momento certo. Afinal, ele era o homem que havia perdido uma oportunidade única e um emprego, tudo por minha causa, e não havia tentado ganhar nenhum reconhecimento por isso. — Eu só estava falando de quando estávamos namorando. Você sabe como você era.

Ele ficou vermelho. — Pois é, acho que você mencionou isso na última vez em que estive aqui — murmurou.

— Meu Deus, eu me comportei como uma bruxa, não?

— Um pouquinho.

— Sinto muito *mesmo*. Eu havia acabado de descobrir umas coisas horríveis sobre o meu pai e estava furiosa e fora de mim e não estava pensando com clareza e...

— Olha, esqueça isso. Eu já esqueci. De qualquer maneira, me fez refletir.

Hã? Eu havia feito Simon *refletir*?

— Sobre o quê? — perguntei.

— Você sabe. Todas aquelas coisas que você disse... sobre o seu pai... e sobre mim, e a minha compulsão... hã... sexual... e tudo mais.

— *Certo*, a compulsão... sexual — eu disse, esforçando-me para não rir.

— Eu realmente estou tentando mudar, sabe? — Ele estava me olhando com cara de cachorro pidão, implorando para que acreditasse nele. — Faz duas semanas que estou limpo.

Eu não pude agüentar mais e explodi em gargalhadas. Por sorte, ele também.

— Só quis dizer que não estou saindo com ninguém — ele explicou. — Tem sido bastante difícil. Você viu como é aquele clube novo. Topmodels para todo lado. E juro que a Caprice estava dando em cima de mim ontem à noite. Mas não vou ceder. Eu não sou um viciado. Dependência é para fracotes.

— Que bom, Simon — eu disse, e fui sincera. Talvez as pessoas pudessem mudar. Era uma pena que meu pai não tivesse vivido o suficiente para aprender com o exemplo de Simon. — E então, o que mais tem acontecido? — perguntei, ansiosa para me afastar de qualquer assunto que me fizesse lembrar do meu pai. — Você está procurando outro emprego em academia?

— Não, vou continuar como leão-de-chácara por algum tempo, preciso refletir um pouco.

Lá vinha ele de novo com aquela história de refletir. O que estava acontecendo?

— Esse trabalho como personal trainer é geralmente mais fachada que outra coisa — ele prosseguiu. — Esses executivos da City não estão realmente interessados em ficar em forma. Não em forma *de verdade.*

Pensei em Max e em sua academia de cinco mil libras por ano no Soho. Se ele estava em forma? Mal tinha forças para tirar a credencial de membro da carteira. Simon tinha razão, portanto, mas ele havia se esforçado tanto para passar naqueles exames. E eu também, cacete.

— Mas você não pode mudar de novo de carreira — eu disse. — Não depois de todo o trabalho que nós... que *você* teve.

Ele deu de ombros e mudou de assunto. — E quanto à sua carreira? — ele perguntou.

— Voltarei ao trabalho quando estiver pronta... Logo... A qualquer momento, na verdade.

— Talvez não volte — ele murmurou. — Talvez você esteja feliz como uma dama ociosa. Você e ele vão se casar?

— Não... Sim... Talvez. Não decidimos.

— Humm, você não parece muito segura sobre o pai do seu bebê.

Eu não estava gostando nada do rumo da conversa. Estava me deixando extremamente incomodada. Não porque estivesse me fazendo questionar meu comprometimento com Cristian. De jeito nenhum. Só não estava gostando do tom dissimulado de Simon.

— Estou totalmente, cem por cento segura com relação a ele, muito obrigada — declarei:

— É mesmo? — Ele foi escorregando de lado no sofá até que seu quadril estivesse pressionado contra o meu e seu braço esticado por trás das minhas costas. — Será que seu comprometimento sobreviveria se fosse *realmente* colocado à prova? — ele sussurrou na minha orelha, a boca tocando meu lóbulo.

Empurrei-o com força e gritei:

— Saia de cima de mim, seu tarado! Deus do céu, você não mudou nada, mudou? Uma vez traidor, sempre traidor.

— Eu só estava brincando. Desculpinha.

— Bem, não tem graça nenhuma, Simon. Eu amo Cristian, ele me ama e fim, ok?

— Ok.

— *Ok!*

E realmente foi o fim. Ou melhor, o começo. Na volta para a casa de Cristian, decidi que estava cansada de todo mundo duvidar do meu comprometimento com ele. Talvez eu tivesse contribuído para isso. Um pouco. Mas você sabe como são as pessoas. Basta mostrar-lhes a mínima partícula de dúvida e elas aumentam tudo de forma desproporcional. Bem, havia algo que eu podia fazer quanto àquilo. Eu iria corrigir os céticos de uma vez por todas.

Assim que voltei ao apartamento de Cristian, entrei no quarto e abri sua gaveta de meias. Remexi um pouco até encontrar a caixa azul-turquesa da Tiffany. Abri, tirei o anel e o deslizei em meu dedo. *Uau!* Um diamante de quase três quilates pode causar esse efeito em uma garota. Mas não era a beleza do anel ou seu preço extravagante que estava enviando cargas elétricas para o meu corpo. Não, era o fato de que, repentinamente, eu me senti *noiva*, a ponto de me *casar*, e era algo maravilhoso, excitante e nem um pouco assustador. Definitivamente.

Dez minutos depois, ouvi a chave de Cristian girar na fechadura e não tirei o anel. Não, eu me posicionei no sofá, a mão descansando artisticamente sobre uma almofada, assegurando-me de que o diamante apanhasse o raio de luz que entrava pela janela. Ele o viu imediatamente, correu até mim e me cobriu de abraços e beijos. E eu não dei nem um peteleco sequer em sua mão quando ele acariciou meu cabelo.

— Não estou convencida — disse Suzie. — Não tenho muita certeza quanto a isso.

— Você acha que é muito chamativo? — perguntei. — São quase três quilates, você sabe.

— Não me refiro ao anel, Dayna. O anel é estupendo. Não, estou falando sobre essa história de... *noivado*. Você tem certeza absoluta?

— Nunca tive tanta certeza a respeito de alguma coisa na vida. Você não gosta dele, por acaso?

— Ele é um encanto. Maravilhoso, cortês, gentil... Um partidão, não resta a menor dúvida. Mas... você não está se contentando com pouco, não?

— Meu Deus, o que você quer que eu faça, Suzie? Espere por um *bilionário* em potencial, em vez de agarrar um *milionário* em potencial? Espere até que o Brad enjoe da Jen?

— O Brad *jamais* enjoará da Jen — ela disse com um sorriso. — Não, não foi nada disso que eu quis dizer. Não estou falando de Cristian. Estou falando de *você*. Sobre o que *você* sente *aqui dentro*. — Ela apertou a mão contra o coração para ilustrar o que estava dizendo.

Ela olhou para mim do outro lado da mesa e conseguiu dizer o que queria, aparentemente.

— Olha, não se preocupe — eu disse a ela. — Eu sou louca por ele, absolutamente louca por ele.

Ela se recostou na cadeira, subitamente. — Claro que é. Desculpe, não é da minha conta. *Você* sabe o que sente.

Suzie e eu havíamos nos encontrado algumas vezes desde aquele domingo fatídico. Não tínhamos tomado nenhuma decisão explícita de não conversar sobre o meu pai, mas não o fizéramos mais, só isso. Não tinha sido possível evitar o assunto no inquérito, no entanto, embora tivesse envolvido, na maior parte, ouvir outras pessoas falarem sobre ele. Seus colegas de trabalho e a equipe da ambulância, que descreveram o acidente em detalhes nauseantes. O médico e o patologista, que descreveram seus ferimentos em detalhes ainda mais nauseantes. E Bill, que contou ao juiz de instrução sobre meu pai ter chegado atrasado e ter corrido para terminar o serviço. Os detalhes? Ele os encobriu. A mulher com quem ele estivera na noite anterior não foi chamada a testemunhar. O juiz de instrução registrou o veredicto de morte acidental. Não houvera negligência e não era culpa de ninguém. Bem, de ninguém exceto do meu pai. Meu dia na corte de investigações despertou uma nova onda de raiva porque eu sabia que ele havia causado aquilo a si mesmo — havia causado aquilo a todos nós.

Isso tinha acontecido mais de uma semana antes e não era a primeira vez que eu via Suzie, desde então. Eu a havia convidado para ir ao apartamento de Cristian para almoçar. Era parte do meu plano fazer o lugar se parecer com um lar. Eu não queria mais me sentir como uma convidada e pensei que, se convidasse muitos amigos para me visitar, o apartamento pareceria mais meu. Bem, meu e de Cristian. Tudo seria *nosso* de agora em diante, não seria?

— Que vista maravilhosa. — Suzie exclamou, sorvendo sua água mineral e olhando pela janela. — *Adoro* Primrose Hill. Kate Moss mora por aqui, não mora?

— Nossa, ela está sempre vindo aqui para pedir uma xícara de açúcar — resmunguei. — Não consigo me livrar dela.

Era bom ouvi-la rir. Houvera muito pouco riso ultimamente.

— Cappuccino? — ofereci, levantando-me e indo para a cozinha. — Posso prepará-lo de sete maneiras diferentes, você sabe.

— Pode me chamar de antiquada, mas eu mataria por uma xícara de chá.

— Chá, então.

Enquanto esperava a chaleira ferver, ela apareceu na porta da cozinha. — A gente deveria conversar, sabe?

Eu sabia o que ela queria dizer e não queria conversar sobre ele.

— Ele era desprezível — retruquei. — Eu o odeio e jamais o perdoarei.

— Você só o odeia porque o amava. Ele te decepcionou.

— *Me* decepcionou? Meu pai decepcionou a *todas* nós. Honestamente, não sei como você pode defendê-lo. Quer dizer, seu primeiro marido também a traiu, certo? Nunca vi você defendendo-o.

— Ele não era nem um pouco como o Michael — ela disse com amargura. — Ele era apenas um maníaco controlador que queria arruinar a minha vida. Assim que apareceu alguém mais jovem e mais bonita, ele foi controlar a vida dela. Ele era um filho-da-puta.

— E meu pai não era?

— Mas ele me *amava.* Meu primeiro marido não me amava nem um pouco, e essa era a diferença. Seu pai fez coisas terríveis, sim, mas havia muita coisa boa nele também.

Pensei em Mark e em seu discurso de como "todo mundo tinha algo de bom" — até mesmo Hitler, ele alegara, embora acho que estivesse brincando, nesse caso. — Seja como for, é por isso que Cristian é tão certo para mim — eu disse a ela. — Ele *jamais* faria o que meu pai fez. Ele é confiável, *leal.*

— É bom ser leal — ela disse. — Mas não tem nada a ver com paixão. Eu não podia confiar muito no seu pai, mas nunca fui tão apaixonada por alguém.

Bem, que bom para ela! No entanto, toda aquela paixão não lhe servira de grande coisa no fim, não é mesmo?

Eu tinha uma placa de motorista aprendiz grudada no peito e um véu de brincadeira na cabeça. Minha minissaia havia subido tanto pelas minhas coxas que mais parecia um top que escorregara. O stripper estava só de fio-dental e sua bunda na minha cara. Tão perto, que eu podia sentir o cheiro de... sua *colônia*!

Blaarrggh! O que você pensou que eu fosse dizer?

Um stripper masculino! Numa despedida de solteira! Que idéia mais *brilhante* e *original*, Emily! Na verdade, eu nunca havia me sentido tão brega na vida. Mas isso não me impediu de gritar junto com as meninas quando um homem marombado, usando apenas um fio-dental, esfregou sua genitália na minha cara. Nós gritamos como adolescentes num show do Busted quando ele tirou a jaqueta de policial. Agora, que só restava uma peça de roupa separando-o da nudez frontal absoluta, estávamos completamente histéricas. Não apenas eu e minhas companheiras de farra, mas todas as mulheres do bar. É que não se tratava de um clube da moda em West End. Não, era o Lancaster.

Cristian não tinha sido capaz de entender. — O *Lancaster*? — ele perguntara. — Por que lá? Eu posso te conseguir a área VIP no Chinawhite.

— Mas eu gosto do Lancaster — eu havia explicado.

— Ei, vou te reservar uma sala privada na Soho House.

— Eu *gosto* do Lancaster.

— E que tal no Browns?

— Cristian, o Lancaster é aonde meu pai e eu costumávamos ir.

Aquilo o havia calado.

De qualquer maneira, nós só estávamos *esquentando* no Lancaster. Depois, eu estava certa de que iríamos para o Browns, a House, o Chinawhite... Na verdade, eu não fazia a menor idéia. Emily havia formado um comitê de solteiras. Elas planejaram o evento durante semanas, mas eu não sabia nada a respeito. — Tudo será surpresa — Emily me dissera. — Você só tem que comparecer e aproveitar sua última noite como uma mulher livre. — Um pouco dramático, dado que meu casamento só aconteceria em uma semana. Seja como for, a noite foi oficialmente batizada como A Última Noite de Liberdade de Dayna. Emily me dissera que ficaria sóbria para ter certeza de que tudo corresse conforme o planejado. "Que alívio", pensei, vendo-a esfregar seu quadril no do stripper enquanto enfiava uma nota de dez no minúsculo bolsinho de oncinha preso a seu fio-dental. Calculei que ela estivesse dois drinques à minha frente. Meu Deus, se Max visse isso...

Mas despedidas de solteiras não são para os noivos. São para as garotas.

— Puta que pariu, queria que Cristian se tocasse e deixasse a gente se divertir — Hannah queixou-se, desligando o celular.

— O que foi *agora*? — Emily perguntou, sentando-se e acendendo um cigarro pós-coito após seu orgasmo múltiplo com o Mr. Músculo. Sóbria? Até parece. Ela só fumava quando estava bêbada.

— Nada, nada — disse Hannah, dando-me um sorriso meigo.

— Não me venha com essa — eu disse. — Ele quer saber onde é a próxima parada para se juntar a nós, né?

— Como foi que você adivinhou? — disse Hannah.

— Você não contou a ele, contou? — gritou Emily.

— De jeito *nenhum*! — Hannah gritou de volta, acrescentando outro grito porque outra bandeja de bebidas havia chegado.

— Certo, esta é a última rodada e depois nós vamos embora — Emily anunciou.

— Embora pra onde? — perguntei.

— Isso cabe a nós sabermos e a você adivinhar — disse Fran.

Fran era uma cabeleireira do Spa Space. Que sofria de alopecia. *Inacreditável.* Uma cabeleireira sem um fio de cabelo, *em nenhum lugar*! Ela era o máximo. Não queria que ninguém sentisse pena dela.

— Eu é que sinto pena de vocês, mulheres — ela nos dissera. — Eu nunca preciso depilar, raspar nem tirar nada com pinça. Em lugar algum. *Nunca.* — Essa noite ela estava usando sua peruca chanel cor-de-rosa favorita e se via fantástica.

— Vamos, termine seu drinque — ela disse, colocando um copo na minha mão. — Há coisas a fazer, caras com quem transar.

— Falando de mim de novo? — Archie disse, surgindo à nossa frente.

— *Arrgghh!* — gritei. — Quem te convidou para a minha despedida de solteira?

— Ninguém. Vim tomar uma cerveja com um amigo. Este é o pub que ele freqüenta. — Ele pegou um banco vazio e se sentou. — Então você vai se casar, Dayna. Estou chocado.

Será que ele estava um pouco triste ou era eu que estava bêbada demais para enxergar direito?

— Quem é ele, então? — ele perguntou.

— Cristian. Ele é *romeeeeno* — falei, arrastando a palavra.

Para seu crédito, ele não disse nada depreciativo sobre ciganos ou limpadores de pára-brisa nos sinais. Apenas disse:

— Cara de sorte. É melhor eu pagar uma rodada como forma de te dar os parabéns.

Ele contou rapidamente as meninas e se dirigiu ao bar.

— Ele é *fantástico* — Hannah disse quando ele se afastou. — É um ex seu?

— A-hã — engrolei, casualmente.

— *Humm.* Ele me lembra o Russell Crowe em *Gladiador* — disse Fran. — Todo durão e de cabeça raspada e um pouco assustador.

Bem assustador, eu não falei.

Ele reapareceu com outra bandeja de bebidas e as distribuiu. Daí se sentou e posicionou seu banco perto do meu. — Não consigo acreditar que você vai se amarrar, Dayna — ele disse.

— Eu sei, nem eu — admiti, bêbada. E, sabe, o pub estava bem barulhento e, enquanto ele falava, tive que me inclinar para bem perto dele e ele tinha um cheiro tão bom. Então me inclinei ainda mais porque precisava mesmo saber se era Paco Rabanne ou Hugo Boss e nossos lábios meio que se tocaram de forma totalmente acidental... Mas, honestamente, foi só por alguns segundos... Cinco, talvez... Definitivamente menos de um minuto. E eu fiz a coisa certa. Afastei-me primeiro.

Principalmente porque Hannah estava berrando: — Ai, meu Deus, *Dayna*, pare de beijar o Russell Crowe! Cristian acabou de entrar!

Meu coração quase parou. Será que ele nos vira? Estaria furioso? Cancelaria o casamento?

— Só estou brincando. — Hannah riu.

E, é claro, eu ri também. Com o coração na mão.

Mas, ah, aquele *beijo*... Que não era um beijo em absoluto. Nada mais que um toque descuidado de lábios. Possivelmente de línguas.

— Venha, Archie, vamos começar logo este jogo — disse uma voz.

— Que jogo? — perguntei, erguendo os olhos para a voz.

— Jogo de cartas. Na minha casa. Eu a convidaria, mas parece que você já está ocupada. Pelo resto da vida — disse o recém-chegado com uma risada.

Eu não ri de volta. Não podia. Estava sem fala.

O homem se virou para chamar o resto de seus amigos. Olhei para Archie e disse:

— Você vai à casa *daquele* cara jogar cartas? Mas quem é ele?

— Ben. Ele aluga andaimes. Ele me indica clientes e eu faço o mesmo por ele. É um cara legal.

— Sério? — perguntei estupidamente. — E você joga *cartas* com ele?

— Olha, você pode vir se realmente quiser. Mas devo te avisar, no entanto, que a aposta mínima é de dez libras.

— Mas... — Eu não conseguia dizer as palavras.

— Mas o quê?

— Ele é *negro*!

— Jesus, fale baixo, Dayna — ele disse, olhando nervoso ao redor. — E, de qualquer forma, e daí que ele seja? É um cara legal, firme.

— Mas você odeia...

— Eu nunca disse isso — ele respondeu, me interrompendo. — Bem, não exatamente com essas palavras. Olha, você sabe o que eu penso sobre... certos assuntos, mas isso não quer dizer que sejam *todos* maus. Ben é bacana. Mais do que bacana, na verdade. Sabe o que ele fez por mim, uma vez? Havia esse locador de caçambas baseado em Wembley, mas eles estavam tentando entrar aqui à força. Gente bastante perigosa, chefiada por um grego... você sabe como eles são. Enfim, ele estava concorrendo comigo de forma superdesleal e estava pressionando Ben para...

Por que os homens acham que seu trabalho é tão infinitamente fascinante para nós quanto é para eles? Antes que me desligasse por completo, eu o detive e disse: — Deixe-me ver se entendi direito, Archie, você e esse tal de Ben... vocês são amigos?

— Sim, acho que sim — ele disse.

— Ótimo, era tudo que eu precisava saber — eu disse, beijando-o novamente, mas apenas de forma breve dessa vez, porque não queria que ele entendesse mal.

Ah, e porque Emily havia agarrado meu braço e estava me arrastando para fora do pub. Aparentemente, estávamos atrasadas em nossa programação.

A próxima parada foi o pub The Green Man. Tomamos um drinque lá e fomos para o The Red Lion. Depois, foi o The Duke of Wellington. Depois, The King's Arms and the Queen's Head... Ou seria The King's Head and the Queen's Arms?... Eu já estava trocando as bolas...

O último lugar foi um clube chamado Juice. Eu nunca tinha ouvido falar dele e nenhuma de nós estivera lá antes, mas Kirsty e Ruby estavam esperando na porta para fazer com que nos sentíssemos em casa. Sim, é isso mesmo, era um clube de lésbicas!

Kirsty estava sensacional. Ela usava uma minissaia preta de PVC e uma regata de tela sobre um sutiã preto. Tudo para mostrar sua barriga — ela estava grávida de seis meses e a exibia com orgulho. Eu havia almoçado uma tarde com ela, alguns meses antes, e ela tinha me contado tudo. Contou-me como Ruby havia largado seu brilhante emprego no norte e voltado para ela. Para comemorar a união, haviam jogado cara-ou-coroa para ver qual das duas ficaria grávida. Kirsty ganhou. Ou perdeu. Eu não sabia exatamente como ela via aquilo. Quando perguntei quem era o pai, ela pegou o recheador de peru. E até mesmo tentou me fazer uma demonstração, segundo me lembro.

Ela podia ser maluca o suficiente para ficar grávida com um utensílio de cozinha, mas não era irresponsável. Não havia tomado nada alcoólico desde o teste de gravidez, mas isso não impediu que ela e Ruby enchessem suas convidadas heterossexuais com álcool o bastante para sustentar um grupo de viagem do Club 18-30 por uma semana. Eu pensei que estivéssemos bêbadas ao chegar ao Juice, mas, não, aquilo era só o aquecimento.

Não me lembro de muita coisa do tempo que passamos lá, para ser honesta. Apenas incidentes desconexos, não necessariamente na ordem certa. Lembro de um círculo de lésbicas grandalhonas e viris se formando em volta de mim e de Fran na pista de dança. Todas gritavam loucamente e nos incentivavam a mandar bala, e foi brilhante. Sinceramente, eu nunca soube que era tão boa dançarina. Daí, houve um momento assustador em que aquela dominatrix, que era a gerente, me levou à força para um canto do clube e me mandou parar de me exibir. Sinceramente, no entanto, não tenho qualquer lembrança de ter levantado minha blusa. E, pelo amor de Deus, mesmo que ela estivesse certa e que eu tivesse feito isso, que tipo de clube era esse? Estava cheio de *lésbicas*. Elas nunca tinham visto peitos antes, por acaso?

E realmente não tenho idéia de como terminei a noite algemada em um cano no banheiro. Talvez eu tivesse mostrado os peitos novamente e a dominatrix decidira tomar uma atitude. Quem sabe? O que eu sei é que, quando Kirsty finalmente encontrou a chave, eu já havia apagado. Fim da despedida de solteira.

Obrigada, Emily, porque foi a maior diversão da minha vida. Eu acho. Se pelo menos eu pudesse me lembrar.

Como chefe da minha despedida de solteira e, portanto, responsável pelo meu bem-estar, Emily, de alguma forma, me levou de volta à casa de seus pais. Passamos o dia seguinte nos recuperando. Não levantamos antes da hora do almoço e decidimos, em nome dos velhos tempos, ir ao café descendo a rua para uma refeição cheia de frituras, como costumávamos fazer quando éramos adolescentes — a uma semana do meu casamento, tudo que eu fazia tinha um ar de "última vez". Mas, ao virarmos a esquina, descobrimos que o Dino's Café havia milagrosamente se transformado no Salão de Manicure da Minnie. Meu Deus, havia passado tanto tempo assim?

Estávamos determinadas a conseguir nossa nostálgica dose de gordura saturada, e então nos arrastamos por alguns quarteirões até o Joe's, onde sabíamos que se preparavam lingüiças deliciosas e não se cobrava pelas torradas extras. Só que o Joe's havia, de alguma forma, se transformado na Olive Grove, uma delicatessen caríssima, com ar-condicionado e mesas refinadas de metal. Entramos e pedimos bagels recém-saídas do forno, recheadas com mussarela light e tomates secos. Que se danasse a nostalgia. Estávamos morrendo de fome.

— Deus, pare para pensar, daqui a uma semana você será a Sra. Antonescu — Emily disse enquanto enchíamos a barriga. — Não acredito que você esteja fazendo isso primeiro. Max e eu estamos juntos há muito mais tempo do que você e o Cabeça de Gel.

De alguma maneira, o apelido dado por Simon havia circulado e, assim como gel, grudado na cabeça de todos.

— *Emily!* — repreendi.

— Desculpe, você e *Cristian.*

— Bem, você e Max ficaram noivos antes de nós dois — eu disse. — Não é culpa minha que vocês ainda não tenham marcado a data.

Ela não disse nada.

— Então, por que vocês não marcaram a data ainda? — perguntei.

Ela deu de ombros, levemente. — Você sabe como ele é ocupado. É bem difícil achar uma brecha e... Você sabe.

Não a contestei, mas estava pensando que a demora não tinha nada a ver com o volume impossível de trabalho de Max e tudo a ver com Emily. Ela o havia seguido até o outro lado do mundo, mas, quando chegou a hora de tornar tudo legal, assentar-se para todo o sempre amém, ela estava exatamente como eu: cagando nas calças de medo. Seria a mera idéia do casamento aterrorizante ou o pensamento de casar-se com os caras que havíamos escolhido, em particular?

Boa pergunta.

— Nós poderíamos dar uma de *Thelma e Louise* e simplesmente fugir — Emily disse, do nada.

— Tarde demais para isso agora.

— Nunca é tarde demais — ela disse, estreitando os olhos. — Quer entrar no Mercedes de Max e sair dirigindo?

— Ele te caçaria até o fim do mundo e te mataria. Ele ama aquele carro mais do que ama você. Enfim, eu já cansei de fugir.

— Bem, eu não poderia fazer isso na verdade — ela disse. — Max e eu...

— Max e você o quê? — perguntei, nervosa. Sempre tinha uma sensação ruim quando Emily não conseguia completar uma frase.

— Olha, a razão pela qual ainda não marcamos uma data é porque ele recebeu uma proposta. Seus empregadores querem que ele volte. Estão abrindo um novo escritório e querem que ele supervisione a operação toda porque o fez com muito brilhantismo da vez anterior.

Eu sabia. Ela estava se mandando de novo. Mas talvez não fosse tão ruim dessa vez. Talvez fosse para algum lugar suficientemente próximo para uma visita de fim de semana. Paris ou Watford. — Onde é o escritório novo? — perguntei.

— Osaka.

— A easyJet tem vôos para lá? — perguntei, esperançosa.

— É no Japão, Dayna.

Ah.

— Eu não quero ir — ela disse e, pela forma como seu rosto murchou, eu sabia que não era só para me consolar. — Mas não posso ficar longe de Max, não mesmo.

— Bem, diga a ele para não ir. Ele já tem um emprego excelente. Se ele te ama, ficará aqui.

— Você não sabe o que eles estão oferecendo a ele. É obsceno. E lhe prometeram que ele irá chefiar o escritório de Londres quando voltarmos. Isso é garantia até o fim da vida.

— Meu Deus, ele já se garantiu até o fim da vida umas dez vezes.

— Você conhece Max. Nunca é suficiente. É uma oferta maravilhosa. Ele não pode rejeitá-la. E é só por seis meses.

— É, sei. Foi o que ele te disse na última vez.

— Ele me prometeu desta vez, disse que colocará por escrito se eu quiser. E ele sabe que eu vou surtar e matá-lo se tivermos que ficar um segundo a mais. De qualquer forma, por que eu ficaria aqui? Vamos ser honestas, nunca vou ter sucesso como decoradora.

Eu não podia argumentar contra aquilo. Eu queria... Mas de verdade não podia.

— Quando você vai? — perguntei, resignando-me ao meu destino.

— Mês que vem. Não se preocupe, eu estarei aqui para te obrigar a caminhar até o altar no sábado.

Na última vez em que ela me abandonara, eu havia ficado sozinha. Dessa vez, eu teria Cristian. Estaria ocupada demais me adaptando à minha nova vida como Sra. Antonescu para sentir falta dela. Não, dessa vez eu não iria chorar, não agora, que eu já era quase uma adulta casada.

Voltei para meu apartamento naquela tarde. Eu havia mais ou menos mudado de volta para lá. Nada a ver com Cristian e eu não estarmos nos dando bem, nem nada assim. Não, nós havíamos decidido que, nos dias anteriores ao grande dia, deveríamos viver separadamente e, então, o casamento pareceria muito mais especial e romântico. Na verdade, eu é que tinha decidido, mas Cristian havia achado que era uma excelente idéia. Pelo menos depois que passei uma semana convencendo-o.

Eu havia sido sincera sobre o que dissera a Emily. Estava cansada de fugir. Estava na hora de crescer. Eu me casaria em uma semana e iria me atirar naquilo com todo o coração, e logo depois da lua-de-mel voltaria ao trabalho, no qual me jogaria igualmente de todo coração, e então ficaria grávida, o que significava que eu não iria trabalhar muito tempo por causa da licença-maternidade, mas, tudo bem, Mila ficaria encantada porque ela seria avó... Sim, tudo funcionaria maravilhosamente bem e eu me senti melhor do que havia me sentido em semanas.

E, quando o telefone tocou dez vezes no curso da noite, eu atendi todas as vezes, em vez de deixar que a secretária eletrônica atendesse, como às vezes fazia quando não estava com vontade de falar com ninguém — está bem, com Cristian. E cada uma das vezes ele disse que me amava e eu disse que também o amava e que, sim, eu também não via a hora de chegar o próximo sábado, quando nós seríamos unidos pelo sagrado matrimônio até que a morte nos separasse.

E, quando desliguei o telefone pela décima vez, entrei em pânico. Quer dizer, em pânico *de verdade.*

Tenho certeza de que teria ficado perfeitamente bem se Cristian não tivesse incluído o "até que a morte nos separe" em seu último telefonema. *Idiota.* Eu não podia entrar em pânico sozinha. Precisava de uma companheira de pânico. Então liguei para Emily. Ela chegou lá em meia hora e, amiga verdadeira que era, assim que tirou a jaqueta, entrou em pânico também.

— Ai, meu Deus, o *telefone*. Será que devo atender? O que está acontecendo, Dayna? Me diga! — ela gritou, acima do toque do telefone. — Não, deixe que eu atendo, e daí você me conta.

— *Não!* — explodi — É *ele*! Eu não posso falar com ele de novo. Não hoje. Nem *nunca*!

— Mas por quê? O que aconteceu? — Emily berrou quando a secretária eletrônica disparou e ouvimos Cristian professar seu eterno amor à fita cassete que gravava.

— Nada. Ele não fez nada. Mas eu não posso fazer isso!

— Fazer o quê?

— Você não prestou atenção a *nada*? Não posso me casar com ele! Ele fica em cima de mim. É sufocante. Não consigo RESPIRAR! Emily, não posso viver assim. Não pelo resto da minha vida.

— Pare com isso! Vamos nos sentar e conversar sobre o assunto com calma e racionalidade — ela vociferou, com bastante irracionalidade. *Por que* a havia chamado ali? Ela estava fazendo com que eu me sentisse pior.

— Não há nada para conversar! — bradei. — Simplesmente não posso fazer isso!

— Bobagem, é claro que pode — ela disse. — Isso é apenas nervosismo de última hora. É normal. Todo mundo passa por essa tensão. Você precisa conversar com um adulto. Já sei, telefone para Suzie. Ela saberá o que dizer.

— Eu sei o que ela vai dizer! — uivei histericamente. — Ela já chegou à conclusão de que isso tudo está errado. Não posso falar com ela. Ela apenas dirá "Eu te disse".

— Bem, talvez ela esteja certa. Talvez você não devesse se casar com ele — ela disse, de repente mudando de curso, sem qualquer razão aparentemente boa.

— Não diga isso! — berrei, ligeiramente mais histérica que antes — EU TENHO QUE ME CASAR COM ELE! Já está tudo organizado, pago. Tenho o vestido, um bolo do tamanho do Empire State Building uma lua-de-mel de vinte mil libras na porra de St. Lucia, Mila vai ter um ataque de caganeira, Cristian vai SE MATAR, e ninguém jamais falará comigo novamente!

De qualquer ângulo que olhasse, eu estava fodida. Eu não podia me casar com o cara. Eu não podia *não* me casar com ele. Estava presa em uma situação de meu próprio feitio. Não, *não* era do meu feitio. De repente, tomei consciência de que aquilo tudo era culpa *do meu pai*! Ele era a única razão pela qual eu estava noiva de Cristian. Eu só havia feito aquilo para provar que, ao contrário dele, eu *podia* me comprometer. Mas ele nem sequer estava por perto para que eu provasse a ele. Jesus, se ele já não estivesse morto, eu o teria matado pela confusão em que havia me metido.

Corri para meu quarto e me joguei na cama.

— Não consigo respirar, Emily! — eu disse, com a voz rouca. E realmente não conseguia. Meu peito estava apertado e eu estava produzindo uns ruídos estranhos e sibilantes.

— Tente tirar a cabeça de baixo do edredom. Pode ser que ajude — Emily sugeriu, parecendo relativamente calma, por fim.

Rolei na cama e olhei para ela desamparadamente, e ela tomou a minha mão. — Você só precisa se fazer uma pergunta — ela disse. — É a pergunta que fiz a mim mesma quando Max me veio com a história do Japão e eu não concordei em ir até que tivesse respondido a esta pergunta. Pense bem, Dayna: Você *precisa* de Cristian em sua vida?

Pensei sobre aquilo muito e *por muito tempo.*

Será que eu precisava de Cristian?

Só havia uma coisa de que eu precisava: um bebê. Por mais incerta que eu estivesse a respeito de todo o resto, estava segura com relação àquilo.

E, se eu precisava de um bebê, precisava de Cristian... Ou não?

Emily ficou comigo por mais uma hora, partindo somente quando teve certeza de que eu não faria bobagem alguma e apenas depois de ter escondido todas as minhas facas. Preparei algumas torradas, depois que ela foi embora, mas não conseguia me acalmar. Precisava conversar com alguém. Cruzei o corredor e bati à porta de Kirsty. Ela era a pessoa mais friamente objetiva (tá, cínica) que eu conhecia, principalmente em se tratando do assunto no qual ela não tinha o menor interesse: homens. Seus conselhos, portanto, estavam fadados a ser excelentes.

Outra coisa a respeito de Kirsty: ela era a única pessoa que eu conhecia que não apenas tinha um recheador de peru, como também sabia usá-lo.

9,5 cm

— Vamos lá, Dayna, *empurre*! — Suzie encoraja em vão.

Que diabos ela acha que estou fazendo? Tentando puxar o bebê de volta para dentro?

Estou de joelhos na cama, agarrando a cabeceira com tanta força que as juntas dos meus dedos estão prestes a explodir, e estou empurrando como uma doida. Parece estar surtindo o efeito de espremer suor por todos os meus poros — meu corpo inteiro está ensopado —, mas não parece estar adiantando muito no que se refere ao bebê.

A parteira júnior-estagiária-estudante-aprendiz está dobrada ao meio, sua cabeça em algum lugar entre as minhas pernas. Ela está lá embaixo há séculos. Não acho que ela saiba exatamente o que está fazendo. A outra parteira disse a ela para ficar olhando e gritar quando alguma coisa acontecer e, até agora, ela tem obedecido às ordens ao pé da letra. Ela de fato parece mais adolescente que a minha parteira original. Qual era mesmo o nome dela? Quem se importa? Aquilo parece ter acontecido há uma eternidade.

E foi mesmo. Agora são dez da manhã, doze horas completas desde que cheguei. Durante as últimas horas, o movimento aqui tem sido como o da King's Cross Station, com todas as idas e vindas. O Dr. Singh entrou com seus alunos de medicina, mas só ficou alguns minutos.

— Não há nada de muito interessante que ver por aqui — ele disse. — Tudo parece bem rotineiro.

— Bem, seu filho-da-puta, por que *você* não tenta expelir uma bexiga cheia de concreto para ver se a sensação é *rotineira*? — eu teria sugerido se não estivesse no meio de uma contração.

Mark ficou até que suas náuseas se tornaram insuportáveis. Não posso dizer que o culpe. Eu iria embora se pudesse. Não importa, sem dúvida eu o verei mais tarde.

Emily tem sido uma presença constante, mas bem poderia não ter estado aqui, por tudo de útil que tem feito. E Suzie está me dizendo para empurrar... o que completa o ciclo.

Que diabos ela acha que estou fazendo?

Ainda o Nº 6
(com um toque do Nº 3)

Segunda-feira: faltavam apenas cinco dias. Sim, o casamento ainda estava de pé. Quando acordei, o ataque de pânico que tivera no domingo de repente pareceu um pouco tolo. Eu tinha quase certeza de que era apenas nervosismo, do tipo que todo mundo deve ter. Meu humor melhorou quando examinei o folheto da lua-de-mel, enquanto tomava o café-da-manhã. Quem não teria seu humor aumentado pela perspectiva de uma suíte no melhor hotel em St. Lucia? O que quer que acontecesse àquele casamento, pelo menos as três primeiras semanas seriam passadas no paraíso. As coisas melhoraram ainda mais quando fui até o apartamento de Cristian e ele me contou as boas-novas.

— Sente-se, Dayna — ele disse, um olhar grave no rosto. — Há uma coisa sobre a qual preciso conversar com você.

"Merda", pensei. Ele deve ter mandado um detetive particular me seguir na noite da despedida de solteira. Eu esperava que, por Deus, não houvesse fotos. Mas não era isso.

— Mila arrumou um sócio na Austrália e vai abrir Spa Spaces em Melbourne e Sydney — ele anunciou.

— Isso é fantástico — eu disse, perguntando-me por que ele parecia tão preocupado.

— Sim... É, sim. A questão é que ela me pediu para participar. Ela quer que eu vá para lá e faça contato com esses caras australianos, me certifique de que tudo seja feito corretamente. A idéia é que os salões sejam tão parecidos com o de Londres quanto for possível. Calculo que a coisa toda leve cerca de um ano para decolar.

— Certo — eu disse, a cor se esvaindo do meu rosto porque sentia que sua próxima pergunta seria o que eu acharia de emigrar.

— Não se preocupe, eu não teria que morar lá nem nada — ele disse rapidamente, parecendo ler minha mente pelo menos uma vez na vida. — Mas ficaria indo e vindo o tempo todo e acho que teria que ficar lá por três ou quatro semanas de cada vez. Eu gostaria que você viesse comigo, é claro. Na verdade, acho que seria uma forma maravilhosa de começarmos nossa vida juntos, conhecendo a Austrália, a Grande Barreira de Corais, Ayers...

— Ah, eu não poderia ir — eu disse.

Seu rosto murchou.

— Bem, quero voltar ao trabalho assim que acabar nossa lua-de-mel — expliquei.

— Mas Mila não se importaria.

— Você sabe que a minha carreira é realmente importante para mim, Cristian, e já estou longe do trabalho há tempo demais.

— É claro — ele disse, com um aceno de cabeça tipicamente compreensivo.

— E não é só isso. Quer dizer, se vamos ter um bebê imediatamente, eu não poderei fazer essas longas viagens de avião. Não quando estiver grávida.

— Eu não tinha pensado nisso — ele disse, com culpa.

— Você é homem. — Sorri. — Por que pensaria?

— Mas como você vai se sentir com o fato de eu ficar tanto tempo longe? Não é um bom modo de começar nosso casamento, é?

— Bem, sentiremos saudade um do outro, mas vamos dar um jeito — eu disse. — Eu sei que vamos.

E eu estava sendo sincera. Porque agora podia vislumbrar um pouco de espaço para respirar. Eu tinha certeza de que seria capaz de me adaptar à vida de casada se pudesse fazer parte da adaptação sozinha.

Eu ainda me sentia ótima quando voltei ao meu apartamento naquela tarde, e meu dia não foi estragado quando Cristian telefonou para dizer que me amava demais e que morria de saudade de mim e, ah, se eu poderia telefonar para a floricultura para confirmar a hora da entrega dos arranjos de mesa, e telefonar para o bufê para assegurar que eles receberam a mensagem pedindo camarões-*tigre*, não camarões-*reais*. Ele conseguia ser afeminado a ponto de fazer esse tipo de distinção. E era por isso que eu o amava, claro.

Quando a campainha tocou um pouco depois das cinco, fiquei surpresa ao ver Archie parado à porta. — O que você está fazendo aqui? — perguntei.

— Acabei de apanhar uma caçamba a algumas ruas daqui — ele explicou. — Agora é tarde demais para levá-la para o depósito, então pensei em arriscar vir te ver. Fico surpreso que você ainda esteja morando aqui, na verdade. Pensei que já tivesse se mudado para a casa do seu amor.

— De jeito nenhum — exclamei, fingindo ultraje. — Estou me guardando para a nossa noite de núpcias.

— E aí? Tem tempo para um drinque? — Ele sorriu.

Como é que eu poderia dizer não? Eu o fiz entrar e peguei duas latas de cerveja na geladeira. Ele estava no sofá quando voltei para a sala, então me sentei na poltrona.

— Foi ótimo te ver no sábado, sabe? — ele disse.

— Foi bom te ver também, Archie. Como foi seu jogo de cartas?

— Ele me passou a limpa, né? Tenho certeza de que ele estava roubando. Eu te disse, nunca se pode confiar em um homem negro.

Meu rosto murchou.

— Estou brincando! — ele exclamou. — Ben é um cara fantástico. No entanto, ainda assim, ele me limpou.

Ficamos num silêncio constrangedor por algum tempo. Daí ele disse: — E aí, me conte sobre esse cara com quem você vai se casar.

Então, contei. Sobre o lindo apartamento em Primrose Hill, as negociatas e o salão de beleza, que logo se tornaria uma cadeia internacional de salões de beleza. E joguei a palavra "romeno" algumas vezes na conversa, mas nem assim houve qualquer alfinetada sobre ciganos.

— Parece que você deu sorte — ele disse, em vez disso.

— Sim, dei mesmo — concordei, porque, devido à forma como havia sido o dia, estava me sentindo precisamente "sortuda".

— Veja bem, ele também deu sorte — Archie disse. — Sempre pensarei em você como aquela que me escapou. Você é das boas, Dayna, é, sim.

— Obrigada — eu disse, sentindo-me enrubescer à lembrança. Embora nosso breve noivado parecesse, então, estar a milhões de quilômetros de distância.

Ele tomou um gole da cerveja e, então, disse: — Olha, eu sei que provavelmente esta não seja a hora e que já é tarde demais, mas eu só quero dizer que não fiquei feliz com a forma como terminou... Você sabe, entre nós dois.

— Não — eu disse baixinho —, nem eu.

— Naquela noite que você foi atacada, eu disse algumas coisas... Um monte de coisas. Mas eu estava furioso. Quer dizer, tinha acabado de ver aquele filho-da-puta colocar uma faca no seu pescoço e, bem, acho que perdi o controle. O que estou tentando dizer é que pode ser que eu estivesse um pouco equivocado com o que disse, mas você tem que entender que eu estava fulo da vida.

— Eu entendo — eu disse a ele —, mas, no fundo, nossas opiniões básicas a respeito das coisas são absurdamente diferentes, não são?

— Sim, talvez sejam, mas eu sinceramente não sou o monstro que você pensa.

Levantei uma sobrancelha, cética.

— Eu *não* sou — ele protestou. — Olhe só o Ben.

— Ele é *um* cara, Archie. E quanto àqueles caras com quem você foi ao pub naquela noite? Você sabe, o grupo de políticos.

— Não estou mais envolvido com eles — ele disse. — Ficaram liberais demais para o meu gosto. Estou *brincando*! Falando sério, não tenho nada a ver com eles atualmente. A resposta deles para tudo era pegar os tacos de beisebol. Estava realmente ficando um pouco demais.

— Verdade?

— *Verdade.* Olha, eu não *odeio* ninguém, sinceramente não.

Observei-o cuidadosamente. Talvez Mark e Suzie estivessem certos. Talvez todo mundo tivesse mesmo algo de bom. Talvez só o que precisássemos fazer fosse procurar com vontade.

Peguei mais bebidas para nós e, enquanto ele falava, observei-o mais um pouco. Ele estava absolutamente imundo. Terra debaixo das unhas, a pele impregnada de poeira dos canteiros de obra e manchada de graxa do caminhão. Um contraste tão grande com o suave, encantador e perfeito-em-todos-os-detalhes Cristian... Um contraste tão *excitante*!

Conforme a noite ia passando e minha geladeira se esvaziava de cervejas, foi ficando cada vez mais fácil achar que todos eram capazes de mudar, e cada vez mais difícil ver por que eu e ele havíamos nos separado, para início de conversa.

Um abracinho amigável, só em nome dos velhos tempos, não iria fazer mal a ninguém. Iria?

10 cm
(e ainda empurrando)

— Estou vendo o topo da cabeça — a parteira júnior-estagiári estudante-aprendiz grita de algum lugar entre as minhas pernas. — Estou vendo o topo da *cabeça*! É melhor eu ir chamar a Maureen.

Quando ela sai correndo do quarto, eu me viro para Suzie, que está ao lado do meu ombro e que não vai correr a lugar algum não importa que eu esteja apertando sua mão com muita, muita força. — Quem é Maureen? — pergunto com a voz fraca, pois o pingo de força que me resta agora está empenhado em apertar sua mão.

— A chefe dela, imagino — ela responde. — Você sabe, a parteira de verdade.

Ainda estou de joelhos na cama, encarando a parede. Me sinto como se estivesse presa com cimento, paralisada pelo medo e pela dor. Esta deve ser a pior agonia que qualquer pessoa no mundo inteiro já...

— *Aaaaaahhh!* — grito pela milionésima vez.

— Isso mesmo, Dayna, só mais um empurrão — uma nova voz me encoraja, atrás de mim. Deve ser a Parteira Maureen, de volta após a pausa para chá mais longa do mundo. — Você já está quase lá. Podemos ver a cabeça, sabia?

— Eu não consigo empurrar... Eu não... consigo... Dói... Dói muito... muito *mesmo* — eu digo, minha voz tremendo só pelo esforço de falar.

— Bem, não posso fazê-lo por você — a parteira Maureen me diz num tom de voz que eu não ouvia desde que era aluna do ensino fundamental. — Só você pode fazer isso e você tem que *empurrar*!

Onde diabos está a Emily? Há horas que não ouço nem sequer um chiado dela.

Então, também de algum ponto atrás de mim:

— Ele está aqui! — Emily grita. De onde ela veio? Não posso me virar para olhar para ela. Não... tenho... forças.

— Quem está aqui? — Suzie pergunta por mim.

— *Ele.* Acabou de telefonar. Seu trem acabou de chegar à estação Euston. Ele estará aqui em meia hora.

Meia hora? Estarei morta em meia hora.

Nº 6 de novo (com os Nºs 1, 2 e 5 de quebra)

Era a manhã da quarta-feira e, não, eu ainda não dera para trás. Havia, de alguma forma, conseguido sobreviver por dois dias inteiros desde o domingo sem sofrer outra crise. Incrível o que eu era capaz de fazer quando me decidia. Agora, eu só tinha três dias restantes como Dayna Harris. Isso era legal. O nome Dayna Antonescu tinha um toque maravilhosamente exótico toda vez que eu o dizia em frente ao espelho, com ou sem sotaque romeno.

Eu havia passado a noite de terça-feira no apartamento de Cristian e depois do café-da-manhã decidi sair para correr. Sim, *correr.* Era meu novo lance. Bem, era meu novo lance começando aquela manhã. Eu tinha me pesado na balança muito cara (e, portanto, muito precisa) do banheiro de Cristian e tivera o maior choque da minha vida. Eu sempre pesara muito menos na balança Argos chulé do meu apartamento. Em apenas três dias, eu teria que me espremer dentro de um vestido de noiva muito caro e muito justo. De alguma forma, dois quilos teriam que desaparecer, e eu sabia que só passar fome não iria adiantar. Portanto, vamos correr. Sem problema. Todo mundo em Primrose Hill corria. Eu provavelmente trombaria com Kate Moss por ali. Eu me perguntei se ela ficaria tão bem quanto eu num agasalho de poliéster.

Corri algumas voltas na espaçosa sala de estar de Cristian só para me aquecer, então desci as escadas e saí porta afora. Até agora, tudo bem. Eu já estava na calçada e só um pouco sem fôlego.

Alguns metros depois e eu estava pendurada na grade de ferro que circundava a colina. Minhas coxas queimavam, meus pés latejavam e meus pulmões roncavam com o esforço impossível de inalar oxigênio. Sinceramente, como é que as pessoas conseguem correr e respirar ao mesmo tempo? É um mistério, juro que é. Enquanto tentava me recuperar, observei uma dupla de corredores profissionais deslizar por mim sobre tênis de corrida de £500 e flutuar através do portão para dentro do parque. Eles seguiram morro acima sem diminuir a velocidade. *Jesus*, eu não ia subir *aquilo*. Era a primeira vez que eu olhava direito para a colina de Primrose Hill desde que me mudara para o apartamento de Cristian e, meu Deus, aquilo era íngreme. Estava mais para montanha Primrose. É isso, decidi. Assim que recuperasse o fôlego, eu iria correr (devagar) de volta ao apartamento.

Então, meu celular tocou. Olhei a tela: Simon. Fazia séculos que eu não sabia dele. Levei o telefone ao ouvido. — Oi, Simon — eu disse.

— Você parece devastada — ele disse, captando a exaustão na minha voz por ser o profissional da forma física que ele era. — Você não estava correndo, tava?

— *Não*... Bem, só para tomar o ônibus.

Eu jamais conseguiria me redimir se o Sr. Boa Forma soubesse que sua ligeiramente balofa ex estava, de fato, tentando correr.

— Aposto que você perdeu a condução — ele disse. — Você precisa entrar em forma, garota. Seja como for, você nunca vai adivinhar onde eu estou.

— Não faço idéia. Onde você está?

— Em Lympstone — ele anunciou orgulhosamente. — Você sabe, para fazer meu PRMC — ele repetiu quando não respondi. — Eu consegui, Dayna. *Passei!* Sou um *Royal Marine*, baby! Bem, serei, se passar pelo curso básico de trinta e duas semanas. Esse é o programa de treinamento de infantaria mais longo do mundo, sabia?

Sim, eu sabia, porque tudo estava voltando à minha memória. As infinitas horas escutando Simon recitar dados dos Marines, o eterno preenchimento de formulários e o apoio moral na vã tentativa de fazê-lo chegar a um lugar chamado Lympstone. Mas agora ele estava realmente lá e era um Marine. Em potencial.

— Isso é fantástico — eu me emocionei, finalmente recuperando o fôlego. — Muito bem! Você não me disse que iria.

— Não disse a ninguém. Eu me acovardei e pulei fora tantas vezes que achei que, desta vez, era melhor ficar em silêncio. Não queria passar por bobo novamente.

— Bem, você não passou. Você conseguiu ir em frente! Estou muito orgulhosa de você, Simon.

— Obrigado. É tudo graças a você, você sabe.

— Como você chegou a essa conclusão?

— Bem, eu não poderia preencher sozinho os formulários, né? E você foi sempre a pessoa que ficou ao meu lado, sabe, me encorajando e tal.

Meu Deus, aquilo era a coisa mais doce que Simon já me dissera. Fiquei passada.

— De qualquer forma, voltarei a Londres hoje à tarde — ele prosseguiu. — Nós deveríamos sair e comemorar. Eu pego você no seu apartamento e nós...

— Não sei se posso, Simon. Tenho um monte de coisas a fazer.

— Como o quê? — ele perguntou, parecendo desconcertado.

— Nada importante. Apenas vou me casar no sábado, só isso.

— Ah, é, Sr. e Sra. Cabeça de Gel.

— Simon!

— Desculpe. De qualquer jeito, é só sábado. Estou falando de hoje à noite.

— Eu adoraria sair, mas ainda tenho um monte de coisas para organizar. Tenho que ir ver os arranjos de flores e resolver a distribuição das mesas com o bufê e...

— Nossa, deve ser um barato. Bem, se você prefere fazer isso a sair para comer comida chinesa, tudo bem.

— Por que você não convida outra pessoa?

— Como quem?

— Você geralmente tem uma seleção bastante ampla.

— Estou *limpo*, lembra? Isso é outra coisa que devo a você. Aquele, hã, sermão que você me deu clareou totalmente meu pensamento com relação a esse aspecto. Nada de mulheres significava que eu poderia me concentrar cem por cento no treinamento, e foi só por isso que eu consegui entrar no PRMC. Viu, é tudo graças a você, então você *tem* que ir comigo.

Aquela era a segunda coisa mais doce que Simon já dissera. Pensei naquilo por um momento. Eu tinha certeza de que Cristian não se importaria em resolver a distribuição dos convidados sozinho, e eu já havia feito a parte dos arranjos florais. E se eu só beliscasse a comida chinesa, estava certa de que ainda conseguiria perder dois quilos até sábado.

— Ok — eu disse —, me apanhe às oito.

"Uau", pensei ao guardar o celular no bolso, "eu não era incrível?". Olhe só para meus poderes de transformação. Eu havia conseguido transformar um tarado desenfreado em um completo celibatário e havia transformado Archie de melhor amigo de Hitler em alguém basicamente não muito pior do que qualquer outro leitor do *Daily Mail*. Tinha até mesmo me transformado de uma pessoa incoerente com fobia a compromisso na mais ansiosa futura-noiva de Londres. *Uau!*

Eu me senti tão bem que decidi correr novamente. Não, não montanha acima, mas pelo caminho que ladeava o parque. Parti num passo rápido (para mim) e só diminuí a velocidade para olhar a atividade no outro lado da grade. Havia luzes e caminhões de bufê, equipamentos de filmagem e pessoas por toda parte. O que estava acontecendo? Talvez Kate Moss levasse uma equipe de filmagem com ela quando saísse para correr. Perua exibida.

Retomei a velocidade novamente, mas parei ao ouvir um grito de "Dayna!" vindo do outro lado do parque. Eu me virei e olhei para a figura que corria na minha direção. Ele usava um blusão de fleece com o capuz levantado e eu não o reconheci até que ele chegasse bem perto.

— Chris! — berrei, o que me causou um ataque imediato de tosse catarrenta. Meu Deus, eu só havia corrido alguns metros e já parecia alguém que fumava sessenta cigarros por dia.

— Você está bem? — Chris perguntou ao chegar à grade.

— Sim... bem... Só... você sabe... sentindo... a gordura... queimar — ronquei.

— Sim, já ouvi falar disso — ele disse. — Enfim, que bom te ver. Não podia acreditar nos meus olhos quando te vi. Eu soube imediatamente que era você. Alguma coisa na forma como você corria. Você é realmente... *graciosa.*

Ele estava dando aquele sorriso adorável, então lutei para resistir à vontade de socá-lo com bastante força no nariz.

— Escute, venha comigo, eu te arrumo um café — ele disse, ainda sorrindo. — Ou você está cronometrando?

— Bem, estou tentando bater meu melhor tempo, mas que se dane! Eu adoraria um café.

— O que você está fazendo aqui? — perguntei quando nos sentamos num banco perto do caminhão de bufê e observamos o vento soprar a fumaça de nossos copos de isopor.

— Filmando um videoclipe. É para uma canção do novo disco.

— Você se deu tão bem, Chris. Fico muito orgulhosa de conhecer você — eu disse a ele com sinceridade. — Sempre soube que você conseguiria. — Bem, era só uma *pequena* mentirinha.

— Nós nos saímos razoavelmente bem, não é mesmo? — Ele sorriu para mim.

— Só *razoavelmente*? Quantos prêmios Brits você já tem?

— Então você *vem* acompanhando a minha carreira.

— Como uma fanática — eu disse a ele seriamente.

Ele riu, então disse: — Você se lembra do nosso primeiro single?

— Hã-hã.

— Aquela música sempre me fará lembrar de você.

— Verdade? Por quê? — perguntei, totalmente intrigada.

— *Yellow,* amarelo, sempre me lembra o nosso primeiro encontro, você sabe, naquele restaurante Hare Krishna.

Como eu poderia me esquecer? Todos aqueles anos depois e eu ainda estava arrotando o curry. Tentei me lembrar do que havia vestido naquela noite. Uma blusa amarelo-ouro? Brincos em formato de banana? Um legging amarelo-canário?

— Aquele repolho ao curry que você adorava — ele continuou — era muito, mas muito *amarelo.*

Nós dois explodimos em risos.

— Então eu fui uma inspiração para o seu trabalho e, não vamos nos esquecer, fui eu quem meio te apresentou à sua futura esposa. — Parei e lhe dei um grande sorriso. — Eu sou um gênio mesmo, não sou?

Ele riu novamente.

— Havia me esquecido de como você era engraçada, Dayna.

Humm, eu também.

— E aí, você está morando por aqui agora? — Chris perguntou.

— Não, ainda estou no mesmo apartamento de sempre.

— Como assim, você veio correndo até aqui? Deve ser uma mulher bem atlética.

— Bem que eu queria. Não corri nem cem metros. Estou hospedada aqui perto na casa do meu nooooo...vo amigo. — Ora, por que eu não conseguia me obrigar a dizer noivo?

— Está namorando alguém no momento, então? — ele perguntou.

— Não... Na verdade, não... Livre e desimpedida.

Aaarrrggghhh! Que diabos eu estava fazendo? E a apenas três (repito: *três*) dias do meu casamento.

— Que legal, mas tenho que dizer — ele piscou para mim —, recomendo totalmente esse lance de casamento.

Humm, pensei.

— É tão legal ver você de novo, Chris, de verdade.

— Você também, Dayna. As filmagens são muito tediosas, mas você fez com que valesse a pena ter vindo a esta.

Paramos de falar e bebericamos nosso café. Olhei para a equipe de filmagem no outro lado do gramado, dividida em pequenos grupos, fumando e conversando. Eles estavam daquele jeito desde que nos sentamos.

— Não parece que está rolando muita filmagem — eu disse.

— Não, estamos esperando uma máquina de vento.

— Uma máquina de *vento*? — perguntei quando um sopro de vento bagunçou todo meu cabelo. — Está ventando pra caramba aqui.

— Ah, mas o diretor não quer uma *simples* ventania. O diretor *exige um furacão*! De maneira que precisamos de uma máquina de *vento* — ele explicou, fazendo uma voz de canastrão que ele quase conseguia fazer direito. — Você não sabe muito sobre filmagens, sabe?

— Não muito — eu disse.

Vi um homem caminhando em nossa direção. Ele usava uma jaqueta preta de aviador com *M:I-2* bordado no bolso do peito. Ele parou quando chegou aonde estávamos e disse: — Desculpe, Chris, mas parece que vamos ter que esperar aqui mais um pouco. A estimativa de chegada da máquina de vento é de mais uma hora.

— Não esquenta, cara, quando vocês estiverem prontos... — Chris disse a ele.

Como assim, nenhum surto de fúria de *Prima Donna*? O estrelato realmente não o havia mudado.

— Quem é esse? — perguntei quando o homem se afastou. — O diretor?

— Não, ele é o primeiro.

Olhei para ele sem entender.

— O primeiro DA.

Ainda não entendi.

— Primeiro diretor assistente.

— Entendi — eu disse, sem entender nada. — Olha, é melhor eu ir.

— Não, fique mais um pouco... *por favor* — ele implorou. — Estou ficando louco de tédio aqui. Preciso de uma companhia decente. Ei, já sei, por que não vamos lá para o meu trailer? Meu Deus, eu *sempre* quis dizer isso a uma garota.

Tudo que pude fazer foi rir.

E me perguntar por que parecia que eu só ria na companhia de homens que não eram Cristian.

Voltei para o meu apartamento sentindo-me bastante nostálgica. Tinha sido ótimo ver Chris novamente, mas eu não podia evitar pensar em como as coisas poderiam ter sido entre nós.

Fui interrompida no meio do pensamento. Meu celular tocou quando eu estava entrando. Era Cristian. Seus telefonemas muito freqüentes nem sempre tinham um objetivo, então eu me senti tentada a ignorá-lo, mas, boba como sou, não o fiz.

— Onde você está, Dayna? — ele perguntou com irritação.

Deus do céu, ele já não sabia? Fico surpresa que ele não tivesse me instalado um rastreador por satélite ou coisa parecida.

— Acabei de chegar em casa — respondi. — Por quê?

— Porque deveríamos ir falar com o cara do bufê para discutir a distribuição dos convidados nas mesas, por isso.

— Mas é só às sete — eu disse. — Agora são três da tarde.

— Sim, mas eu queria discutir com você primeiro para ter certeza de que ficará absolutamente feliz com tudo.

— Não se preocupe comigo, Cristian — eu disse docemente. — A metade dos convidados virá da Romênia. Nem sequer consigo pronunciar seus nomes, quem dirá decidir onde colocá-los.

— Mas ainda há outras duzentas e cinqüenta pessoas, Dayna.

Aaarrgghh! Eu odiava ser lembrada do fato de que havia *quinhentas* pessoas que viriam ao nosso casamento. Os Antonescu não sabiam fazer nada pequeno e íntimo.

— E, depois do bufê, pensei que poderíamos ir jantar fora — continuou Cristian. — No restaurante do Gordon Ramsay. Ainda não te levei lá, levei?

Não, ele não tinha levado. Mas eu já tinha planos para o jantar — a £4,95 por cabeça no bufê rodízio do Oriental Cottage. Não chegava aos pés do Gordon Ramsay, mas lealdade é lealdade, certo?

— Não posso, Cristian — eu disse.

— Não pode o quê? Vir ao bufê comigo ou sair para jantar?

— Nenhum dos dois.

— Por que não?

— Estou muito cansada... Tive um dia duríssimo hoje... Correndo.

— Correndo?

— Oito quilômetros — eu disse, pois tinham realmente parecido oito quilômetros.

— Está bem, esqueça o jantar — ele disse —, mas, por favor, venha comigo ao bufê. Eu simplesmente acho que é muito importante que façamos isso juntos e...

— Não estou te ouvindo, Cristian, acho que minha bater...

Recentemente, eu havia ficado realmente boa em fechar o celular exatamente no meio de uma palavra qualquer. Desculpe, Cristian, mas nós temos a vida inteira à nossa frente para fazermos coisas *juntos*. Esta noite eu só quero um pouquinho de tempo para mim mesma.

Bem, para mim mesma e Simon.

Eu me senti péssima ao despertar na manhã seguinte. Que diabos eu achava que estava fazendo?

E que diabos ia fazer agora?

Eu tinha que conversar com alguém. Mas com quem? Minha amiga Emily, a histérica? Suzie, que apenas diria: "Eu te disse"? Cristian? *Aaaarrrggghhh!* Só havia uma pessoa. O cara que uma vez me dissera que meus instintos me diriam o que fazer. Bem, no momento, meus instintos estavam perdidinhos da silva. Ele tinha que ter algum conselho melhor do que esse. Peguei o telefone e disquei o número de Mark. Eu tinha que chamá-lo imediatamente.

Se ele estava mesmo tão disposto a salvar o planeta, poderia começar salvando a mim.

2 kg e 800

Quem poderia acreditar? Eu sei que eu não. Se você tivesse me dito há uma hora que eu estaria agora deitada na cama me sentindo tranqüila, feliz e profundamente, profundamente satisfeita, eu teria rido na sua cara. Bem, não teria rido. Eu estava passando pela agonia da morte no parto, mas você entendeu o que eu quis dizer.

— Você parece definitivamente beatífica — Suzie diz, de seu posto nos pés da cama.

O que quer que isso signifique, é assim mesmo que me sinto.

— E ela é absolutamente maravilhosa — ela acrescenta.

Baixo os olhos para a carinha minúscula apontando para fora do cobertor. Não existem palavras para expressar como ela é linda. "Absolutamente maravilhosa" terá que ser suficiente.

— Ela se parece com você, Dayna.

E, portanto, se parece com a minha mãe.

AimeuDeus, isto é tão perfeito. Eu não tinha idéia de que podia me sentir tão bem assim. Se eu morresse agora... Eu sei que já tive mortes suficientes por, bem, pela vida toda, e meu próprio falecimento não é algo que eu queira realmente analisar, mas, se eu tivesse que colocar um ponto final agora mesmo, teria conseguido tudo o que já desejei na vida...

— Gostaria que seu pai estivesse aqui para ver isto — diz Suzie. — Ele ficaria bastante orgulhoso.

— Não acredito que esteja dizendo isto — eu disse baixinho —, mas eu também gostaria que ele estivesse aqui.

Ambas olhamos quando Emily irrompe quarto adentro. — Ele ainda não chegou? — ela pergunta. — Maldito inútil. Ele chegaria atrasado em seu próprio enterro.

— Dê um tempo a ele, Emily. Tenho certeza de que está fazendo o melhor possível — digo a ela. Estou me sentindo piedosa ao extremo no momento.

Um rosto aparece na porta.

— Mark! — exclamo.

Ele está segurando um buquê de flores e seu rosto parece estar muito mais corado do que esteve durante as minhas vinte e quatro horas no inferno.

— Não sabia o que trazer para você. Era isto ou chocolates, mas não achei que você estaria com fome.

Do que é que ele está falando? Acabei de perder dois quilos e oitocentos gramas e estou morrendo de fome.

— São lindas — eu digo. — Obrigada.

Emily, ainda fazendo o papel de minha assistente particular, toma as flores dele e ele caminha até a cama. — Posso vê-la? — ele pergunta.

Inclino meu bebezinho — minha *filha*! — na direção dele e ele a espia. — Ela é... *incrível* — ele diz, a admiração, assim como uma lágrima, visível em seus olhos. — Parabéns, Dayna. Bom trabalho.

— Obrigada — digo. — A propósito, e não me leve a mal, por favor, mas o que está fazendo aqui? Eu quis perguntar antes, mas...

— Tudo bem, você estava meio ocupada. Você sabe que faço trabalho voluntário aqui. Bem, eu estava visitando uma das minhas senhorinhas, trombei com Suzie e a acompanhei. Espero que você não se importe.

— De jeito nenhum. É bom ver você — digo a ele.

Suzie se levanta para ajudar Emily a fazer estardalhaço com as flores e Mark ocupa o lugar dela na beira da cama para poder arrulhar para o meu pacotinho.

— Você parece uma mulher contente com suas decisões — ele diz após um momento.

— Totalmente — digo a ele. — No entanto, eu não poderia ter feito isso sem você.

— Tudo que fiz foi te indicar a direção certa. Você fez o resto... E então, onde ele está? O pai, quero dizer.

Pai. É difícil pensar nele assim.

O *pai* está aqui agora, segurando seu bebê.

— Incrível — ele diz. Pela centésima vez. Isso é só o que ele tem sido capaz de dizer desde que chegou, há dez minutos. É bom vê-lo tão enlevado.

— Que nome daremos a ela, então? — ele pergunta.

— Olive — digo a ele.

— *Olive?* — ele exclama, antes de se conter. — O nome da sua mãe — ele diz, mais baixo. — Olive. Tudo bem. Bonito.

Eu sorrio porque sei o que ele quer dizer. — Mas podemos colocar Olivia, se você preferir — sugiro. — Mais... moderno.

— Olivia. Perfeito — ele me diz.

— Está feliz? — pergunto.

— O que você acha?

Ele tem razão. Foi uma pergunta idiota.

— Então... hã... e agora? — ele pergunta.

— Bem, supostamente devo esperar que o médico me examine, depois posso ir para casa.

— Não me referi a isso — ele diz. Eu sabia que ele não havia se referido àquilo. — Eu me referi a... você sabe... nos casarmos.

— Você não se importa se adiarmos mais um pouco, se importa? — pergunto nervosamente.

— Não... hã... tudo bem. Um passo de cada vez e tal.

Nós conversamos infinitamente sobre isso desde o meu surto e fico feliz que todo mundo entenda o que todo mundo está sentindo. Não que não estejamos comprometidos um com o outro, de todas as maneiras imagináveis, porque estamos. Do nosso próprio jeito.

E entendemos que, se este relacionamento vai sobreviver, deve ser com base na confiança, na franqueza e na honestidade. Bem, foi isso que Suzie nos disse, e nós assentimos e concordamos.

Cristian não gostou muito, é óbvio. Mas que cara levaria numa boa, ao ser confrontado pela notícia, dois dias antes do casamento, de que este não iria, de fato, acontecer? Ele ficou absolutamente destruído, coitado, mas, sendo Cristian, ele fez o possível para ser doce e compreensivo... Embora, engraçado, isso só tornasse tudo mais difícil. Eu teria enfrentado melhor a situação se ele tivesse sofrido um ataque de fúria e me rogado uma antiqüíssima praga da Transilvânia. Imagino que o carregamento de romenos que viajou para o não-evento não tenha ficado tão descontente assim — puderam fazer ótimas compras e visitaram as Casas do Parlamento.

Apenas uma romena perdeu completamente o controle: Mila teve um verdadeiro ataque. "Aquela vatia tesgraçata, vê como ela retribui a nós, aquela vatia fetita tesgraçata?", foi um dos poucos trechos de seu discurso que posso repetir. Tentei ser honesta com ela sobre minha decisão, de que era melhor assim, que eu não teria feito nenhum favor a Cristian se fosse adiante com o casamento sem me sentir totalmente comprometida com ele. Eu só queria que ela entendesse por que eu havia agido assim. Não esperava que ela me perdoasse, mas queria lhe dar a oportunidade de desabafar toda a sua raiva atirando-a pessoalmente na minha cara. Mas ela não respondeu à minha carta.

Tenho esperança de que Mila e, principalmente, Cristian estejam olhando para o futuro agora. Eu sei que Cristian se atirou de cabeça no lançamento do Spa Space na Austrália e que passa mais tempo lá do que aqui. Pode ter algo a ver com o fato de que, ultimamente, uma das top models de Sydney tenha sido vista pendurada no braço dele.

Boa sorte aos dois, é o que eu digo, pois quem sabe o que o futuro reserva a qualquer um de nós? E quanto a mim e ao pai do meu bebê? Deveríamos nos casar? Conseguiremos ir até o fim ou nos tornaremos apenas mais uma estatística, brigando por custódia e pensão e esse tipo de coisas complicadas? Quem sabe? Só podemos ter certeza de uma coisa: o aqui e o agora parecem certos, e isso é suficiente para mim.

— Você fica tão bem com ela — eu digo ao observá-lo arrulhando para o nosso bebê.

— Eles sempre nascem assim? — ele pergunta, com uma indagação no rosto.

— Assim como, Simon? — pergunto.

— Bem, só estou me perguntando por que ela tem o cabelo tão crespo.

E, de todos os meus namorados imprestáveis, vindo do único que tem cabelo liso, essa é realmente uma boa pergunta.

Quão imprestável é seu namorado?

Você tem uma vaga desconfiança de que seu supernamorado seja ligeiramente mais super do que é na realidade, mas como saber ao certo? Não se preocupe, pois desenvolvemos este teste de eficácia cientificamente comprovada. Você só tem que responder com honestidade e tudo se revelará. Divirta-se! Mas não muito. Isso é *sério*.

1. Seu namorado está atrasado para um encontro. Quando, por fim, aparece, ele:

a) entra lentamente no bar, dá uma bitoca na sua bochecha e diz: "Vou dar uma mijada. Peça uma rodada pra gente, chuchu, tô morrendo de sede."

b) diz: "Desculpe, faz tempo que você está esperando? Perdi completamente a noção da hora. Qual é o problema? Parece que alguém a irritou."

c) cai de joelhos a seus pés e lhe implora que o deixe compensar o atraso com uma viagem a Paris para umas comprinhas rápidas antes do jantar.

2. Você dá a ele um CD de presente de aniversário, mas ele já o tem. Ele:
a) exclama: "Eu já tenho este, sua vaca estúpida. Não tive nem que pagar porque baixei pela internet ilegalmente. O que mais você comprou pra mim?"
b) franze a testa e pergunta se você guardou a nota fiscal. Ele poderá trocá-lo por alguma coisa para a mãe dele, que faz aniversário na semana que vem.
c) surta de felicidade. Ele adora aquela banda! A única coisa que poderia ser melhor que ter um CD dessa banda é ter *dois* CDs!

3. A coisa está esquentando entre vocês, no sofá, quando toca a campainha. É sua melhor amiga, esvaindo-se em lágrimas. Claramente, ela está precisando de você. Ele diz:
a) "Podem conversar à vontade, garotas. Eu espero. Vocês têm dez minutos. Vamos lá, conversando, conversando... o tempo tá correndo."
b) "Fiquem à vontade, vou esquentar a água para fazer um chá. Vou querer o meu com leite e um torrão de açúcar."
c) "Ah, vocês duas *precisam* conversar. Vou lhes dar um pouco de privacidade e ir esperar no carro. Talvez possa levá-las para jantar quando vocês tiverem terminado, que tal?"

4. Você e seu namorado estão na pista de dança quando uma loura gostosa começa a se esfregar bem na frente dele. Ele:
a) tira a jaqueta, pendura-a no seu ombro e começa a se esfregar nela também.
b) grita: "Abram espaço, esta mulher está tendo um ataque epilético!"
c) dá as costas para ela e coloca os braços ao redor da sua cintura, sem olhar na direção dela nem uma única vez, nem disfarçadamente, nem mesmo quando ela tira a blusa e começa a simular um orgasmo na pista de dança.

5. Ele diz a você que está de saída para o pub. Para vários pubs, na verdade. Em Amsterdã. É um fim de semana só para homens. Ele não havia lhe contado? Você fica desapontada. Ao que ele diz:
a) "Eu sabia que você iria adorar. Ei, você poderia lavar minha calça jeans? Você sabe, aquela que dá sorte com a mulherada. Faz séculos que não a uso. Desde que dei sorte com você, na verdade. Pois é, vai ser um barato."
b) "Eu sabia que você ficaria preocupada de ficar sozinha, então pedi para a minha mãe vir aqui ficar com você enquanto eu estiver fora."
c) "Ai meu Deus, como pude ser tão estúpido? É lógico que não posso viajar sem você. Na verdade, vamos viajar nós dois. Vamos tirar uma semana. Não, duas. Você topa ir para as Ilhas Seychelles?"

Se a maioria de suas respostas foi:

a) Você está maluca? Esse cara tem que ser dispensado urgentemente, porque, se você continuar com ele, acabará matando-o ou matando a si mesma. Dê o fora nele imediatamente.

b) Esse cara é seriamente lerdo. Ele é lesado demais para ser considerado viável como namorado. Dê o fora nele imediatamente.

c) Você por acaso vive no mundo da fantasia? Esse cara perfeito não existe. E, se por alguma aberração biológica ele existir, deve ser um chato de galochas. Você já sabe o que vamos dizer: dê o fora nele imediatamente.

Você não escolheu nenhuma das opções porque nenhuma se aplica a seu homem? Bingo! Segure esse cara. Ele pode ser O Escolhido.

Impresso no Brasil pelo
Sistema Cameron da Divisão Gráfica da
DISTRIBUIDORA RECORD DE SERVIÇOS DE IMPRENSA S.A.
Rua Argentina 171 – Rio de Janeiro, RJ – 20921-380 – Tel.: 2585-2000